DIVERGENTE I

VERONICA ROTH

DIVƎRGENTE ①

Traduit de l'américain par
Anne Delcourt

À ma mère,
qui m'a soufflé le moment où Beatrice
prend conscience de la force de sa propre mère
et se demande comment elle a pu l'ignorer si longtemps.

CHAPITRE UN

CHEZ MOI, IL Y A UN MIROIR Il se trouve à l'étage sur le palier, derrière un panneau coulissant. Les règles de notre faction m'autorisent à m'y regarder le deuxième jour de chaque trimestre, quand ma mère me coupe les cheveux.

Je m'assois sur le tabouret et elle se tient derrière moi avec les ciseaux. Mes mèches tombent par terre en formant de lourds anneaux blonds.

Quand elle a terminé, ma mère rassemble mes cheveux et en fait une torsade qu'elle noue en chignon. Son calme et sa concentration m'impressionnent. Elle a une longue pratique dans l'art de s'oublier. Je ne peux pas en dire autant.

Je jette un coup d'œil furtif sur mon reflet pendant qu'elle ne fait pas attention ; non par vanité mais par curiosité. On peut changer beaucoup physiquement, en trois mois. Dans le miroir, je vois un visage étroit, de grands yeux ronds et un long nez aquilin. J'ai toujours l'air d'une petite fille, pourtant je viens d'avoir seize ans. Les autres factions fêtent les anniversaires, mais pas nous. Ce serait du narcissisme.

— Voilà, dit-elle en maintenant mon chignon par une épingle.

Son regard rencontre le mien dans le miroir. Il est trop tard pour que je le détourne. Pourtant, au lieu de me réprimander, elle sourit à notre reflet. Je fronce les sourcils. Pourquoi ne me gronde-t-elle pas ?

— Alors, c'est le grand jour, ajoute-t-elle.

— Oui.

— Tu te sens nerveuse ?

Je me fixe dans le miroir. Aujourd'hui, c'est le jour du test d'aptitudes, qui va m'indiquer pour quelle faction je suis faite parmi les cinq qui existent. Et demain, à la cérémonie du Choix, je déciderai de celle à laquelle je veux appartenir. Je déciderai du reste de ma vie. Je déciderai de rester auprès de ma famille ou de l'abandonner.

— Non, dis-je. Le test n'a pas à modifier nos choix.

— C'est vrai, acquiesce-t-elle en souriant. Allons prendre le petit-déjeuner.

— Merci. De m'avoir coupé les cheveux.

Elle m'embrasse sur la joue et fait coulisser le panneau devant le miroir. Je me dis que ma mère pourrait être belle, dans un monde différent. Son corps est mince sous sa tunique grise. Elle a les pommettes hautes et de longs cils, et quand elle détache ses cheveux pour la nuit, ils tombent en cascade sur ses épaules. Mais en tant qu'Altruiste, elle doit cacher cette beauté.

On va ensemble à la cuisine. Ces matins-là où mon frère fait le petit-déjeuner, où mon père effleure mes cheveux en lisant le journal, et où ma mère fredonne en débarrassant la table – ces matins-là sont ceux où je m'en veux le plus de vouloir les quitter.

+ + +

Le bus sent les gaz d'échappement. Chaque fois qu'il roule sur un pan de route aux pavés déchaussés, j'ai beau m'agripper au siège, je me fais secouer dans tous les sens.

Mon frère Caleb est debout dans l'allée centrale. Il a à peine dix mois de plus que moi – on est d'ailleurs dans la même classe – mais on est très différents. Il a les cheveux bruns et le nez busqué de mon père, les yeux verts et les fossettes de ma mère. Cette combinaison était un peu étrange quand il était petit, mais elle lui va bien, maintenant. S'il ne faisait pas partie des Altruistes, je suis sûre que les filles du lycée le dévisageraient.

Il a aussi hérité du don de ma mère pour l'altruisme. Il vient de céder sa place à un Sincère grincheux sans hésiter une seconde.

Le Sincère porte un costume noir et une cravate blanche, les couleurs de sa faction. Celle-ci met l'accent sur la franchise et estime que tout dans ce monde est soit noir, soit blanc ; d'où la tenue de ses membres.

À mesure qu'on approche du cœur de la ville, les constructions se resserrent et l'état de la route s'améliore. La Ruche, cette tour qu'on appelait autrefois la Sears Tower, émerge du brouillard et se détache comme une colonne noire dans le ciel. Le bus passe sous les rails surélevés du train. Je n'ai jamais pris le train, même s'il circule en permanence et que la ville est sillonnée de voies ferrées. Les Audacieux sont les seuls à l'emprunter.

Il y a cinq ans, des Altruistes bénévoles, ouvriers du bâtiment, ont repavé une partie des rues. Ils ont commencé par le centre-ville pour s'éloigner vers l'extérieur, jusqu'à ce qu'ils tombent à court de matériaux. Là où j'habite, les routes sont encore toutes fissurées et rapiécees, et assez dangereuses. De toute façon, on n'a pas de voiture.

Caleb reste imperturbable tandis que le bus brinquebale et tressaute. Il saisit une barre pour se retenir et la manche de sa tunique grise glisse sur son bras. Ses yeux ne cessent de bouger : il regarde les gens autour de nous, s'efforçant de ne voir qu'eux et de s'oublier lui-même... Si les Sincères privilégient l'honnêteté, notre faction, les Altruistes, favorise le don de soi.

Le bus s'arrête devant le lycée et je me lève. En passant à la hâte devant le Sincère, je bute sur ses pieds et je me rattrape à la main de Caleb. Mon pantalon est trop long, et j'ai toujours été un peu godiche.

Les trois bâtiments scolaires de la ville abritent chacun un niveau : élémentaire, intermédiaire et supérieur. Le niveau supérieur occupe l'édifice le plus ancien, en acier et en verre, comme toutes les constructions de cette zone. Devant se dresse une grande structure métallique que les Audacieux escaladent après les cours. C'est à celui qui grimpera le plus haut. L'an dernier, j'en ai vu un tomber et se casser la jambe. J'ai dû courir chercher l'infirmière.

— Alors, prêt pour le test d'aptitudes ? dis-je à Caleb tandis qu'on franchit la porte d'entrée.

Il hoche la tête.

À peine à l'intérieur, je me contracte. L'atmosphère est chargée d'une espèce d'avidité, comme si tous les élèves de dernière année étaient bien décidés à dévorer cette journée jusqu'à la dernière miette. On ne reviendra sans doute jamais dans ces couloirs après la cérémonie du Choix. Une fois notre décision prise, ce sont nos nouvelles factions qui se chargeront d'achever notre formation.

Aujourd'hui, la durée de chaque cours est divisée de moitié pour qu'on puisse assister à chacun d'eux avant le test, qui a lieu cet après-midi. J'ai déjà le cœur qui bat.

— Tu n'es pas du tout inquiet de savoir ce qu'ils vont dire ? insisté-je.

On s'arrête à la fourche dans le couloir où Caleb va partir d'un côté, vers la salle de maths, tandis que j'irai de l'autre, en histoire des factions. Il hausse les sourcils.

— Toi, si ?

Je pourrais lui avouer que j'angoisse depuis des semaines sur mon résultat : Altruiste, Sincère, Érudite, Fraternelle ou Audacieuse ?

Mais je me contente de répondre en souriant :

— Pas vraiment.

Il sourit à son tour.

— Bon... passe une bonne journée.

Je me dirige vers la salle d'histoire des factions en me mordant la lèvre. Il a ignoré ma question.

Les couloirs sont bondés, mais la lumière qui entre par les fenêtres donne une illusion d'espace. Le lycée est un des rares endroits où les jeunes se mélangent entre factions. Aujourd'hui, on sent que les dernière année sont tous mus par une énergie nouvelle, saisis par la folie du dernier jour.

Une fille aux longs cheveux bouclés crie « hé ! » près de mon oreille en faisant signe à quelqu'un. La manche d'une veste me fouette la joue. Puis je me fais bousculer par un Érudit, reconnaissable à son pull bleu. Je perds l'équilibre et je m'affale par terre.

— Pousse-toi, empotée ! aboie-t-il avant de continuer son chemin.

Je me relève et je m'époussette, les joues en feu. Quelques élèves se sont arrêtés mais aucun ne m'a proposé son aide. Ils me suivent des yeux jusqu'à l'angle du couloir. Voilà des mois que ceux de ma faction subissent ce genre d'incidents. Les Érudits ont diffusé des articles très critiques sur les Altruistes, et ça a commencé à affecter nos rapports avec les autres au lycée. Les vêtements gris, les coupes de cheveux banales et l'attitude réservée de ma faction sont censés nous aider à nous oublier nous-mêmes, et aider les autres à nous oublier par la même occasion. Voilà que cette discrétion fait de nous des cibles.

Je m'arrête à une fenêtre dans le couloir E pour attendre l'arrivée des Audacieux. Comme tous les matins. À sept heures vingt-cinq précises, ils prouvent leur courage en sautant d'un train en marche.

Mon père les appelle « les trublions ». Ils ont des piercings et des tatouages partout et ne s'habillent qu'en noir. Leur fonction principale est de garder la clôture qui entoure la ville. Contre quoi, je n'en sais rien.

Je devrais les trouver bizarres et me demander ce que le courage, la qualité qu'ils valorisent le plus, a à voir avec le fait d'avoir un anneau dans le nez. Au lieu de ça, mes yeux s'attachent à eux partout où ils vont.

Le signal du train retentit et résonne dans ma poitrine. La lumière fixée à l'avant de la locomotive clignote tandis qu'il passe devant le lycée en grinçant sur ses rails. Et un flot de garçons et de filles vêtus de sombre jaillit des quelques wagons en marche, les uns en roulé-boulé, les autres en trébuchant sur

12

quelques pas avant de retrouver leur équlibre. Un garçon rieur passe le bras autour des épaules d'une fille.

Cette manie de les observer est ridicule. Je me détourne de la fenêtre et je presse le pas dans la foule vers la salle d'histoire des factions.

CHAPITRE DEUX

LES TESTS COMMENCENT APRÈS LE DÉJEUNER. On s'installe aux longues tables de la cafétéria et ils nous appellent par groupes de dix, un groupe par salle de test. Je suis assise à côté de Caleb et en face de Susan, notre voisine.

Comme le père de Susan se déplace beaucoup pour son travail, il a une voiture et la conduit tous les jours au lycée. Il a proposé de nous emmener aussi, mais comme dit Caleb, on préfère partir plus tard, et puis on ne voudrait pas déranger.

Cela va de soi.

Les volontaires qui font passer les tests sont presque tous des Altruistes, à l'exception d'un Érudit et d'une Audacieuse qui se chargent des jeunes Altruistes. Le règlement interdit qu'on soit jugé par quelqu'un de sa propre faction. Il précise aussi qu'il n'y a aucun moyen de se préparer au test, et je ne sais pas du tout à quoi m'attendre.

Mon regard glisse de Susan aux Audacieux, à l'autre bout de la cafétéria. Ils rient, ils crient, ils jouent aux cartes. De leur côté, les Érudits bavardent autour de livres et de journaux, constamment en quête de connaissance. Même aujourd'hui.

Installées par terre en cercle, des Fraternelles habillées en rouge et en jaune se tapent dans les mains en chantant une espèce de comptine. Toutes les trois minutes, elles éclatent de rire en chœur quand l'une d'elles se fait éliminer et doit s'asseoir au centre. Un peu plus loin, des Sincères parlent avec de grands gestes. Ils ont l'air de se disputer, mais ça ne doit pas être sérieux parce que certains sourient.

Du côté des Altruistes, on attend en silence. Les coutumes des factions dictent même notre comportement pendant les temps morts et passent avant nos envies personnelles. Je ne pense pas que tous les Érudits aient envie d'étudier sans arrêt ou que tous les Sincères aiment les débats passionnés, mais ils sont aussi contraints que moi par les normes imposées par leur faction.

Caleb est appelé dans le groupe suivant. Il marche d'un pas assuré vers la sortie. Je n'ai pas besoin de lui souhaiter bonne chance, ni de lui rappeler qu'il n'a pas à s'inquiéter. Il sait où est sa place, et cela, à ma connaissance, depuis toujours. Mon tout premier souvenir de lui remonte à mes quatre ans. Il m'a grondée un jour au parc parce que je n'avais pas donné ma corde à sauter à une petite fille qui n'avait rien pour jouer. Il ne me fait pas souvent la morale, mais je décode parfaitement son regard désapprobateur.

J'ai essayé de lui expliquer que je n'ai pas les mêmes instincts que lui ; ça ne m'a même pas effleuré l'esprit de proposer mon siège à un Sincère dans le bus. Mais il ne comprend pas. « Contente-toi de faire ce que tu es censée faire », ne cesse-t-il de me répéter. Pour lui, c'est aussi simple que ça, et ça devrait l'être autant pour moi.

J'ai une boule dans le ventre. Je ferme les yeux et je reste comme ça pendant dix minutes, jusqu'à ce que Caleb revienne s'asseoir.

Il est livide. Il frotte ses paumes sur ses cuisses, comme moi quand j'ai les mains moites, et lorsqu'il arrête, je m'aperçois qu'il a les doigts qui tremblent. J'ouvre la bouche pour lui poser une question, mais les mots ne sortent pas. Je n'ai pas le droit de l'interroger sur ses résultats, et lui n'a pas le droit de m'en parler.

Un volontaire Altruiste appelle le groupe suivant. Deux Audacieux, deux Érudits, puis...

— Altruistes : Susan Black et Beatrice Prior.

Je me lève parce que je n'ai pas le choix, mais si je m'écoutais, je resterais assise sur ma chaise jusqu'à la fin des temps. Je sens comme une bulle dans ma poitrine, qui enfle de seconde en seconde et menace de me faire exploser. Je suis Susan vers la sortie. Ceux qui nous voient passer doivent avoir du mal à nous distinguer. On est toutes les deux habillées pareil, et nos cheveux blonds sont coiffés de la même façon. La seule différence est que Susan ne se sent peut-être pas sur le point de vomir, et qu'elle n'a pas non plus les mains qui tremblent au point de devoir agripper l'ourlet de sa jupe pour les affermir.

Derrière la cafétéria se trouve une rangée de dix salles. Je n'y suis jamais venue ; elles ne servent qu'aux tests d'aptitudes. Elles sont séparées non pas par des vitres, comme les autres salles du lycée, mais par des miroirs. Je me regarde, pâle et terrifiée, avancer vers l'une des portes. Susan m'adresse un petit sourire nerveux en entrant dans la salle 5 et j'entre dans la 6, où m'attend une Audacieuse.

Elle n'a pas une allure aussi macabre que les jeunes

Audacieux que je croise d'habitude. Elle a des cheveux noirs et raides, des petits yeux noirs et porte un jean et une veste noire coupée comme une veste d'homme. C'est seulement au moment où elle se retourne pour fermer la porte que je découvre un tatouage sur sa nuque, un faucon noir et blanc à l'œil rouge. Si je n'avais pas l'impression que mon cœur m'est remonté dans la gorge, je lui demanderais quel sens il a. Ça veut sûrement dire quelque chose.

Les murs sont couverts de miroirs. Je vois mon reflet sous tous les angles ; le tissu gris qui camoufle mon corps, mon long cou, mes mains aux jointures noueuses, rougies par un afflux de sang. Un plafonnier projette une lumière blanche. Au milieu de la salle, il y a une machine à côté d'un siège incliné qui ressemble à un fauteuil de dentiste ; le tout fait penser à un engin de torture.

— Ne t'inquiète pas, me dit la femme. Ça ne fait pas mal.

Sous l'éclairage, ses cheveux noirs m'apparaissent parsemés de mèches grises.

— Assieds-toi, mets-toi à l'aise, ajoute-t-elle. Je m'appelle Tori.

Je m'assois gauchement et je me laisse aller contre l'appuie-tête. La lumière m'agresse. À ma droite, Tori bricole la machine. J'essaie de me concentrer sur elle pour ne pas penser aux fils qu'elle tient à la main.

— Pourquoi un faucon ? bredouillé-je tandis qu'elle me fixe une électrode sur le front.

— C'est la première fois que je rencontre un Altruiste curieux, commente-t-elle d'un air surpris.

Je frissonne et mes bras se couvrent de chair de poule. Ma curiosité est une erreur, une trahison des valeurs de ma faction.

Elle pose une autre electrode sur ma tempe en fredonnant et m'explique :

— Dans certaines cultures de l'Antiquité, le faucon symbolisait le soleil. À l'époque où je me le suis fait tatouer, je me suis dit que si j'avais toujours le soleil sur moi, je n'aurais plus peur du noir.

J'ai beau essayer de me retenir, la question suivante sort malgré moi.

— Vous avez peur du noir ?

— J'avais peur du noir, rectifie-t-elle.

Elle pose une électrode sur sa propre tempe et y accroche un fil, puis hausse les épaules.

— Maintenant, il me rappelle que j'ai trouvé en moi les ressources pour surmonter cette peur.

Tori passe derrière moi. Je serre les accoudoirs si fort que mes jointures blanchissent. Elle tire d'autres fils, en fixe sur moi, sur elle, sur la machine, puis me tend une fiole remplie d'un liquide transparent.

— Bois.

— Qu'est-ce que c'est ? Qu'est-ce qui va se passer ?

J'ai la gorge nouée et du mal à avaler ma salive.

— Ça, je ne peux pas te le dire. Mais ne t'inquiète pas, fais-moi confiance.

J'expulse l'air de mes poumons et je verse le contenu de la fiole dans ma bouche. Mes yeux se ferment.

+ + +

Lorsqu'ils se rouvrent quelques secondes plus tard, je me trouve ailleurs. Je suis de retour dans la cafétéria, mais les longues tables sont inoccupées et je vois de la neige tomber dehors à travers les panneaux vitrés. Sur la table devant moi, il y a deux paniers, contenant l'un un morceau de fromage et l'autre un couteau long comme mon avant-bras.

Derrière moi, une voix de femme m'ordonne :

— Choisis.

— Pourquoi ?

— Choisis.

Je regarde par-dessus mon épaule, mais il n'y a personne. Je me tourne de nouveau vers les paniers.

— Qu'est-ce que je dois faire avec ?

— Choisis ! braille-t-elle.

Le fait qu'elle me crie dessus a chassé ma peur et n'a réussi qu'à me braquer. Je croise les bras en serrant les dents.

— Comme tu voudras, dit-elle.

Les paniers disparaissent. Une porte grince et je me retourne pour voir qui vient d'entrer. Ce n'est pas « qui », mais plutôt « quoi » : un chien au museau allongé, qui se tient à quelques mètres de moi. Il s'aplatit au sol, retrousse les babines et s'approche lentement. Un grondement sourd monte de sa gorge, et je comprends à quoi aurait pu me servir le fromage. Ou le couteau. Malheureusement, il est trop tard.

Je pourrais essayer de m'enfuir ; mais il serait plus rapide que moi. Je ne peux pas le plaquer au sol. Je sens des coups de pilon dans ma tête. Je dois me décider. Si j'arrive à sauter par-dessus une table et à la prendre comme bouclier... Non, je suis trop petite pour sauter par-dessus, et pas assez forte pour la renverser.

L'animal montre les crocs avec un grognement qui me semble résonner jusque dans mon crâne.

Dans mon livre de biologie, on explique que les chiens peuvent détecter l'odeur de la peur parce qu'en situation de stress, nous sécrétons un produit chimique identique à celui que dégagent leurs proies. C'est l'odeur de cette substance qui les incite à attaquer.

Le cerbère s'approche de moi peu à peu, en raclant le carrelage de ses griffes.

Je ne peux pas m'enfuir. Je ne peux pas me défendre. Il n'y a pas de blanc dans ses yeux, rien qu'une lueur sombre.

Qu'est-ce que je sais d'autre sur les chiens ? Qu'il ne faut pas les regarder en face. C'est un signe d'agression. Je me rappelle que quand j'étais petite, j'en voulais un ; maintenant, les yeux rivés par terre entre les pattes de celui-là, je serais bien en peine de dire pourquoi. Il se rapproche toujours, sans cesser de gronder. Si le fixer est un signe d'agression, quel est le signe de soumission ?

Ma respiration est bruyante, mais régulière. Je me laisse tomber à genoux. M'allonger devant ce chien – avec le visage au niveau de ses crocs – est bien la dernière chose que j'ai envie de faire, mais c'est ma meilleure chance. Je me couche à plat ventre, jambes tendues, en appui sur les coudes. Il s'approche encore, toujours plus près, jusqu'à ce que je respire son haleine chaude et fétide. J'essaie de ne pas penser à ce qu'il a pu manger. J'ai les bras qui tremblent.

Il m'aboie dans l'oreille et je serre les dents pour ne pas crier.

Soudain, je sens quelque chose de râpeux et d'humide sur ma joue. Il a cessé de gronder, et quand je relève la tête pour le regarder, il halète. Il m'a léché le visage. Je fronce les sourcils et je m'accroupis. Le chien pose ses pattes sur mes genoux et me lèche le menton. Avec un mouvement de recul, j'essuie sa bave sur ma joue, et je ris.

— Tu n'es pas si méchant, au fond...

Je me relève lentement, pour ne pas le surprendre, mais on ne dirait plus la même bête qu'il y a quelques instants. J'approche une main, assez prudemment pour pouvoir la retirer au cas où. Il tend la tête et vient s'y frotter. Finalement, je suis contente de ne pas avoir choisi le couteau.

Je cligne des yeux et quand je les rouvre, il y a une petite fille en robe blanche à l'autre bout de la salle. Elle tend les mains en piaillant :

— Chien !

Elle accourt vers nous et j'ouvre la bouche pour l'avertir, trop tard. Le chien l'a vue. Aussitôt, il aboie en montrant les crocs et bande ses muscles comme des ressorts, prêt à bondir. Sans réfléchir, je saute sur lui en refermant mes bras autour de son cou.

Ma tête heurte le sol. Ils ont disparu. Je suis seule dans la salle de test. Je tourne lentement sur moi-même, mais il n'y a plus de miroirs pour me renvoyer mon reflet. J'ouvre la porte et je sors dans le couloir... qui n'est plus un couloir. Me voilà dans un bus, où toutes les places sont prises.

Je reste dans l'allée en me tenant à une barre. Assis à côté de moi, un homme lit son journal, qui lui masque le visage. Mais je vois ses mains, crispées sur le papier comme s'il voulait le déchirer ; elles sont couvertes de cicatrices, comme des brûlures.

— Tu connais ce type ? me demande-t-il.

Il tapote du doigt la photo qui illustre l'article de la première page. Le titre annonce : « Un violent meurtrier enfin arrêté. » Je fixe le mot « meurtrier ». C'est un mot que je n'ai pas vu depuis longtemps, et le seul fait de le lire me remplit d'effroi.

Sous le gros titre, la photo montre un homme jeune, barbu, tout ce qu'il y a d'ordinaire. Sa tête me rappelle quelqu'un, sans que je puisse dire qui. Et au même moment, je songe que ce ne serait pas une bonne idée de l'avouer au type du bus.

— Alors ? Tu le connais ?

Il y a de la colère dans sa voix.

Ce serait même une très mauvaise idée. Mon cœur bat à tout rompre et je serre la barre pour empêcher mes mains tremblantes de me trahir. Si j'admets que je connais peut-être l'homme de la photo, il va m'arriver quelque chose d'horrible. Mais je peux aussi lui faire croire le contraire. Je peux m'éclaircir la voix et hausser les épaules... sauf que ce serait un mensonge.

Je m'éclaircis la voix.

— Alors ? répète-t-il.

Je hausse les épaules.

— Eh bien ?

Un frisson me parcourt de la tête aux pieds. Ma peur est irrationnelle ; ce n'est qu'un test, pas la réalité.

— Non, dis-je d'un ton détaché. Jamais vu.

Il se lève et je découvre enfin son visage. Il porte des lunettes de soleil et sa bouche est tordue dans un rictus. Comme ses mains, une de ses joues est couturée de cicatrices. Il se penche vers moi. Son haleine sent le tabac. « Ce n'est pas la réalité, me répété-je. Pas la réalité. »

— Tu mens, me lance-t-il. Tu *mens* !

— Non, je ne mens pas.

— Je le vois dans tes yeux.

Je me redresse.

— Ce n'est pas vrai.

— Si tu le connais, reprend-il à voix basse, tu peux peut-être me sauver. Me sauver !

Je plisse les yeux.

— Eh bien, je ne le connais pas.

CHAPITRE TROIS

JE ME RÉVEILLE AVEC LES MAINS MOITES, oppressée par un sentiment de culpabilité. Je renverse la tête en arrière et je vois Tori en train d'enlever les électrodes de nos tempes, la bouche crispée. J'attends qu'elle fasse un commentaire ; qu'elle dise que c'est terminé, ou que je m'en suis bien sortie, même s'il ne s'agit pas de réussir ou de rater dans un test comme celui-là. Mais elle continue à retirer les fils en silence.

Je me penche en avant pour m'essuyer les mains sur mon pantalon. J'ai dû commettre une erreur quelque part, même si tout cela ne s'est passé que dans ma tête. Cette drôle d'expression qu'affiche Tori, est-ce parce qu'elle ne sait pas comment me dire quelle horrible personne je suis ? Je préfèrerais encore qu'elle exprime le fond de sa pensée.

— C'est assez troublant, déclare-t-elle enfin. Excuse-moi, je reviens.

Troublant ?

Je replie les genoux contre ma poitrine pour y enfouir mon

visage. Si seulement j'avais envie de pleurer, je me sentirais peut-être soulagée ; mais non. Comment peut-on échouer à un test auquel on n'a pas le droit de se préparer ?

Les minutes passent et je suis de plus en plus nerveuse. Je dois m'essuyer les mains toutes les dix secondes parce que je ne cesse de transpirer. Ou peut-être simplement pour me calmer. Et si on me disait que je ne corresponds à aucune faction ? Je devrais vivre dans la rue, avec les sans-faction. Je ne peux pas. Vivre sans faction n'implique pas seulement de vivre dans la pauvreté et l'inconfort ; c'est vivre en marge de la société, coupé de ce qui compte le plus : la communauté.

Ma mère m'a dit un jour qu'on ne peut pas survivre seuls, mais que même si c'était possible, personne ne le voudrait. Sans faction, on n'a pas de but, pas de raison de vivre.

Enfin, la porte s'ouvre et Tori revient. Je crispe les doigts sur les accoudoirs.

— Désolée de te stresser, s'excuse-t-elle.

Elle se campe devant moi, les mains dans les poches. Elle est pâle et semble tendue.

— Beatrice, tes résultats ne sont pas concluants. En principe, chaque étape du test élimine une ou plusieurs factions. Mais dans ton cas, deux seulement ont été exclues.

Je la regarde fixement.

— Deux ? dis-je, la gorge si serrée que j'ai du mal à parler.

— Si tu avais montré un dégoût instinctif pour le couteau et choisi le fromage, la simulation t'aurait fourni un autre scénario, qui aurait pu confirmer ton aptitude pour la faction des Fraternels. Comme tu ne l'as pas fait, ça exclut cette possibilité.

Elle se gratte la nuque et reprend :

— Normalement, la simulation suit une progression linéaire,

et isole une faction en excluant les autres. Mais tes choix n'ont même pas permis d'éliminer les Sincères, la possibilité suivante, et j'ai dû changer la simulation pour te mettre dans le bus. Et cette fois, ta disposition à mentir a exclu les Sincères.

Elle esquisse un sourire.

— Ne t'en fais pas. Il n'y a que les Sincères qui disent la vérité dans celui-là.

Je sens un poids en moins sur ma poitrine. Je ne suis peut-être pas si horrible que ça.

— Enfin, ce n'est pas tout à fait exact, reprend-elle. Ceux qui disent la vérité sont les Sincères... et les Altruistes. Ce qui complique les choses.

Ma mâchoire tombe.

— D'un côté, tu t'es jetée sur le chien plutôt que de le laisser attaquer la petite fille, ce qui est une réaction de type Altruiste... mais de l'autre, quand l'homme t'a dit que la vérité pouvait le sauver, tu as persisté à mentir. Et ça, ce n'est pas une réaction d'Altruiste.

Elle soupire.

— Le fait que tu n'aies pas fui devant le chien suggèrerait Audacieux. Mais logiquement, un Audacieux aurait pris le couteau. Ta réaction réfléchie devant le chien serait plutôt celle d'un Érudit. Je ne sais pas du tout comment interpréter ton indécision dans la première étape, mais...

Je l'interromps :

— Attendez, ça veut dire que vous n'avez aucune idée de mes aptitudes ?

— Oui et non. Ma conclusion est que tu manifestes des aptitudes à parts égales pour Altruistes, Audacieux et Érudits. On appelle ceux qui obtiennent ce type de résultats... (Elle jette un coup d'œil par-dessus son épaule, comme si elle craignait que quelqu'un arrive)... des *Divergents*.

Elle a prononcé ce dernier mot si bas que j'ai eu du mal à l'entendre. Elle a de nouveau son air tendu, inquiet. Elle fait le tour du fauteuil et se penche vers moi.

— Beatrice, tu ne dois en aucun cas faire part de cette information à qui que ce soit. C'est très important.

Je hoche la tête.

— Je sais. On n'a pas le droit d'annoncer nos résultats.

Tori pose les avant-bras sur les accoudoirs et approche son visage à quelques centimètres du mien.

— Non. Là, c'est différent. Je ne veux pas dire que tu ne peux pas en parler tout de suite, mais que tu ne devras jamais en parler à personne, *jamais*, quoi qu'il arrive, tu m'entends ? La divergence est quelque chose d'extrêmement dangereux. Tu comprends ?

Non, je ne comprends pas. Pourquoi le fait d'avoir des résultats non concluants serait-il dangereux ? Je fais quand même oui de la tête. De toute façon, je n'ai pas la moindre envie de partager les résultats de ce test.

— OK.

Je décolle les mains des accoudoirs et me lève. J'ai les jambes qui flageolent.

— Tu devrais rentrer chez toi, me dit Tori. Tu as besoin de réfléchir, et le fait d'attendre avec les autres risque de ne pas t'aider beaucoup.

— Je dois avertir mon frère que je m'en vais.

— Je le préviendrai.

Je porte une main à mon front, puis je sors en gardant les yeux rivés sur mes pieds. Je ne peux même pas regarder Tori. Je ne veux pas penser à la cérémonie du Choix de demain.

C'est à moi de choisir, maintenant, indépendamment des résultats du test.

Altruiste. Audacieuse. Érudite.

Divergente.

✛ ✛ ✛

Je décide de ne pas prendre le bus. Si je suis de retour trop tôt, mon père va le remarquer ce soir en contrôlant le registre de la maison et je devrai expliquer ce qui s'est passé. Alors je rentre à pied. Il faudra que j'intercepte Caleb avant qu'il fasse une remarque à mes parents. Mais je n'ai pas à m'inquiéter : mon frère sait garder un secret.

Je marche au milieu de la route. C'est plus prudent ; les bus ont tendance à serrer le trottoir. À certains endroits, dans les rues de mon quartier, on voit encore les lignes jaunes d'autrefois. Elles ne servent plus à rien maintenant qu'il n'y a presque plus de voitures. On n'a pas besoin de feux non plus, mais ici et là, il en reste quelques-uns qui pendent dangereusement au-dessus de la route, et semblent sur le point de tomber d'un moment à l'autre.

Les travaux avancent lentement, et la ville est un patchwork de constructions neuves toutes propres et de vieux bâtiments en ruine. La plupart des immeubles neufs se trouvent du côté du marais, qui était autrefois un lac, il y a très, très longtemps. La plupart de ces rénovations sont prises en charge par l'Office bénévole des Altruistes où travaille ma mère.

Quand je regarde de l'extérieur le mode de vie des Altruistes, je le trouve beau. Quand je vois que l'harmonie règne au sein de ma famille ; que tout le monde nettoie à la fin des dîners collectifs sans qu'il y ait besoin de demander ; que Caleb aide des inconnus à porter leurs courses, je retombe amoureuse de cette vie-là. C'est seulement lorsque j'essaie de la mettre moi-même en application que j'ai du mal. Je ne me sens jamais sincère.

Mais choisir une autre faction implique de quitter les siens. Pour toujours.

Derrière le secteur Altruiste, il y a une étendue de squelettes d'immeubles et de trottoirs défoncés que je suis en train de traverser. Par endroits, la route totalement effondrée laisse les égouts à nu et l'odeur d'eaux usées et de détritus est si violente que je dois me boucher le nez.

C'est la zone des sans-faction. Parce qu'ils ne sont pas arrivés au bout de l'initiation dans la faction qu'ils ont choisie, ils vivent dans la pauvreté en faisant les petits boulots dont personne d'autre ne veut. Ils sont gardiens, maçons, éboueurs, conduisent les trains et les bus ou fabriquent du tissu. En échange, on leur fournit de quoi se nourrir et s'habiller mais, comme dit ma mère, pas assez de l'un ni de l'autre.

Un sans-faction se tient au coin de la rue. Il porte des vêtements bruns en loques et il a la peau de la mâchoire qui pend. Il me dévisage et je le dévisage en retour, incapable de détourner le regard.

— Excuse-moi, me dit-il d'une voix rauque. Aurais-tu quelque chose à manger ?

J'ai une boule dans la gorge. Une voix intérieure m'intime : *baisse les yeux et ne t'arrête pas.*

Non. Je secoue la tête. Je n'ai pas à avoir peur de lui. Il a besoin d'aide et je suis censée la lui fournir.

— Heu... oui, dis-je.

Je plonge la main dans mon sac. Mon père m'a expliqué que je devais toujours avoir de la nourriture avec moi, précisément dans cette éventualité. Je lui offre un sachet de rondelles de pommes séchées.

Il tend la main, mais au lieu de prendre le sachet, il me saisit le poignet. Il me sourit, révélant un trou au milieu de ses dents de devant.

— Oh, regardez-moi ces jolis yeux ! s'exclame-t-il. Dommage que le reste soit aussi quelconque.

Mon cœur bat dans ma poitrine. Quand je veux retirer ma main, sa poigne se resserre. Son haleine a des relents acides.

— Tu as l'air un peu jeune pour te promener toute seule, petite, ajoute-t-il.

J'arrête de tirer sur ma main et je me redresse. Je sais que j'ai l'air jeune. Inutile de me le rappeler.

— Pas tant que ça. J'ai seize ans.

Son sourire s'élargit, découvrant cette fois une molaire grise creusée par un trou sombre. Je ne sais pas si c'est un sourire ou une grimace.

— Mais alors, c'est un jour spécial pour toi aujourd'hui ! La veille du Grand Choix ?

— Lâchez-moi.

Mes oreilles bourdonnent. J'ai parlé d'une voix claire et ferme, qui me surprend moi-même. Je ne la reconnais pas.

Je suis prête. Je sais ce que je dois faire. Je me vois en train de le frapper d'un coup de coude. Je vois le sachet de pommes séchées qui vole. J'entends le bruit de ma course sur le trottoir.

Mais il libère mon poignet et prend les pommes en me disant :

— Choisis bien, petite.

CHAPITRE QUATRE

J'ARRIVE CHEZ MOI CINQ MINUTES PLUS TÔT que d'habitude à ma montre (le seul accessoire permis par les Altruistes, et seulement parce qu'il est utile). Elle est en verre avec un bracelet gris. À une certaine inclinaison, j'arrive presque à me voir dedans.

Dans ma rue, les habitations sont toutes identiques : des rectangles sans fioritures en ciment gris, avec peu de fenêtres. Les pelouses sont envahies par les pissenlits et les boîtes aux lettres sont en métal gris. Certains pourraient trouver ça sinistre, mais je trouve cette simplicité rassurante.

Ce choix de vie austère ne vient pas d'un rejet de la singularité, comme les autres factions le croient parfois. De nos maisons à nos vêtements en passant par nos coupes de cheveux, tout est conçu pour nous aider à nous oublier et à nous tenir éloignés de la vanité et de l'envie, qui ne sont que des formes d'égoïsme. Quand on a peu de possessions, peu de désirs et que tout le monde a la même chose, on ne convoite pas les biens des autres.

Je m'efforce d'aimer ça.

Je m'assois sur les marches pour attendre Caleb. Je n'attends pas longtemps. Au bout d'une minute, des silhouettes vêtues de tuniques grises apparaissent au bout de la rue. Des rires fusent. Au lycée, on évite de se faire remarquer, mais à la maison, les jeux et les blagues commencent. Ma tendance naturelle au sarcasme n'est pas très bien vue. Le sarcasme se pratique toujours aux dépens de quelqu'un. C'est sans doute une bonne chose que les Altruistes me poussent à réprimer ce penchant. Je n'ai peut-être pas besoin de quitter ma famille. Si je me bats pour que mon côté Altruiste l'emporte, à force de faire semblant, cela deviendra peut-être une réalité.

— Beatrice ! me lance Caleb. Tu es là ! Qu'est-ce qui s'est passé ? Ça va ?

— Très bien.

Il est avec Susan et son frère Robert. Susan me regarde de travers, comme si je n'étais plus la même personne que celle qu'elle connaissait ce matin. Je prends un air désinvolte

— J'étais un peu patraque après le test. Sans doute à cause de ce truc qu'ils nous ont fait boire. Ça va mieux, maintenant.

Je tente un sourire. Apparemment, j'ai convaincu Susan et Robert, qui paraissent rassurés sur mon équilibre mental. Mais Caleb m'observe en plissant les yeux, comme lorsqu'il soupçonne quelqu'un de cacher son jeu.

— Vous avez pris le bus aujourd'hui ? demandé-je.

En vrai, je me moque bien de savoir comment Susan et Robert sont revenus du lycée, mais j'aimerais bien changer de sujet.

— Notre père avait encore du travail et il nous a dit de rentrer pour réfléchir un peu d'ici demain.

À l'idée de la cérémonie, mon cœur bondit dans ma poitrine.

— Vous pouvez passer tout à l'heure, si vous voulez, propose poliment Caleb.

Susan lui sourit.

— Merci.

Robert me glisse un coup d'œil entendu. Ça fait un an qu'on suit le flirt timide entre Susan et Caleb, typiquement dans le style Altruiste. Caleb regarde Susan s'éloigner sur le trottoir. Je dois lui prendre le bras pour le sortir de sa rêverie. Je l'entraîne à la maison et referme la porte.

Il se tourne vers moi. Ses sourcils noirs bien droits se rejoignent, barrés par une ride verticale. Quand il a cette expression, il ressemble plus à ma mère qu'à mon père. En quelques secondes, je vois son avenir défiler dans ma tête, la même vie que mon père : le choix de rester chez les Altruistes, l'apprentissage d'un métier, le mariage avec Susan, la famille. Ce sera merveilleux. Je ne le verrai peut-être jamais.

— Tu vas me dire la vérité, maintenant ? me demande-t-il doucement.

— La vérité, c'est que je n'ai pas le droit d'en parler et que tu n'as pas le droit de me poser de questions.

— Avec toutes les règles que tu enfreins, tu as des scrupules, tout à coup ? Même pour quelque chose d'aussi important ?

Il fronce de nouveau les sourcils et croise les bras. Malgré son ton de reproche, il a vraiment l'air de vouloir savoir, d'attendre une réponse.

Je contre-attaque.

— Et toi, Caleb ? Comment ça s'est passé, ton test ?

Nos regards se croisent. J'entends le signal du train, si

lointain que ça pourrait être le vent qui siffle dans une ruelle Pourtant, je le reconnais toujours. Ce son, c'est celui des Auda·cieux qui m'appellent.

— Caleb... ne dis rien aux parents, d'accord ?

Il me fixe quelques secondes avant de hocher la tête.

J'ai envie de monter m'allonger dans ma chambre. Le test, le retour à pied, la rencontre avec le sans-faction m'ont épuisée. Mais mon frère a préparé le petit-déjeuner ce matin, ma mère a cuisiné le déjeuner, et mon père, le dîner d'hier. C'est mon tour de m'occuper du repas. Je respire un grand coup et j'entre dans la cuisine pour m'y mettre.

Caleb me rejoint une minute plus tard. Je serre les dents. Il aide toujours pour tout. C'est ce qui m'énerve le plus chez lui, cette bonté naturelle, ce dévouement inné.

On s'active tous les deux en silence. Je mets des petits pois à chauffer sur le gaz pendant qu'il fait décongeler quatre morceaux de poulet. Comme il n'y a presque plus de fermes dans la région, on ne mange pratiquement que des conserves et des surgelés. Ma mère m'a raconté qu'il y a longtemps, des gens refusaient d'acheter des produits génétiquement modifiés parce qu'ils ne trouvaient pas ça naturel. Maintenant, on n'a plus le choix.

Le temps que mes parents rentrent à la maison, le dîner est prêt et la table est mise. Mon père lâche son sac près de la porte et m'embrasse sur le haut du crâne. Certains le voient comme quelqu'un qui a des idées bien arrêtées, peut-être trop ; mais comme il fait aussi preuve de beaucoup d'amour, j'essaie de ne voir que ses qualités. J'essaie.

— Comment s'est passé le test ? me demande-t-il.

Je verse les petits pois dans un plat.

— Très bien.

Je ne pourrais jamais être une Sincère. Je mens trop facilement.

— Il paraît qu'il y a eu un problème sur l'un des tests, déclare ma mère.

Elle travaille pour le gouvernement, comme mon père, et s'occupe surtout des projets d'amélioration urbaine. C'est aussi elle qui organise l'aide bénévole auprès des sans-faction pour leur fournir un toit, de la nourriture et des possibilités de travail. Et une fois par an, elle recrute les volontaires pour faire passer les tests d'aptitudes.

— C'est vrai ? s'étonne mon père. C'est assez rare qu'il y ait un problème.

— Je n'en sais pas beaucoup plus, mais mon amie Erin m'a raconté qu'un des tests ne s'était pas passé normalement et que les résultats avaient dû être transmis par oral.

Elle pose une serviette à côté de chaque assiette.

— Apparemment, reprend-elle, l'élève s'est senti mal et il a dû rentrer chez lui. J'espère que ça s'est arrangé. Vous en avez entendu parler ?

— Non, lui répond Caleb en souriant.

Mon frère non plus ne pourrait pas être un Sincère.

On se met à table. On passe toujours les plats vers la droite et personne ne commence tant que tout le monde n'est pas servi. Mon père tend la main à ma mère et à mon frère, qui prennent la mienne, puis il remercie Dieu pour nous avoir donné de la nourriture, du travail, des amis et une famille. Les Altruistes ne sont pas tous croyants, mais mon père estime qu'il ne faut pas attacher d'importance à ces différences car cela ne pourrait que nous diviser. Je ne sais pas trop ce que j'en pense.

Ma mère se tourne vers mon père.

— Bon. Dis-moi.

Elle lui prend la main et promène doucement son pouce sur ses doigts. Je regarde fixement leurs mains enlacées. Mes parents s'aiment, mais il est rare qu'ils expriment ainsi leur affection devant nous. Ils nous ont appris que le contact physique est quelque chose de puissant, et je le considère avec une certaine méfiance depuis toute petite.

— Dis-moi ce qui te tracasse, insiste-t-elle.

Je baisse le nez dans mon assiette. L'acuité de ma mère me surprend parfois. Mais dans le cas présent, elle me prend en défaut. Si j'étais moins égocentrique, j'aurais remarqué que mon père avait le front plissé et le dos voûté.

— J'ai eu une journée pénible au travail, répond-il. Plus exactement, c'est Marcus qui a eu une journée pénible. Je ne devrais pas me plaindre.

Marcus est le collègue de mon père ; ils sont leaders politiques. La ville est gérée par un conseil de cinquante personnes, composé exclusivement d'Altruistes parce que notre faction a la réputation d'être incorruptible. Nos leaders sont choisis par leurs pairs pour leur personnalité irréprochable, leur rigueur morale et leurs capacités à diriger. Lors des réunions, des représentants de chaque faction peuvent s'exprimer au sujet d'une question donnée, mais au final, c'est le conseil qui tranche. Et si, en principe, le conseil prend les décisions collectivement, dans les faits, Marcus a beaucoup d'influence.

Ça se passe comme ça depuis le début de la Grande Paix, quand les factions ont été créées. Je pense que ce système se maintient parce qu'on a trop peur de ce qui risquerait d'arriver sinon : une guerre.

— C'est à propos de l'article rédigé par Jeanine Matthews ? demande ma mère.

Jeanine Matthews est l'unique porte-parole des Érudits, nommée sur la base d'un QI exceptionnel. Mon père se plaint souvent d'elle.

— Un article ? répété-je en levant le nez.

Caleb me jette un coup d'œil de mise en garde. On n'est pas censés parler à table tant que nos parents ne nous posent pas une question directe, ce qu'ils font rarement. Notre écoute est un cadeau qu'on leur fait, d'après mon père. Eux nous donnent la leur après le repas, dans le salon.

— Oui, répond mon père, les yeux rétrécis par la colère. Ces petits arrogants toujours contents d'eux...

Il s'arrête et se racle la gorge.

— Désolé. Mais elle a diffusé un article qui s'en prend à Marcus.

— Qu'est-ce qu'il dit ? demandé-je, incapable de contenir ma curiosité.

— Beatrice, souffle mon frère.

Je plonge le nez dans mes petits pois en tournant et en retournant ma fourchette, jusqu'à ce que la température de mes joues redevienne normale. J'ai horreur de me faire réprimander. En particulier par mon frère.

Or, au lieu de m'imposer le silence, mon père continue, emporté par son indignation.

— Ils osent écrire que le fils de Marcus a choisi les Audacieux au lieu des Altruistes parce que son père était violent et cruel avec lui.

La plupart de ceux qui naissent chez les Altruistes choisissent d'y rester. Les autres, on s'en souvient. Il y a deux ans,

Tobias, le fils de Marcus, nous a quittés pour les Audacieux et Marcus en a été brisé. Tobias était son fils unique et sa seule famille. Sa femme est morte en donnant naissance à leur deuxième enfant, qui n'a survécu que quelques heures.

Je n'ai jamais rencontré Tobias. Il assistait rarement aux fêtes et aux événements collectifs et n'accompagnait pas Marcus quand celui-ci était invité à venir dîner chez nous. Mon père trouvait cela un peu bizarre. Mais peu importe, maintenant.

— Cruel ? Marcus ? répète ma mère, choquée, en secouant la tête. Le pauvre. Comme s'il avait besoin qu'on lui rappelle ce qu'il a perdu !

— Qu'on lui rappelle la trahison de son fils, tu veux dire ? réplique sèchement mon père. Moi, ça ne m'étonne pas de leur part. Ça fait des mois que les Érudits nous attaquent avec des articles de ce genre. Et ce n'est pas fini. Je peux te garantir qu'il y en aura d'autres.

Je ferais mieux de me taire, maintenant, mais c'est plus fort que moi.

— Mais pourquoi font-ils ça ?

— Et si tu faisais l'effort d'écouter ton père, Beatrice ? intervient gentiment ma mère.

C'est formulé comme une suggestion, non comme un ordre. Caleb, lui, a son petit air réprobateur.

Je fixe à nouveau mon assiette. Je ne suis pas sûre de pouvoir continuer à vivre cette vie de contraintes. Je ne suis pas douée pour ça.

— Tu sais pourquoi, répond mon père. Parce qu'on a quelque chose qu'ils veulent. Mettre la connaissance au-dessus de tout le reste, ça finit par engendrer la soif du pouvoir et par conduire les hommes dans des zones sombres et stériles. On peut se réjouir d'être plus sages qu'eux.

J'approuve d'un hochement de tête. Je sais que je ne choisirai pas les Érudits, même si les résultats de mes tests ont montré que c'était possible. Je suis bien la fille de mon père.

Mes parents font la vaisselle. Ce soir, ils ne laissent pas Caleb les aider : on est censés s'isoler pour réfléchir à nos résultats au lieu de rester avec eux au salon.

Ma famille aurait peut-être pu me conseiller, si j'avais eu le droit d'en parler. Mais la mise en garde de Tori résonne dans ma tête dès que je sens faiblir ma résolution de me taire.

Caleb et moi, on monte dans nos chambres. Sur le palier, avant qu'on se sépare, il m'arrête d'une main sur l'épaule.

— Beatrice, dit-il en me fixant gravement. On doit penser à notre famille, mais on doit aussi penser à nous.

Sa voix est tendue.

Je le dévisage en silence. Je ne l'ai jamais vu se soucier de lui-même, jamais entendu parler d'autre chose que d'altruisme. Son commentaire me laisse tellement stupéfaite que je répète bêtement la formule d'usage :

— Les tests n'ont pas à modifier nos choix.

Il a un petit sourire.

— Ah bon ?

Il me presse l'épaule et entre dans sa chambre Avant qu'il referme sa porte, je glisse un coup d'œil furtif à l'intérieur et j'entrevois son lit défait et une pile de livres sur son bureau. Je voudrais lui dire qu'on traverse la même chose. Je voudrais lui parler librement, au lieu de m'en tenir à des phrases toutes faites. Mais, cette fois encore, l'interdiction l'emporte.

En refermant la porte de ma chambre, je réalise que ma

décision va être simple. Il me faudrait faire preuve de beaucoup d'altruisme pour choisir les Altruistes, et de beaucoup de courage pour choisir les Audacieux. Demain, ces deux qualités vont s'opposer en moi et une seule triomphera. Mon choix se sera fait de lui-même.

CHAPITRE CINQ

POUR SE RENDRE À LA CÉRÉMONIE DU CHOIX, on prend un bus rempli de gens en chemise et en pantalon gris. Un disque de soleil pâle luit à travers les nuages comme le bout incandescent d'une cigarette. À la descente du bus, un groupe de Sincères fume devant la Ruche. Moi, je ne fumerai jamais ; le tabac est directement lié à la vanité.

Je descends derrière mes parents. Je dois pencher la tête en arrière pour apercevoir le haut de la Ruche, et encore, elle se perd dans les nuages. C'est la tour la plus haute de la ville. Je distingue les lumières sur les deux antennes de son toit depuis la fenêtre de ma chambre.

Caleb paraît calme. Je le serais peut-être aussi si je savais ce que j'allais faire. Alors que là, j'ai la sensation que mon cœur va exploser dans ma poitrine et je dois me tenir au bras de mon frère pour garder l'équilibre en montant les marches de l'esplanade.

L'ascenseur est bondé, et mon père cède nos places à une grappe de Fraternels. Sans discuter, on prend l'escalier. Les autres

Altruistes ont suivi notre exemple et on se retrouve tous les quatre noyés dans une masse de gens en gris qui gravissent les marches dans la pénombre. Je me cale sur leur rythme. Le martèlement monotone des pas qui résonnent sur le ciment et l'homogénéité des personnes qui m'entourent me donnent le sentiment que je pourrais faire ce choix-là. Je pourrais me fondre dans la pensée collective Altruiste, tournée exclusivement vers l'extérieur.

Jusqu'à ce que je commence à avoir mal aux jambes et le souffle court, et que mes pensées me ramènent de nouveau à moi-même. Il y a vingt étages à monter jusqu'à la salle de la cérémonie du Choix.

Arrivé en haut, mon père tient la porte à tout le groupe, qui passe devant lui comme devant une sentinelle. Je voudrais l'attendre, mais les autres me poussent en avant, dans la pièce où je vais décider du reste de ma vie.

Dans la salle, le fonctionnement est organisé par cercles concentriques. À l'extérieur se tiennent les jeunes de seize ans des cinq factions. On ne porte pas encore le nom de membres ; notre décision d'aujourd'hui va faire de nous des novices. Ne deviendront membres que ceux qui arriveront au bout de l'initiation.

On s'installe par ordre alphabétique, selon notre nom de famille. Je me retrouve entre Caleb et Danielle Pohler, une Fraternelle qui a les joues roses et une robe jaune.

Le cercle suivant est constitué de chaises pour nos familles. Les sièges sont divisés en cinq sections, une par faction. Même si tout le monde n'assiste pas à la cérémonie, la foule paraît énorme.

Chaque faction assume à tour de rôle la fonction de maître

de cérémonie. Cette année, c'est le tour des Altruistes. Marcus fera le discours de présentation et nous appellera en partant de la fin de l'alphabet. Caleb passe avant moi.

Le cercle du milieu, le plus petit, est formé par cinq coupes en métal assez grosses, dans lesquelles je pourrais tenir en me recroquevillant. Chaque coupe contient une matière qui symbolise une faction : des galets gris pour les Altruistes, de l'eau pour les Érudits, de la terre pour les Fraternels, des charbons ardents pour les Audacieux et du verre pour les Sincères.

À l'appel de mon nom, je me dirigerai vers le centre des trois cercles. Je ne parlerai pas. Marcus me tendra un couteau avec lequel je m'entaillerai la main, et je ferai couler un peu de mon sang dans la coupe de la faction que j'aurai choisie.

Mon sang sur les galets. Mon sang sur les charbons ardents.

En allant s'asseoir, mes parents passent devant mon frère et moi. Mon père m'embrasse sur le front et donne une tape sur l'épaule de Caleb avec un grand sourire.

— À bientôt, nous dit-il.

Sans une ombre de doute.

Ma mère me prend dans ses bras et le peu de courage que j'ai menace de s'envoler. Les dents serrées, je fixe le plafond, où des globes lumineux diffusent un éclairage bleuté. Ma mère reste ainsi longtemps, même après que j'ai laissé retomber mes bras. Avant de s'écarter, elle me murmure à l'oreille :

— Je t'aime. Quoi qu'il arrive.

Surprise, je la regarde s'éloigner. Elle sait ce qui peut se passer. Ou elle n'éprouverait pas le besoin de me dire ça.

Caleb me prend la main et la presse si fort qu'il me fait mal, mais je ne la retire pas. La dernière fois qu'on s'est tenu la main, c'était à l'enterrement de mon oncle, quand mon père s'est mis à pleurer. Aujourd'hui, comme ce jour-là, nous avons besoin de nous soutenir l'un l'autre.

Tout le monde s'installe. Je devrais être en train d'observer les Audacieux pour engranger un maximum d'informations. Mais je n'arrive qu'à fixer les globes au plafond en essayant de me perdre dans la lumière bleue.

Marcus se tient sur le podium entre les Érudits et les Audacieux et se racle la gorge devant le micro.

— Bienvenue ! nous lance-t-il. Bienvenue à la cérémonie du Choix. Bienvenue en ce jour où nous célébrons la philosophie démocratique de nos anciens, qui nous dit que chacun a le droit de choisir sa propre voie dans ce monde.

Ou plutôt, l'une des cinq voies préétablies. Je serre les doigts de Caleb aussi fort qu'il serre les miens.

— Nos jeunes ont atteint le cap des seize ans. Ils se tiennent au seuil de l'âge adulte, et c est maintenant à eux qu'il revient de décider quelle personne ils vont devenir.

Marcus parle d'une voix solennelle, en faisant peser chacune de ses paroles.

— Il y a plusieurs dizaines d'années, nos anciens ont compris que les guerres n'étaient causées ni par les idéologies politiques, ni par la religion, ni par l'appartenance ethnique, ni par le nationalisme. Mais par une faille dans la personnalité même de l'homme, par son penchant à faire le mal sous une forme ou une autre. Ils se sont donc séparés en factions dont chacune s'est donné pour mission d'éradiquer le travers qu'elle considère comme responsable des désordres de ce monde.

Mes yeux se posent sur les coupes au milieu de la salle. En quoi est-ce que je crois ? Si je le savais...

— Ceux qui condamnaient l'agressivité ont formé les Fraternels.

Les Fraternels échangent des sourires. Ils ne s'habillent qu'en rouge et en jaune et privilégient le confort. Ils m'ont toujours l'air serviables, aimants, libres. Mais je n'ai jamais envisagé de les choisir.

— Ceux qui pointaient du doigt l'ignorance ont donné les Érudits.

Exclure les Érudits a été le seul point facile de ma décision.

— Ceux qui blâmaient la duplicité ont composé les Sincères.

Je ne les ai jamais aimés.

— Ceux qui incriminaient l'égoïsme ont créé les Altruistes.

Je condamne l'égoïsme ; sincèrement.

— Et ceux qui dénonçaient la lâcheté ont constitué les Audacieux.

Mais je ne suis pas assez altruiste. Toujours pas, au bout de seize ans d'efforts.

J'ai les jambes en coton, comme vidées, et je me demande comment je vais pouvoir marcher quand Marcus m'appellera.

— En œuvrant ensemble, ces cinq factions vivent en paix depuis de nombreuses années, chacune apportant sa contribution à un aspect de la société. Les Altruistes répondent à notre besoin en responsables politiques dévoués. Les Sincères nous fournissent des responsables juridiques honnêtes et dignes de confiance. Les Érudits nous donnent des enseignants et des chercheurs de haut niveau. Les Fraternels nous procurent des conseillers et des soignants compréhensifs. Et les Audacieux nous protègent des menaces intérieures comme extérieures. Mais la mission des factions ne s'arrête pas là. Elles nous apportent à chacun bien plus que ce que de simples mots peuvent exprimer. Ce sont les factions qui nous fournissent à tous un sens, un but à nos vies.

Je repense à la devise que j'ai lue dans mon livre d'histoire des factions, « La faction avant les liens du sang ». Nous appartenons à notre faction avant d'appartenir à notre famille. Je ne trouve pas ça normal.

— Hors des factions, il n'y a pas de survie, ajoute Marcus.

S'ensuit un silence plus lourd que les précédents, chargé de notre pire crainte à tous, pire encore que la peur de la mort : celle d'être sans faction.

Marcus reprend :

— Ce jour marque donc une heureuse occasion ; celle de recevoir de nouveaux novices, qui s'emploieront avec nous à créer une société et un monde meilleurs.

Des applaudissements me parviennent, comme étouffés par du coton. J'essaie de ne pas bouger, parce qu'en verrouillant mes genoux et mon dos, j'arrive à ne pas trembler. Marcus commence à nous appeler, mais je suis incapable de distinguer les syllabes. Comment vais-je reconnaître mon nom ?

L'un après l'autre, les jeunes de seize ans sortent du rang et gagnent le centre de la salle. La première fille choisit les Fraternels, sa faction d'origine. Elle fait tomber quelques gouttes de son sang sur la terre, et va attendre debout derrière les chaises de sa faction.

La salle est animée d'un mouvement constant : un nouveau nom, un nouveau visage, un nouveau couteau, un nouveau choix. J'identifie presque tous ces visages, même si je doute que ces personnes m'aient jamais remarquée.

— James Tucker, appelle Marcus.

James Tucker, des Audacieux, est le premier à trébucher en

s'approchant des coupes. Il jette ses bras en avant et se rattrape juste avant de tomber. Écarlate, il accélère jusqu'au milieu de la salle. Quand il se tient au centre, son regard va et vient nerveusement de la coupe des Audacieux à celle des Sincères, des braises rougeoyantes au verre teinté de bleu par la lumière.

Marcus lui tend le couteau. Il inspire à fond – je vois sa poitrine qui se soulève –, expire et prend le couteau. Il tressaille en le passant sur sa paume et tend le bras sur le côté. Son sang tombe sur le verre. C'est le premier cette année à changer de faction. Le premier transfert. Des murmures choqués s'élèvent du groupe des Audacieux et je fixe mes pieds.

Désormais, pour eux, c'est un traître. Dans dix jours, date des Visites, les parents pourront aller le voir dans sa nouvelle faction ; mais ils ne le feront sans doute pas, parce qu'il les a abandonnés. Son absence hantera leur maison et il laissera dans sa famille un vide douloureux. Puis le temps passera, et le trou disparaîtra, comme quand on retire un organe et que les fluides corporels occupent l'espace qu'il a laissé. La nature ne tolère pas longtemps le vide.

— Caleb Prior.

Caleb presse ma main une dernière fois avant de s'éloigner en me jetant un long regard. J'enregistre une suite d'images : ses pieds qui avancent jusqu'au centre, sa main droite qui prend le couteau sans frémir, enfonce la lame d'un geste sûr dans sa main gauche. Le sang coule de sa paume et sa bouche se crispe dans une grimace.

Il expire, inspire, et tend la main vers la coupe des Érudits. Son sang tombe goutte à goutte dans l'eau et la teinte de rouge.

J'entends monter des murmures de désapprobation qui se changent en cris de protestation. Toutes mes pensées s'embrouillent. Mon frère, toujours si soucieux des autres, un transfert ? Mon frère, né pour être Altruiste, un *Érudit* ?

Soudain, je revois la pile de livres sur son bureau et ses mains qui tremblent sur ses cuisses après le test d'aptitudes. Comment n'ai-je pas compris hier, quand il m'a dit de penser à moi, qu'il se donnait ce conseil à lui-même ?

Les Érudits sourient d'un air satisfait en se donnant des petits coups de coude. Quant aux Altruistes, d'ordinaire si calmes, ils échangent des murmures tendus en incendiant du regard la faction qui est devenue leur ennemie, à l'autre bout de la salle.

— Excusez-moi, dit Marcus.

Mais la foule ne l'écoute plus. Il crie :

— Silence, s'il vous plaît !

Tout le monde se tait et il ne reste qu'un bourdonnement.

Soudain, j'entends prononcer mon nom et je me lève dans un sursaut. À mi-chemin des coupes, je sais que je vais choisir les Altruistes. C'est clair, maintenant. Je me vois devenue une femme, vêtue d'une tunique d'Altruiste, mariée à Robert, le frère de Susan, faisant du bénévolat le week-end ; je vois la routine paisible, les soirées devant la cheminée, la garantie de la sécurité. Et si je ne suis pas parfaite, je ne pourrai que devenir meilleure.

Puis je me rends compte que le bourdonnement vient de mes oreilles.

Je regarde Caleb, debout derrière les Érudits. Il me renvoie mon regard avec un petit hochement de tête, comme s'il lisait dans mes pensées et qu'il les approuvait. Mon pas se fait hésitant. Si Caleb n'était pas voué à être Altruiste, comment le serais-je ? Mais quel choix me reste-t-il, maintenant qu'il

48

nous a quittés et qu'il n'y a plus que moi ? Il ne m'a pas laissé d'alternative

Je serre les mâchoires. Je serai l'enfant qui reste. Je dois le faire, pour mes parents. Je dois le faire.

Marcus me tend le couteau et je le fixe un instant dans les yeux – d'un bleu sombre, une couleur étrange – avant de m'en saisir. Il m'encourage d'un signe de la tête et je me tourne vers les coupes. Le feu des Audacieux et les pierres des Altruistes sont à ma gauche, le premier au niveau de mon épaule et les secondes derrière. Je sens à peine la piqûre de la lame quand elle s'enfonce dans ma paume. Je presse mes mains sur ma poitrine pour essayer d'apaiser ma respiration.

Je tends le bras. Mon sang tombe sur la moquette entre les deux coupes. Puis, avec un tressaillement irrépressible, je projette ma main en avant et mon sang grésille sur les charbons.

Je suis égoïste. Je suis courageuse.

CHAPITRE SIX

DEBOUT DERRIÈRE LES NOVICES AUDACIEUX qui ont choisi de rester dans leur faction, je garde les yeux rivés par terre. Ils sont tous plus grands que moi, et même quand je relève la tête, je ne distingue que des épaules vêtues de noir. Une fille blonde fait son choix (Fraternels), puis c'est fini. Les Audacieux sortent les premiers. Je passe devant les hommes et les femmes en gris qui constituaient jusqu'ici ma faction, en fixant résolument la nuque de celui qui me précède.

Mais il faut que je voie mes parents une dernière fois. Je tourne la tête à la dernière seconde en passant devant eux et je le regrette aussitôt. Les yeux accusateurs de mon père me brûlent comme un fer rouge. Sur le coup, la sensation est si vive que c'est comme s'il avait trouvé un moyen de me punir physiquement. Mais non. Cette brûlure que je sens, c'est juste l'envie de pleurer.

À côté de lui, ma mère sourit.

On me pousse en avant, loin de mes parents, qui sortiront parmi les derniers. Ils resteront peut-être même pour empiler les chaises et nettoyer les coupes. Je me tords le cou pour entrevoir Caleb dans la foule des Érudits. Il se tient au milieu des autres novices et serre la main à un transfert, un Sincère. Son sourire décontracté est un acte de trahison. Mon estomac se noue et je me détourne.

Je regarde à la dérobée mon voisin de gauche, un transfert des Érudits qui paraît maintenant aussi pâle et nerveux que je devrais l'être logiquement. J'ai passé tant de temps à me torturer sur le choix de ma nouvelle faction que je n'ai jamais réfléchi à ce qui se passerait si je choisissais les Audacieux. Qu'est-ce qui m'attend chez eux ?

Dédaignant l'ascenseur, la foule des Audacieux nous entraîne dans l'escalier. Moi qui pensais que seuls les Altruistes l'empruntaient...

Ils dévalent les marches en courant. Des exclamations, des cris de joie, des rires fusent partout autour de moi, tandis que des dizaines de pieds martèlent le sol à des rythmes différents. Le choix de l'escalier n'a rien d'un acte d'altruisme pour les Audacieux ; c'est du défoulement.

— Bon sang, mais qu'est-ce qui se passe ? crie le garçon à côté de moi.

Je secoue la tête en signe d'ignorance, sans cesser de courir. J'arrive au rez-de-chaussée à bout de souffle, alors que les Audacieux se bousculent pour sortir. Dehors, l'air est vif et froid et le ciel embrasé par le soleil couchant se reflète dans le verre sombre de la Ruche.

Les Audacieux se déversent sur la chaussée, bloquant la route à un bus, et je cours pour les rattraper. Bientôt, ma confusion se dissipe. Je n'ai pas couru depuis très longtemps. Les Altruistes désapprouvent tout ce qui s'apparente à la recherche du plaisir gratuit, et c'est précisément ce que je ressens ; le plaisir pur d'un sprint à fond, les poumons en feu, les muscles qui tirent. Je suis les Audacieux dans la rue, après le tournant, et j'entends un bruit familier : le signal du train.

— Oh non, bredouille l'Érudit. On est censés sauter à bord de ce truc ?

— Oui, dis-je, hors d'haleine.

J'ai bien fait de passer autant de temps à les observer à leur arrivée au lycée, le matin. La foule s'étire sur une longue rangée. Le train glisse vers nous sur ses rails de métal, ses phares clignotent, son signal retentit. Les portières des wagons sont déjà ouvertes, et les Audacieux s'y jettent par petits groupes, jusqu'à ce qu'il ne reste dehors que les transferts. Les novices natifs des Audacieux, qui ont l'habitude depuis le temps, se trouvent déjà à bord.

Je m'avance avec un petit groupe et je prends mon élan. On court le long du train sur quelques mètres avant de se jeter sur le côté. Comme je suis plus petite et moins costaude que la plupart, je n'arrive pas à me hisser dans le wagon. Alors je m'agrippe à une poignée fixée près de la portière, mon épaule battant contre le métal. J'ai les bras qui tremblent. Enfin, une Sincère m'attrape et me tire à l'intérieur.

J'entends un cri et je me retourne. Un garçon de petite taille, aux cheveux roux, court de toutes ses forces pour ne pas se laisser distancer. Une Érudite qui se tient près de la porte lui tend la main, mais il est déjà trop loin. Il tombe à genoux avec un air horrifié, tandis que le train s'éloigne.

Je me sens mal. Il vient d'échouer à l'initiation des Audacieux. C'est un sans-faction, maintenant. Ça peut m'arriver n'importe quand.

— Ça va ? me demande vivement la Sincère qui m'a aidée à monter.

Elle est grande, avec les cheveux courts, les yeux bruns et la peau foncée. Jolie.

Je fais oui de la tête.

— Moi, c'est Christina, reprend-elle en me tendant la main.

Ça fait aussi très longtemps que je n'ai pas serré la main de quelqu'un. Chez les Altruistes, on se salue en inclinant la tête, en signe de respect. Je saisis sa main d'un geste hésitant et je la secoue deux fois, en espérant que je ne serre pas trop fort, ni trop mollement.

— Je m'appelle Beatrice.

— Tu sais où on va ?

Elle doit crier, à cause du vent qui souffle toujours plus fort par la portière ouverte Le train prend de la vitesse. Je m'assieds. J'aurai moins de mal à garder l'équilibre en restant au ras du sol. Elle me regarde d'un air interrogateur et je lui explique :

— Un train qui roule vite, ça fait beaucoup de vent. Et une rafale, ça peut te faire tomber. Assieds-toi.

Christina s'installe à côté de moi, en reculant pour s'adosser à la paroi.

— Je suppose qu'on va au siège des Audacieux, dis-je. Mais je ne sais pas où c'est.

— Je crois que personne n'en a la moindre idée, réplique-t-elle avec un grand sourire. À croire qu'ils sortent de nulle part.

Des rafales de vent s'engouffrent dans le wagon et les autres transferts dégringolent les uns sur les autres. Je vois le rire de Christina plus que je ne l'entends, et je réussis à sourire.

À gauche, dans mon dos, les derniers rayons orangés du soleil couchant se reflètent sur les tours en verre et je distingue vaguement les rangées de maisons grises où j'ai toujours vécu.

C'était au tour de Caleb de faire le dîner ce soir. Qui va le remplacer, ma mère ou mon père ? Et quand ils videront sa chambre, que vont-ils y trouver ? Sans doute des livres, glissés entre la commode et le mur, fourrés sous son matelas. La soif de connaissance typique des Érudits, cachée un peu partout dans ses affaires. A-t-il toujours su qu'il ferait ce choix-là ? Et si oui, comment ai-je pu ne rien remarquer ?

Quel bon acteur il a été. Cette idée me donne mal au ventre : même si je les ai quittés moi aussi, au moins, je n'ai jamais fait semblant. Tout le monde savait que je n'étais pas altruiste.

Les yeux fermés, j'imagine mon père et ma mère assis à table, en silence. Est-ce que c'est juste un dernier soupçon d'altruisme qui me noue la gorge, ou, au contraire, de l'égoïsme, parce que je sais que je ne serai plus jamais leur fille ?

✝ ✝ ✝

— Ils sautent !

Je relève la tête, la nuque raide. Ça fait au moins une demi-heure que j'écoute le vent mugir en regardant la ville défiler dans un brouillard, le dos contre la paroi, repliée sur moi-même. Je me redresse. Depuis quelques minutes, le train ralentit, et je vois que le garçon qui a crié a raison ; dans les voitures devant nous, les Audacieux sautent au moment où le train longe un toit. Les rails sont surélevés à une hauteur de sept étages.

L'idée de me lancer au-dessus du vide depuis un train en marche me donne envie de vomir. Je me lève péniblement pour rejoindre en titubant le groupe des transferts de l'autre côté du wagon.

— J'imagine qu'on doit sauter aussi, déclare une Sincère.
Elle a un nez épaté et les dents de travers.

— Super, commente un Sincère aux cheveux brillants. Sauter d'un train sur un toit. Pas de problème, Molly.

— C'est un peu ce qu'on a choisi, Peter, remarque la fille.

— Moi, je ne peux pas, avoue un Fraternel derrière moi.

C'est le seul et unique transfert de sa faction. Vêtu d'une chemise marron, il a le teint olivâtre et les joues luisantes de larmes.

— On n'a pas le choix, intervient Christina. C'est ça ou échouer. Allez, tout va bien se passer.

— Tu parles ! Je préfère être sans faction que mort !

Il secoue la tête sans s'arrêter, l'air totalement paniqué, les yeux fixés sur le toit qui se rapproche de seconde en seconde.

Je ne suis pas d'accord avec lui. Je préfèrerais être morte que me retrouver sans rien comme les sans-faction.

— Tu ne peux pas le forcer, dis-je en jetant un coup d'œil à Christina.

Elle a les yeux écarquillés et serre les lèvres si fort qu'elles en sont blanches. Elle me tend une main.

Je m'apprête à lui assurer que je n'ai pas besoin d'aide, mais elle ajoute :

— Je... je n'y arriverai pas toute seule.

Je lui prends la main et on se tient au montant de la portière. Au moment où on arrive au niveau du toit, je compte :

— Un... deux... trois !!

À « trois », on se jette du wagon. Un instant d'apesanteur et mes pieds heurtent le sol, le choc se répercutant dans mes tibias. J'atterris lourdement sur le ventre, la joue contre le gravier. Je lâche la main de Christina. Elle rit.

— C'était chouette ! s'exclame-t-elle.

Elle trouvera parfaitement sa place chez les Audacieux, toujours partants pour le grand frisson. Je retire les petits graviers fichés dans ma joue. À part le Fraternel, tous les novices ont réussi, avec plus ou moins de bonheur. Molly, la Sincère qui a les dents de travers, se tient la cheville avec une grimace, et Peter, le Sincère aux cheveux brillants, sourit fièrement ; il a dû retomber sur ses pieds.

Puis j'entends une plainte stridente. En tournant la tête, je vois une Audacieuse tout au bord du toit, qui fixe le vide en hurlant. Derrière elle, un Audacieux la retient par la taille pour l'empêcher de tomber.

— Rita, la supplie-t-il, calme-toi, Rita...

Je me lève pour regarder par-dessus le rebord. Il y a un corps sur le trottoir tout en bas ; une fille, les bras et les jambes pliés à des angles impossibles, les cheveux étalés en éventail autour de sa tête. Mon estomac se retourne. Tout le monde n'a pas réussi. Et même les Audacieux ne sont pas à l'abri.

Rita tombe à genoux, en larmes. Je me détourne. Si je reste là, je vais me mettre à pleurer aussi, et il n'est pas question qu'on me voie pleurer.

Je me raisonne le plus froidement possible : c'est comme ça que ça marche ici. On prend des risques et certains meurent. Et les autres continuent, prennent de nouveaux risques. Plus vite j'apprendrai ces leçons, plus j'aurai de chances de survivre à l'initiation.

Ce dont je commence à douter.

Je vais compter jusqu'à trois et repartir. *Un.* Je frémis en regardant le corps de la fille sur le trottoir. *Deux.* J'entends les sanglots de Rita et les murmures d'apaisement du garçon derrière elle. *Trois.*

Je serre les dents, puis je m'éloigne de Rita et du bord du toit.

Mon coude me fait mal. Je relève ma manche d'une main tremblante. Je me suis écorchée, mais ça ne saigne pas.

— Ooh, scandale ! Une Pète-sec qui montre un bout de peau !

En argot, un « Pète-sec » désigne un Altruiste, et je suis la seule ici. Je relève la tête. Peter me montre du doigt en ricanant. Des rires fusent. Je laisse retomber ma manche en rougissant.

— Écoutez ! nous lance alors une voix depuis l'autre bout du toit. Je m'appelle Max ! Je suis un des leaders de votre nouvelle faction !

Il est plus vieux que les Audacieux qui l'accompagnent, avec le teint mat, un visage entaillé de rides profondes et des tempes grisonnantes, et il se tient sur le rebord comme si c'était un trottoir. Comme si personne ne venait de mourir en tombant.

— L'entrée de notre enceinte est au pied de cette tour, poursuit-il. Si vous ne pouvez pas trouver le courage de sauter, vous n'avez pas votre place ici. Et c'est vous, les novices, qui avez le privilège de passer les premiers.

— Vous nous demandez de nous jeter dans le vide ? intervient une Érudite, bouche bée.

Elle a des cheveux châtain terne, une grosse bouche, et me dépasse de plusieurs centimètres.

Je ne vois pas ce qui la surprend là-dedans.

— Tout à fait, confirme Max d'un air amusé.

— Il y a de l'eau en bas, ou quoi ?

— Allez savoir...

La foule se divise en deux pour ouvrir un large passage aux novices. Je regarde autour de moi. Personne n'a l'air enchanté à l'idée de se précipiter du haut de la tour. Tout le monde évite de regarder Max. Certains soignent leurs égratignures, d'autres font tomber des gravillons de leurs vêtements. Je jette un coup d'œil furtif vers Peter, en train de se mordiller un ongle. Il se donne un air détaché.

Je suis orgueilleuse. Un jour, ça me jouera des tours, mais dans l'immédiat, ça me donne du courage. Je me dirige vers le bord du toit. Des ricanements s'élèvent dans mon dos.

Max s'écarte pour me laisser passer. Je regarde en bas. Le vent fait claquer mes vêtements. La tour fait partie d'un groupe de quatre bâtiments qui forment un carré. Au milieu, entre les tours, un trou noir, si profond que je n'en distingue pas le fond. C'est là-dedans que je dois me laisser tomber.

Ils essaient juste de nous faire peur. J'atterrirai entière. Je monte sur le rebord en me raccrochant désespérément à cette idée. Je claque des dents. Je ne peux plus reculer, pas devant ces gens en train de parier que je vais me dégonfler. Mes mains cherchent à tâtons le bouton de mon col. Je parviens enfin à le défaire et j'ôte ma tunique.

Dessous, je porte un tee-shirt gris, plus moulant que tout ce que je porte d'habitude. Je ne me suis jamais montrée à personne comme ça. Je roule ma tunique en boule, je me retourne vers Peter et la jette sur lui de toutes mes forces, les mâchoires serrées. Elle l'atteint à la poitrine. Il me dévisage. Des cris et des sifflets s'élèvent derrière moi.

Je me penche de nouveau au-dessus du trou. Mes bras sont couverts de chair de poule et mon estomac est remonté dans ma gorge. Si je ne me décide pas maintenant, je n'y arriverai jamais. Je déglutis.

Je me vide la tête. Je plie les genoux et je saute.

L'air hurle dans mes oreilles tandis que le sol se rapproche, remplissant bientôt tout mon champ de vision. Mon cœur bat si vite que ça me fait mal. Tous mes muscles sont tendus au maximum et mon ventre semble comme aspiré. Je me précipite dans l'obscurité du puits.

Mon corps percute de plein fouet quelque chose qui ploie sous mon poids et m'enveloppe. L'impact m'a coupé la respiration et je tousse en essayant de reprendre mon souffle. J'ai des picotements dans les bras et les jambes.

Un filet. Il y avait un filet au fond du trou. Je lève les yeux vers le haut de la tour et je ris, mi-soulagée, mi-hystérique. J'enfouis mon visage dans mes mains tandis que tout mon corps frissonne. Je viens de sauter d'un toit.

Des mains se tendent vers moi. En saisissant une au hasard, je me hisse hors du filet et je me laisse rouler par terre. J'aurais atterri la tête la première sur le plancher s'il ne m'avait pas rattrapée.

« Il », le garçon que je découvre au bout de cette main, a une bouche fine à la lèvre inférieure pleine, et des yeux enfoncés si profondément dans leur orbite que ses cils touchent ses arcades. Ils sont bleu sombre, couleur de nuit, de rêve.

Il me retient par les bras et me lâche dès que je suis sur mes pieds.

— Merci, dis-je.

On est sur une plateforme à trois mètres au-dessus du sol, dans une grotte ouverte.

— J'y crois pas, lance une voix derrière lui.

Celle qui a parlé est une brune au sourcil droit percé de trois anneaux en argent. Elle me toise du regard.

— Une Pète-sec qui saute la première. Ça, c'est un scoop.

— Ce n'est pas pour rien qu'elle les a quittés, Lauren, observe le garçon.

Il a une voix grave, qui vibre quand il parle.

— Comment tu t'appelles ?

— Heu...

Je ne sais pas pourquoi j'hésite. Mais « Beatrice » ne me paraît plus approprié.

— Réfléchis, ajoute-t-il avec un demi-sourire qui lui retrousse les lèvres. Après, tu ne pourras plus changer.

Un nouvel endroit ; un nouveau nom. Ici, je peux devenir quelqu'un d'autre.

— Tris, déclaré-je d'un ton ferme.

— Tris, répète Lauren. Fais l'annonce, Quatre !

Le garçon – Quatre – se retourne pour lancer :

— Premier saut : Tris !

À mesure que mes yeux s'habituent à la pénombre, je distingue un groupe de gens. Ils poussent des acclamations, le poing levé, puis quelqu'un d'autre se jette du haut du toit. On l'entend hurler pendant toute la descente. Christina. Tout le monde se marre, avant de lancer des cris d'encouragement.

Quatre pose une main sur mon dos.

— Bienvenue chez les Audacieux.

CHAPITRE SEPT

QUAND TOUS LES NOVICES ont retrouvé la terre ferme, Quatre et Lauren nous font descendre dans un tunnel étroit aux parois de pierre. Le plafond s'incline de plus en plus et j'ai l'impression de m'enfoncer au cœur de la Terre. Le tunnel est mal éclairé, alors dans chaque pan d'ombre entre les lueurs, je crains de m'être perdue, jusqu'à ce qu'un genou ou une épaule vienne buter contre moi. Dans les cercles de lumière, je me sens de nouveau en sécurité.

L'Érudit qui marche devant moi pile sans crier gare et je me cogne le visage contre son épaule. Je recule en trébuchant et me frotte le nez, un peu sonnée. Tout le monde s'est arrêté Nos deux guides se tiennent en face de nous, les bras croisés.

— C'est ici qu'on se sépare, annonce Lauren. Les natifs des Audacieux, vous restez avec moi. Vous n'avez pas besoin qu'on vous fasse visiter les lieux, j'imagine.

Avec un sourire, elle leur fait signe de la suivre et ils se détachent du groupe avant de se fondre dans la pénombre. Quand le dernier a disparu, j'observe ceux qui restent. Comme la plupart des novices viennent des Audacieux, nous ne sommes plus que neuf. Je suis le seul transfert Altruiste et il n'y a personne de chez les Fraternels. Les autres sont des Érudits et, à ma surprise, des Sincères. Il doit falloir du courage pour être honnête tout le temps. Je suis mal placée pour le dire.

Quatre prend la parole :

— En général, je travaille dans la salle de contrôle informatique, mais pendant les prochaines semaines, je serai votre instructeur. Je m'appelle Quatre.

— Quatre comme le chiffre ? intervient Christina.

— Oui. Ça te pose un problème ?

— Non.

— Parfait. Nous allons entrer dans la Fosse, que vous en viendrez un jour à aimer. C'est...

— La Fosse ? ricane Christina. Sympa, comme nom.

Quatre va se camper devant elle et approche son visage à quelques centimètres du sien. Pendant une seconde, il la regarde en silence, les yeux plissés.

— Comment tu t'appelles ? lui demande-t-il à mi-voix.

— Christina, bredouille-t-elle.

— Eh bien, Christina, si j'avais voulu me cogner les remarques de petits malins des Sincères, j'aurais choisi leur faction, siffle-t-il. Ta première leçon, ça va être d'apprendre à la fermer. Pigé ?

Elle acquiesce d'un signe de tête.

Quatre se dirige vers l'obscurité du bout du tunnel. Le groupe des novices le suit sans broncher.

— Quel crétin, marmonne Christina.

— Il n'aime pas qu'on se moque de lui, on dirait, commenté-je.

Je note qu'il vaut sans doute mieux rester sur ses gardes avec lui. Il m'a eu l'air de quelqu'un de posé sur la plateforme, mais c'est justement ce calme qui me paraît suspect, maintenant.

Quatre pousse des portes battantes et nous fait entrer dans l'endroit qu'il a appelé « la Fosse ».

— Oh, murmure Christina. Là, je comprends.

« Fosse » est le mot qui convient. C'est une grotte souterraine si vaste que, d'où je me trouve, je n'en vois pas l'extrémité. Des parois rocheuses d'un aspect rugueux s'élèvent sur une hauteur de plus de dix mètres. Dans ces parois sont creusées des salles qui remplissent diverses fonctions : cafétéria, stock de vêtements et de fournitures diverses, espaces de loisirs. Elles sont reliées entre elles par des chemins et des escaliers étroits taillés dans la roche. Il n'y a pas de garde-fous pour éviter les chutes.

Sur l'une des parois s'étire un rai de lumière orange. Le plafond de la Fosse, constitué de panneaux de verre, se situe au même niveau que la rue. Il est surmonté d'une tour qui laisse entrer la lumière du soleil. On a dû la voir au milieu des autres tours quand le train est passé devant.

Des lanternes bleues semblables à celles qui éclairaient la salle du Choix sont suspendues à intervalles irréguliers le long des chemins. Plus il fait sombre, plus leur lumière s'intensifie.

Partout, il y a des gens habillés en noir, tous en train de parler ou de crier avec des mimiques et des gesticulations. Je ne vois pas de personnes âgées. Ça existe, les vieux Audacieux ? Ou bien est-ce qu'ils meurent jeunes, ou est-ce qu'on les renvoie quand ils ne peuvent plus sauter du train ?

Un groupe d'enfants dévale un des escaliers sans garde-fou taillés à même la roche, si vite que mon cœur s'emballe et que je dois me retenir pour ne pas leur crier de ralentir. Dans ma tête, je revois soudain les rues disciplinées des Altruistes : une file de gens qui marchent à droite croise une file qui marche à gauche, en s'échangeant en silence des petits sourires et des signes de tête. Mon estomac se noue. Pourtant, je trouve aussi quelque chose de délicieux à la pagaille des Audacieux.

— Suivez-moi, dit Quatre, je vais vous montrer le gouffre.

Il nous fait signe d'avancer. De face, comparé aux normes des Audacieux, Quatre a l'air plutôt sage. Mais quand il se retourne, je découvre un tatouage qui dépasse du col de son tee-shirt. Il nous conduit vers la partie droite de la Fosse, plongée dans la pénombre. En plissant les yeux, je m'aperçois que le sol s'interrompt brusquement devant nous, derrière une barrière métallique. En approchant, on entend un mugissement : de l'eau, au courant impétueux.

Je regarde par-dessus la barrière. La falaise plonge en à-pic sur au moins cinq mètres. Au fond, un torrent frappe les parois et rebondit en écumant. À ma gauche, l'eau est plus calme, mais à droite, elle est blanche et bataille avec la roche.

— Ce gouffre nous rappelle que la frontière est mince entre le courage et la bêtise, déclare Quatre. d'une voix assez forte pour couvrir le bruit. Un saut intrépide depuis ce rebord et c'est terminé. Ça s'est déjà produit et ça se reproduira. Vous voilà prévenus.

— C'est dingue, cet endroit, dit Christina tandis qu'on s'éloigne.

— C'est le mot, approuvé-je en hochant la tête.

Quatre nous fait traverser la Fosse jusqu'à une large ouverture dans la roche. On pénètre dans une cafétéria pleine de monde qui résonne du tintement des couverts. À notre entrée, tous se lèvent pour nous applaudir. Ils tapent des pieds. Ils crient. Le vacarme m'enveloppe, me noie. Christina sourit, et je l'imite une seconde plus tard.

On cherche des places libres. Christina et moi, on déniche une table presque vide dans un coin de la salle et je me retrouve assise entre elle et Quatre. Au milieu de la table, il y a un plat rempli d'une nourriture que je ne connais pas : des sortes de galettes de viande glissées entre deux tranches de pain rond. Je prends un de ces canapés entre les doigts, sans trop savoir quoi en faire.

Quatre me donne un coup de coude.

— C'est du bœuf, m'informe-t-il. Mets ça dessus.

Il me passe un petit bol de sauce rouge vif.

— Tu n'as jamais mangé de hamburger ? me demande Christina, incrédule.

— Non. Ça s'appelle comme ça ?

— Les Pète-sec ne mangent que de la nourriture simple, lui explique Quatre.

— Pourquoi ?

— Le luxe est perçu comme un plaisir égoïste et futile, dis-je avec un haussement d'épaules.

Elle ricane :

— Je comprends que tu te sois tirée.

— Ouais, approuvé-je en roulant des yeux. T'as raison, la bouffe, c'est du sérieux.

Quatre réprime un sourire.

La porte s'ouvre et tout le monde se tait. Je tourne la tête. Un garçon s'avance, dans un silence tel qu'on entend le bruit de ses pas. Il a des cheveux bruns, longs et gras, et d'innombrables piercings sur le visage. Mais le plus inquiétant chez lui, c'est la froideur avec laquelle son regard balaie la salle.

— C'est qui ? souffle Christina.

— Eric, un leader Audacieux, répond Quatre.

— C'est vrai ? Il a l'air super jeune.

— Ce n'est pas l'âge qui compte ici, réplique Quatre avec sérieux.

Je vois qu'elle s'apprête à poser la même question que moi : « Alors, qu'est-ce qui compte ? » Mais les yeux d'Eric se sont arrêtés à notre table, et le voilà qui se dirige vers nous. Il vient s'asseoir à côté de Quatre, sans saluer personne.

— Tu ne nous présentes pas ? demande-t-il à Quatre en nous désignant du menton.

— Christina, Tris, fait Quatre

— Tiens, une Pète-sec, observe Eric d'un air narquois.

Quand il sourit, ses piercings sur les lèvres bougent et leurs trous s'agrandissent. Je réfrène une grimace de dégoût.

— On verra bien combien de temps tu vas tenir, ajoute-t-il en se tournant vers moi.

Je m'apprête à riposter sur ma capacité à tenir, mais les mots ne sortent pas. Sans trop savoir pourquoi, je voudrais qu'il arrête de me regarder. Je voudrais qu'il ne me regarde plus jamais.

Il donne une tape sur la table du plat de la main. Ses doigts sont écorchés, comme s'il avait frappé trop fort sur quelque chose

— Quoi de neuf, Quatre ? demande-t-il.

— Rien de spécial, répond notre guide d'un ton nonchalant.

Mes yeux vont de l'un à l'autre. Sont-ils amis ? Tout dans le comportement d'Eric – le fait qu'il soit venu s'asseoir ici, qu'il prenne de ses nouvelles – suggère que oui ; l'attitude de Quatre, tendu comme un ressort, laisse entendre autre chose. Une rivalité ? Pas logique, si Eric est un leader et Quatre non.

— Max a essayé plusieurs fois de te voir, mais apparemment tu ne t'es jamais manifesté, poursuit Eric. Il se pose des questions.

Quatre le regarde quelques secondes en silence.

— Dis-lui que ma position me convient très bien.

— Ah, il t'a proposé un boulot.

— Il semblerait.

La lumière se reflète dans les anneaux aux sourcils d'Eric. Il perçoit peut-être Quatre comme une menace. D'après mon père, les gens avides de pouvoir et qui finissent par l'obtenir vivent dans la terreur de le perdre. Et c'est pour cette raison qu'il ne faut en donner qu'à ceux qui ne le désirent pas.

— Et ça ne t'intéresse pas, reprend Eric.

— Ça fait deux ans que je le répète.

— Bon, alors espérons qu'il finira par comprendre.

Là-dessus, Eric donne une tape sur l'épaule de Quatre, un peu trop fort, et se lève. Dès qu'il est parti, je me relâche. Je ne m'étais pas rendu compte à quel point j'étais crispée.

— Vous êtes... amis, tous les deux ? demandé-je, incapable de contenir ma curiosité.

— On était dans le même groupe de novices. Il venait de chez les Érudits.

Je poursuis, oubliant toutes mes résolutions de prudence :

— Toi aussi, tu es un transfert ?

— Je pensais qu'il n'y aurait que les Sincères pour me casser les pieds avec leurs questions, me réplique-t-il froidement. Voilà que les Pète-sec s'y mettent aussi ?

— C'est sûrement à cause de ton côté chaleureux, dis-je platement. Genre porte de prison.

Il me fixe, et je tiens bon. Même si je n'ai pas affaire à un
chien, la règle est la même. Détourner le regard est un signe
de soumission. Le soutenir est un défi. C'est le choix que je fais.

Mes joues chauffent. Que va-t-il se passer quand la tension
atteindra le point de rupture ? Va-t-il se montrer violent ?

— Attention, Tris, se contente-t-il de dire.

Mon estomac retrouve sa place normale. À une autre table,
un Audacieux appelle Quatre et je me tourne vers Christina,
qui hausse les sourcils.

— Quoi ? fais-je.

— Je crois que j'ai une théorie.

— Oui ?

Elle prend son hamburger et sourit.

— Tu as des pulsions suicidaires.

✦ ✦ ✦

Après le dîner, Quatre disparaît sans un mot. Eric nous
entraîne dans un labyrinthe de tunnels, sans nous préciser
où on va. Je ne vois pas bien pourquoi ils confient un groupe de
novices à un leader, mais c'est peut-être juste pour le premier
soir.

Chaque tunnel est éclairé à son extrémité par une lampe
bleue, mais le reste est plongé dans le noir, et je dois faire attention de ne pas trébucher sur le sol irrégulier. Christina marche
à côté de moi en silence. Même si on ne nous a pas demandé
de nous taire, personne ne parle.

Eric s'arrête devant une porte en bois et croise les bras.

— Pour ceux qui ne le savent pas, je m'appelle Eric, déclare-t-il. Je suis l'un des cinq leaders Audacieux. Chez nous, on prend la phase d'initiation très au sérieux. C'est pourquoi je me suis porté volontaire pour superviser les grandes étapes de votre formation.

Cette nouvelle me hérisse. Comme si ça ne suffisait pas que notre initiation soit supervisée par un leader, il fallait en plus que ce soit celui-là.

— Voici quelques règles de base, reprend-il : vous devez être dans la salle d'entraînement tous les matins à huit heures. La formation dure de huit heures à dix-huit heures avec une pause pour le déjeuner. Ensuite, vous êtes libres de faire ce que vous voudrez. Vous aurez aussi un peu de répit entre chaque étape de l'initiation.

La formule « libres de faire ce que vous voudrez » me frappe l'esprit. Chez moi, je ne l'ai jamais été, ne fût-ce que le temps d'une soirée. Je devais d'abord penser aux besoins des autres. Je ne sais même pas ce que j'aimerais faire.

— Vous ne pouvez quitter l'enceinte qu'accompagnés par un membre, poursuit Eric. Derrière cette porte se trouve la salle où vous allez dormir pendant les prochaines semaines. Vous remarquerez qu'il y a dix lits, alors que vous n'êtes que neuf. Nous avions prévu que vous seriez plus nombreux à parvenir jusqu'ici.

— Mais on a commencé à douze, objecte Christina.

Je ferme les yeux, sûre qu'elle va se faire rembarrer. Il faut qu'elle apprenne à se taire.

— Il y a toujours au moins un transfert qui n'arrive pas jusqu'à l'enceinte, dit Eric en examinant ses ongles.

Il hausse les épaules.

— Bref, au cours de la première étape de l'initiation, les transferts et les natifs des Audacieux restent séparés. Ce qui ne veut pas dire que vous serez évalués différemment. À la fin de l'initiation, votre classement sera comparé à celui des natifs. Et ils sont déjà meilleurs que vous. J'attends donc de vous...

— Des classements ? intervient l'Érudite aux cheveux châtain terne. Pour quoi faire ?

Eric sourit, et ce sourire a l'air mauvais dans la lumière bleue, comme découpé au couteau dans son visage.

— Ces classements ont une double fonction. Tout d'abord, ils déterminent ceux d'entre vous qui seront prioritaires pour choisir leur travail à la fin de l'initiation. Les postes enviés sont peu nombreux.

Mon ventre se noue. À son sourire, je sais, comme je l'ai su à la seconde où je suis entrée dans la salle du test d'aptitudes, que la suite ne va pas être agréable à entendre.

— Ensuite, continue-t-il, seuls les dix premiers novices deviendront membres.

Je suis sous le choc. On reste tous pétrifiés comme des statues.

Christina réagit la première.

— Quoi ?

— Vous êtes vingt novices : neuf transferts et onze natifs. Quatre novices seront éliminés à l'issue de la première étape. Six autres le seront après le dernier test.

Ça veut dire que même parmi ceux qui auront réussi l'initiation, six ne seront pas admis. Je sens peser sur moi le regard de Christina, mais je ne peux pas le lui retourner. Mes yeux restent obstinément fixés sur Eric.

Étant le seul transfert Altruiste et la plus petite du groupe, mes chances sont minces.

— Et que deviennent ceux qui sont éliminés ? demande Peter.

— Ils quittent l'enceinte pour aller vivre avec les sans-faction, répond Eric d'un ton neutre.

La fille aux cheveux ternes plaque une main sur sa bouche pour étouffer un sanglot. Je revois le sans-faction aux dents grises en train de m'arracher des mains mon sachet de pommes. Ses yeux fixes et éteints. Mais au lieu de pleurer, comme l'Érudite, je me sens soudain plus froide. Comme endurcie.

Je réussirai. Je réussirai.

— Mais... c'est pas juste ! s'insurge Molly, la Sincère baraquée, avec un air terrifié qui contredit son ton indigné. Si on avait su...

— Quoi ? l'interrompt sèchement Eric. Si tu l'avais su, tu aurais fait un autre choix ? Dans ce cas, tu peux t'en aller tout de suite. Ceux qui font vraiment partie des nôtres ne se soucient pas d'échouer. À moins que tu ne sois une lâche.

Il ouvre la porte du dortoir.

— Vous nous avez choisis, conclut-il. Maintenant, à nous de vous choisir.

+ + +

Couchée dans mon lit, j'écoute les respirations des huit personnes autour de moi.

Je n'avais jamais dormi dans la même chambre qu'un garçon. Ici, je n'ai pas le choix, à moins de m'installer dans le couloir. Tous les autres se sont changés pour mettre les vêtements fournis par les Audacieux, mais j'ai gardé mes habits Altruistes pour la nuit. Ils sentent le savon et le grand air et me rappellent chez moi.

Chez moi, j'avais ma chambre. Je voyais la pelouse par ma

fenêtre, et au-delà, l'horizon brumeux. J'ai toujours dormi dans le silence.

À ces souvenirs, je sens mes yeux picoter et une larme coule quand je cligne des paupières. Je couvre ma bouche pour étouffer un sanglot.

Je ne peux pas pleurer. Pas ici. Il faut que je me calme.

Ça va bien se passer. Je peux me regarder dans un miroir quand je veux. Je peux devenir amie avec Christina, me couper les cheveux et laisser les autres nettoyer leurs saletés eux-mêmes.

J'ai les mains qui tremblent. Les larmes coulent plus vite et me brouillent la vue.

Ce n'est pas si grave si, la prochaine fois que je vois mes parents, le jour des Visites, ils ont du mal à me reconnaître – en admettant qu'ils viennent. Ce n'est pas si grave si le moindre souvenir d'eux me fait mal. Même les images que j'ai de Caleb, alors qu'il m'a terriblement blessée en me cachant son secret. Je cale ma respiration sur celle de mes voisins, inspirant et expirant avec eux. Ce n'est pas si grave.

Un son étranglé perturbe le rythme général, suivi d'un gros sanglot. Des ressorts de sommier grincent sous le poids d'un corps qui se retourne et de nouveaux sanglots se font entendre, mal étouffés par un oreiller. Ils viennent du lit d'à côté. Ils viennent d'Al, un Sincère, le plus grand, le plus costaud d'entre nous, le dernier que j'aurais imaginé craquer.

Ses pieds ne sont qu'à dix ou quinze centimètres de ma tête. Je devrais le consoler ; avoir l'élan de le faire, compte tenu de mon éducation. Mais je n'éprouve que du dégoût. Quelqu'un qui a l'air aussi fort ne devrait pas réagir comme un faible. Il ne peut pas pleurer en silence, comme tout le monde ?

Je déglutis.

J'imagine l'expression qu'aurait ma mère si elle savait ce que je pense : les coins de la bouche et les sourcils abaissés, même pas en signe de réprobation, mais juste déçue, fatiguée.

Al laisse échapper un nouveau sanglot, si près que je peux presque sentir le son racler dans ma gorge... Je devrais tendre la main.

Non. Je la laisse retomber et me tourne de l'autre côté. Si je ne fais rien pour l'aider, personne n'en saura rien. Je peux garder ce secret pour moi. Mais à chaque fois que mes yeux se ferment et que je glisse dans le sommeil, les sanglots d'Al me ramènent à la surface.

Au fond, le problème n'est pas juste que je ne retournerai jamais vivre chez moi. Mes parents et mon frère vont me manquer, et aussi les soirées devant la cheminée et le cliquetis des aiguilles à tricoter de ma mère ; pourtant, ce n'est pas le seul poids qui pèse sur mon estomac.

Le problème, c'est peut-être que, même si je pouvais y retourner, je ne me sentirais pas chez moi au milieu de tous ces gens qui donnent sans avoir à y penser et qui prennent soin des autres sans que cela leur coûte.

Rien que cette idée me fait grincer des dents. Je rabats les bords de mon oreiller sur les côtés de ma tête pour ne plus entendre pleurer Al et je m'endors en pressant la joue sur un cercle mouillé de larmes.

CHAPITRE HUIT

— LA PREMIÈRE CHOSE que vous allez apprendre aujourd'hui, c'est à vous servir d'une arme.

Quatre passe devant moi, me colle un pistolet dans la main et poursuit son chemin. Il ne m'a pas jeté un regard.

— A priori, si vous êtes là, c'est que vous savez déjà monter et descendre d'un train en marche. Je n'ai donc plus besoin de vous l'apprendre.

Je ne devrais pas m'étonner que les Audacieux nous fassent courir dès le réveil, mais je m'attendais à une nuit de plus de six heures. Je suis encore tout engourdie de sommeil.

— L'initiation est divisée en trois étapes. Nous allons mesurer vos progrès et vous classer en fonction de vos performances dans chacune d'elles. Ces étapes ne pèsent pas toutes le même poids dans l'évaluation finale. Il est donc possible, bien que difficile, d'améliorer son classement de manière significative avec le temps.

Je fixe l'arme que j'ai dans la main. Je n'aurais jamais imaginé tenir un jour un pistolet, et encore moins m'en servir.

J'ai l'impression que, rien qu'en le touchant, je pourrais blesser quelqu'un.

— Nous estimons qu'en se préparant, l'individu peut réussir à vaincre la lâcheté, que nous définissons comme l'incapacité à agir sous l'emprise de la peur, dit Quatre. Chaque étape de l'initiation est donc conçue pour vous préparer d'une manière spécifique. La première repose essentiellement sur le physique ; la deuxième sur l'affectif ; la dernière sur le mental.

— Mais que... commence Peter, le Sincère aux cheveux brillants, avant de poursuivre dans un bâillement, quel rapport entre le tir et... le courage ?

Quatre retourne son pistolet, appuie le canon sur le front de Peter et arme. Peter se fige en plein bâillement.

— On-se-réveille, martèle Quatre. Tu tiens une arme chargée, imbécile. Comporte-toi en conséquence.

Il abaisse le bras. Une fois la menace immédiate dissipée, les yeux verts de Peter se durcissent. Je m'étonne qu'il arrive à se retenir de riposter, après toute une vie de Sincère, mais il y parvient, les joues en feu.

— Et pour répondre à ta question, tu risques moins de faire dans ton pantalon et d'appeler ta mère au secours si tu es préparé à te défendre.

Quatre s'arrête au bout de notre rangée et fait volte-face.

— Par ailleurs, les informations que je viens de vous donner vous serviront plus tard dans la première étape. Je vous conseille donc d'être attentifs.

Il se place face aux cibles fixées sur le mur : une planche de contre-plaqué pour chacun de nous, sur laquelle sont tracés trois cercles concentriques.

Il écarte les jambes, prend son arme à deux mains et tire. Le bruit me fait bourdonner les oreilles. Je tends le cou : sa balle a traversé le centre de sa cible.

Je me tourne vers la mienne. Jamais mes parents n'approuveraient ce que je m'apprête à faire. Ils diraient que, même quand une arme ne sert pas à attaquer quelqu'un, c'est un instrument d'autodéfense, qui ne sert donc que l'intérêt personnel.

Je chasse ma famille de mes pensées, j'écarte les pieds de la largeur de mes épaules et je referme mes doigts sur la crosse. J'appuie sur la détente, d'abord avec hésitation, puis plus franchement, les bras tendus pour tenir l'arme le plus loin possible de mon visage. Le bruit me vrille les tympans et le recul projette mes mains en arrière, vers mon nez. Je trébuche et me rattrape au mur derrière moi. Je ne sais pas où est passée ma balle, mais je suis loin du compte.

Je tire encore, et encore, sans jamais atteindre la cible.

Mon voisin, un Érudit qui s'appelle Will, m'adresse un sourire amusé.

— Statistiquement, me dit-il, tu aurais déjà dû toucher la cible au moins *une fois*. ne serait-ce que par hasard.

Il a des cheveux blonds en bataille et un pli entre les sourcils.

— Ah oui ? fais-je platement.

— Ouais. En fait, on peut dire que tu défies la loi des probabilités.

Je serre les dents et me tourne vers la cible, résolue à ne pas me laisser entraîner par le recul. Si je n'arrive pas à maîtriser le premier exercice qu'ils nous donnent, je n'ai aucune chance d'arriver à la fin de l'étape un.

J'appuie sur la détente, sèchement. Cette fois, mes mains

sursautent mais mes pieds ne bougent pas. J'ai touché le bord de la cible, et je regarde Will en haussant un sourcil.

— Ah, tu vois ? commente-t-il. J'avais raison. Les stats ne mentent pas.

J'ébauche un sourire.

Je dois tirer encore cinq fois pour atteindre le milieu de la cible. Quand j'y arrive enfin, je me sens soulevée par une poussée d'énergie. Je suis totalement en éveil, les yeux bien ouverts, les mains toutes chaudes. J'abaisse le pistolet. Je viens de découvrir le sentiment de puissance que donne le fait de contrôler quelque chose de dangereux – ou simplement de contrôler quelque chose.

Peut-être que j'ai ma place ici.

+ + +

À la pause du déjeuner, mes bras me lancent à force d'avoir tenu le pistolet et j'ai du mal à étirer les doigts. Je les masse sur le chemin de la cafétéria. Christina invite Al à manger avec nous. Il suffit que je le regarde pour l'entendre de nouveau sangloter. Du coup, je détourne les yeux.

Je fais rouler mes petits pois dans mon assiette en repensant au test d'aptitudes. Quand Tori m'a avertie que c'était dangereux d'être un Divergent, j'ai eu soudain l'impression que mon front était marqué au fer rouge, et que si j'avais le malheur de faire un geste de travers, quelqu'un s'en apercevrait. Jusqu'ici, ça ne m'a pas posé de problème, mais ça me donne un sentiment d'insécurité. Et si je baisse la garde et qu'il se passe quelque chose d'horrible ?

— Sérieux, tu ne te souviens pas de moi ? demande Christina

à Al en se préparant un sandwich. On était en cours de maths ensemble il y a à peine quelques jours. Et je ne suis pas particulièrement discrète.

— Généralement, je dormais pendant le cours de maths, répond Al. C'était en première heure !

Et si au lieu de se présenter tout de suite, le danger me frappait dans des années, quand je ne m'y attendrai plus ?

— Tris, dit Christina en claquant des doigts sous mon nez, y a quelqu'un ?

— Quoi ? Qu'est-ce qu'il y a ?

— Je te demande si tu te rappelles avoir été en cours avec moi, un jour ou l'autre. Sans vouloir te vexer, si c'était le cas, je ne crois pas que je m'en souviendrais. Pour moi, les Altruistes avaient tous la même tête. C'est toujours vrai, d'ailleurs, sauf que tu ne l'es plus.

Je la regarde fixement. Comme si j'avais besoin d'elle pour savoir que je suis transparente.

— Désolée, je suis trop directe ? reprend-elle. C'est une habitude, chez nous. Ma mère disait toujours que la politesse, ce n'est que de la fausseté dans un paquet-cadeau.

— C'est sans doute pour ça que nos factions ont aussi peu de relations entre elles, remarqué-je avec un rire bref. Bon, les Sincères et les Altruistes ne se détestent pas autant que les Érudits et les Altruistes, mais ce n'est pas le grand amour. Cela dit, le vrai problème des Sincères, c'est surtout les Fraternels, non ? Ils leur reprochent assez de préférer mentir pour arrondir les angles plutôt que de mettre en péril leur sacro-sainte paix.

— Je peux m'asseoir ici ? questionne Will en tapotant la table du doigt.

— Quoi, tu ne veux pas rester avec tes potes Érudits ? répond Christina.

— Ce ne sont pas mes potes, réplique Will en posant son assiette. C'est pas parce qu'on était dans la même faction qu'on était copains. En plus, Edward et Myra sortent ensemble et je n'ai pas envie de tenir la chandelle.

Edward et Myra, les autres transferts Érudits, sont assis deux tables plus loin, tellement près l'un de l'autre qu'ils se cognent les coudes quand ils coupent leur viande. Myra s'interrompt pour embrasser Edward. Je les observe du coin de l'œil. Je n'ai pas souvent vu des gens se bécoter dans ma vie.

Edward tourne la tête et embrasse Myra sur la bouche. Je détourne les yeux, attendant que quelqu'un se décide à leur faire une réflexion. Et en même temps, je me demande avec une pointe d'envie quel effet ça fait de sentir la bouche de quelqu'un sur la sienne.

Je finis par lâcher :

— Ils sont obligés de faire ça en public ?

— Elle lui a juste fait un bisou, intervient Al en fronçant ses épais sourcils. C'est pas comme s'ils se mettaient à poil.

— Ça ne se fait pas de s'embrasser en public, rétorqué-je.

Al, Will et Christina me lancent tous le même regard moqueur.

— Quoi ?

— C'est ton côté Altruiste qui ressort, diagnostique Christina. Les autres trouvent ça normal d'avoir des petits gestes d'affection en public.

— Oh, marmonné-je, résignée. Bon... il va falloir que je m'y fasse, alors.

— Ou tu peux aussi rester coincée, si tu préfères, me taquine Will. C'est toi qui vois.

Christina lui jette un petit pain, qu'il attrape au vol avant de mordre dedans

— Fiche-lui la paix, le rabroue-t-elle. C'est dans sa nature d'être coincée. Un peu comme c'est dans la tienne de jouer les monsieur-je-sais-tout.

— Je ne suis pas coincée, m'exclamé-je, indignée.

— T'en fais pas pour ça, me console Will. C'est mignon. Regardez-la, elle est toute rouge !

Sa remarque ne réussit qu'à me faire rougir davantage. Les autres rigolent. Je me force à rire, et au bout de quelques secondes, ça sort spontanément. Ça fait du bien de rire ; ça faisait longtemps.

✦ ✦ ✦

Après le déjeuner, Quatre nous conduit dans une nouvelle salle. Elle est immense, avec un parquet grinçant et craquelé au milieu duquel est peint un grand cercle. Au mur, il y a un tableau noir. On en avait un à l'école au niveau élémentaire, mais je n'en avais pas vu depuis. Ça a peut-être un rapport avec les priorités des Audacieux : la formation d'abord, la technologie ensuite.

Nos noms sont écrits au tableau par ordre alphabétique. Le long d'un autre mur, de vieux sacs de sable en toile noire sont suspendus à un mètre d'intervalle.

On s'aligne face aux sacs et Quatre se campe devant nous.

— Comme je vous le disais ce matin, annonce-t-il, vous allez d'abord apprendre à vous battre. Le but est de vous mettre en condition pour réagir ; de préparer votre corps à répondre aux menaces et aux défis. C'est indispensable à la survie pour un Audacieux.

Je ne peux même pas imaginer ce que sera ma vie chez les Audacieux si je réussis l'initiation. J'ai déjà assez de mal à me concentrer sur l'objectif de tenir jusqu'au bout.

— Aujourd'hui, on étudie la technique, poursuit Quatre. Demain, vous commencerez à vous battre entre vous. Je vous recommande donc d'être attentifs. Ceux qui n'apprennent pas rapidement se font mal.

Il nomme quatre techniques de frappe en nous faisant la démonstration, d'abord dans le vide, puis sur un sac.

Je m'y mets doucement. Comme au tir, j'ai besoin de plusieurs essais avant d'intégrer comment me tenir et bouger pour imiter Quatre. Les coups de pied sont ce qu'il y a de plus dur, même s'il ne nous montre que les rudiments. J'ai beau frapper comme une sourde, le sac bouge à peine et je ne tarde pas à avoir les mains et les pieds rouges et meurtris. Je n'entends autour de moi que le frottement de la peau contre le tissu rugueux.

Quatre déambule dans le groupe en nous regardant répéter les mouvements. Quand il s'arrête devant moi, je sens mon estomac remuer comme si quelqu'un le touillait avec une fourchette. Ses yeux me détaillent de la tête aux pieds, sans s'attarder nulle part ; un regard pragmatique, scientifique.

— Tu n'es pas très musclée, commente-t-il. Tu as intérêt à te servir de tes genoux et de tes coudes. Ça te donnera plus de puissance.

Tout à coup, sa main est sur mon ventre. Il a les doigts assez longs pour couvrir toute la largeur de mon abdomen. Mon cœur s'affole et je le regarde avec de grands yeux.

— N'oublie jamais de garder de la tension ici, me dit-il doucement.

Il retire sa main et repart. Mais la pression de sa paume reste imprimée sur mon ventre, et je dois reprendre mon souffle quelques secondes avant de pouvoir m'y remettre.

Enfin, Quatre nous libère pour le dîner. Alors qu'on prend tous le chemin de la cafétéria, Christina me glisse en me donnant un coup de coude :

— J'ai cru qu'il allait te casser en deux.

Et elle ajoute avec une grimace :

— Il me fait totalement flipper. C'est cette façon qu'il a de parler à voix basse...

— Ouais, il est...

Je jette un coup d'œil à Quatre derrière mon épaule.

— ...il est d'une réserve et d'un sang-froid impressionnants. Intimidant, en tout cas. Mais je n'ai pas eu peur qu'il me fasse mal.

Quand on arrive dans la Fosse, Al, devant nous, se retourne pour annoncer :

— Je veux me faire faire un tatouage.

— Un tatouage de quoi ? demande Will.

Al se marre.

— Je ne sais pas. Je veux juste pouvoir me dire que j'ai vraiment quitté ma vieille faction. Et arrêter de chialer.

Nous ne réagissons pas, et il ajoute :

— Je sais que vous m'avez entendu.

— Ouais, apprends à être un peu discret, rétorque Christina en lui balançant un coup de poing dans le bras. Mais je suis d'accord avec toi : pour l'instant, on a le cul entre deux chaises. Si on veut s'identifier, il serait temps de prendre le look du rôle.

Elle me jette un petit coup d'œil.

— Non, je ne me couperai pas les cheveux et je ne les teindrai pas d'une couleur bizarre, dis-je. Et je ne me ferai pas non plus faire de piercing au visage.

— Alors au nombril ? suggère-t-elle.

— Ou sur le bout du sein ? ricane Will.

Je lâche un grognement de mépris.

Tous les jours après l'entraînement, on est libres jusqu'à l'heure du coucher. Cette idée me donne le vertige, à moins que ça ne soit l'effet de la fatigue.

La Fosse grouille de monde. Christina annonce aux garçons qu'on les retrouvera chez le tatoueur et m'entraîne vers le stock de vêtements. On prend le chemin taillé dans la pierre. Notre pas hésitant fait chuter des gravillons tandis que nous montons de plus en plus haut au-dessus de la Fosse.

— Qu'est-ce que tu reproches à mes habits ? demandé-je à Christina. Je ne porte plus de gris.

Elle soupire.

— Ils sont moches et trois fois trop grands. Et si tu me laissais t'aider ? Si ce que je te conseille ne te plaît pas, je ne t'obligerai pas à le prendre, promis.

Dix minutes plus tard, je me regarde dans le miroir du stock de vêtements, vêtue d'une robe noire qui m'arrive aux genoux. Elle n'est pas très large, mais pas moulante non plus, contrairement à la première que Christina a choisie et que j'ai éliminée. J'ai les bras hérissés de chair de poule. Christina me détache les cheveux. Je les secoue pour défaire ma tresse et ils tombent en cascade sur mes épaules.

Elle brandit un crayon noir en annonçant :

— Eyeliner.

Les yeux fermés, je reste sans bouger pendant qu'elle fait courir la pointe du crayon le long de mes cils. Je m'imagine dans

cette robe devant ma famille et mon estomac se tord comme
si j'allais être malade.

— Tu n'arriveras pas à me rendre jolie, tu sais.

— Qu'est-ce qu'on en a à faire d'être jolies ? objecte Christina. L'important, c'est d'attirer l'attention.

J'ouvre les yeux et, pour la première fois de ma vie, je fixe
ouvertement mon reflet. Les battements de mon cœur s'accé-
lèrent. J'ai l'impression d'enfreindre les règles et que l'on va me
rappeler à l'ordre. Ça ne va pas être facile de me débarrasser des
vieux réflexes de mon éducation Altruiste, comme si je devais
défaire les fils d'un tissage complexe. Mais je me fabriquerai
de nouvelles habitudes, de nouvelles pensées. Je deviendrai
quelqu'un d'autre.

Avant, j'avais les yeux bleu gris, un peu éteints. L'eyeliner les
rend perçants. Avec mes cheveux qui encadrent mon visage,
j'ai les traits plus ronds, plus doux. Je ne suis pas jolie ; mes
yeux sont trop grands et mon nez trop long ; mais Christina
avait raison. Mon visage a de la personnalité.

Ce n'est pas comme si je me voyais pour la première fois ;
plutôt comme si je rencontrais une autre personne. Beatrice
était une fille que j'apercevais furtivement dans le miroir, qui
se taisait à table. Là, je vois quelqu'un dont le regard appelle le
mien et ne le lâche plus ; bonjour, Tris.

— Tu vois ? triomphe Christina. Comme ça, on te remarque.

Elle n'aurait pas pu me faire un plus beau compliment. Je
lui souris dans le miroir.

— Ça te plaît ? me demande-t-elle.

— Ouais. On dirait... quelqu'un d'autre.

Elle rit.

— Et c'est bien ou c'est mal ?

Je me dévisage de nouveau. Pour la première fois, l'idée de laisser derrière moi mon identité d'Altruiste, au lieu de m'angoisser, me donne de l'espoir.

Je secoue la tête.

— C'est bien. Excuse-moi, je n'ai jamais eu le droit de me regarder aussi longtemps dans un miroir.

— C'est vrai ? Y a pas à dire, les Altruistes sont vraiment une faction bizarre.

— Allons voir Al se faire tatouer.

D'accord, j'ai quitté ma faction, mais je ne suis pas encore prête à la critiquer.

Chez moi, on renouvelait nos vêtements tous les six mois en les remplaçant presque a l'identique. Quand tout le monde reçoit la même chose, la répartition est simple. Chez les Audacieux, il y a plus de variété. Chacun dispose d'un certain nombre de points dont une part sert à payer l'habillement.

On dévale le chemin étroit qui mène chez le tatoueur. On y trouve Al déjà installé dans le fauteuil, en train de se faire dessiner une araignée sur le bras par un homme petit et mince, qui a plus de tatouages que de peau nue.

Will et Christina feuillettent des albums de modèles en se donnant des coups de coude pour se montrer ceux qui leur plaisent. En les voyant assis côte à côte, Christina mince, les yeux bruns et la peau sombre, Will pâle et solide, les yeux vert clair couleur de céleri, je suis frappée par leurs différences, mais aussi par cette même aisance dans leur sourire.

Je me promène dans la pièce en observant les dessins sur les murs. Il n'y a que chez les Fraternels qu'on trouve encore des artistes. Pour les Altruistes, l'art est une pratique futile et le temps passé à l'admirer est considéré comme perdu, puisqu'on ne le consacre pas à s'occuper des autres. Alors, même si j'ai déjà vu des dessins dans des livres, je n'avais jamais mis les pieds dans un endroit décoré d'œuvres d'art. Ça crée une atmosphère chaude, plus habitée, et je pourrais rester des heures ici sans voir le temps passer. Je frôle les murs avec mes doigts. Un dessin de faucon me rappelle le tatouage de Tori. En dessous, il y a un croquis d'oiseau en vol.

— C'est un choucas, dit une voix derrière moi. Joli, non ?

Je me retourne et je vois Tori. J'ai l'impression de me retrouver dans la salle du test d'aptitudes, cernée par les miroirs, des fils collés sur le front. Je ne m'attendais pas à retomber sur elle.

Elle sourit.

— Tiens, salut. Je ne pensais pas te revoir un jour. Beatrice, c'est ça ?

— Tris, plutôt, rectifié-je. Vous travaillez ici ?

— Oui. J'avais juste pris quelques jours pour faire passer les tests. Mais en général, c'est ici qu'on me trouve.

Elle se tapote le menton de l'index.

— Ton nom me dit quelque chose. Ce n'est pas toi qui as sauté la première ?

— Si, c'est ça.

— Bravo.

— Merci.

Je touche le croquis de l'oiseau.

— Dites... il faut que je vous parle à propos de...

Je jette un coup d'œil vers Will et Christina. Ce n'est pas le moment de coincer Tori ; ils me poseraient des questions.

— ... d'un truc. Un de ces jours

— Je ne crois pas que ça serait prudent, me souffle-t-elle.

Je t'ai aidée du mieux que j'ai pu. Maintenant, tu dois te débrouiller toute seule.

Je serre les lèvres. Elle a des réponses. Je le sais. Si elle ne me les donne pas maintenant, il faudra que je trouve un moyen pour qu'elle me les apporte une autre fois.

— Tu veux te faire tatouer ? me demande-t-elle.

Mon attention reste fixée sur le dessin du choucas. Je n'avais aucune intention de me faire faire un tatouage ou un piercing en entrant. Je sais que ça ne ferait que creuser le fossé entre moi et mes parents, sans possibilité de retour en arrière. Et comme c'est parti, l'écart ne va aller qu'en s'accentuant.

Mais je comprends maintenant pourquoi Tori disait que son tatouage représentait une peur qu'elle avait surmontée ; un rappel de ce qu'elle était avant, et du chemin parcouru. Il est peut-être possible d'adopter une nouvelle vie tout en rendant hommage à celle d'avant.

— Oui. Trois de ces choucas.

Je touche ma clavicule et je trace le chemin de leur vol : vers mon cœur. Un oiseau pour chaque membre de ma famille.

CHAPITRE NEUF

— COMME VOUS ÊTES EN NOMBRE IMPAIR, l'un de vous ne se battra pas aujourd'hui, annonce Quatre en s'éloignant du tableau dans la salle d'entraînement.

Il me jette un coup d'œil. Il n'y a pas de nom inscrit en face du mien.

Le nœud dans mon estomac se desserre. Un sursis.

— Ça craint, me chuchote Christina en me donnant un coup de coude.

— Aïe !

Elle a touché un muscle douloureux (j'en ai plus que de muscles non douloureux aujourd'hui).

— Oups, pardon. Mais t'as vu ? Je me bats contre le Tank.

Ce matin, elle s'est mise en paravent entre moi et les autres pendant que je m'habillais dans le dortoir, et on a pris notre petit-déjeuner ensemble.

Je n'avais jamais eu d'amie comme elle. Susan s'entendait mieux avec Caleb qu'avec moi, et Robert allait là où allait Susan.

En fait, je crois que je n'ai jamais eu d'amis. On ne crée pas de vraies amitiés quand on a l'impression qu'on ne peut pas demander de l'aide ni parler de soi. Ici, c'est différent. Au bout de deux jours, j'en sais déjà plus sur Christina que je n'en ai jamais su sur Susan.

— Le Tank ? répété-je sans comprendre.

Je cherche le nom de Christina au tableau. Elle est inscrite en face de Molly.

— Ouais, l'acolyte de Peter, en version à peine plus féminine, commente Christina en désignant du menton le trio qui se tient à l'autre bout de la salle.

Molly est à peu près de sa taille, mais toute ressemblance s'arrête là. Elle a la peau café au lait, des épaules carrées et le nez bulbeux.

— Ces trois-là sont inséparables depuis leur naissance, poursuit Christina en pointant successivement du doigt Peter, Drew et Molly. Je ne peux pas les encadrer.

Will et Al se font face dans l'arène. Ils se protègent le visage de leurs poings, comme Quatre nous l'a montré, et tournent en cercle en dansant d'un pied sur l'autre. Al est deux fois plus large que Will et le dépasse de quinze bons centimètres. En l'observant, je m'aperçois que même les traits de son visage sont hors norme : gros nez, grosse bouche, grands yeux. Ce combat ne va pas durer longtemps.

Je jette un coup d'œil en direction de Peter et de sa bande. Drew est le plus petit des trois mais il est bâti comme un roc, avec les épaules toujours rentrées. Il a les cheveux roux couleur de vieille carotte.

— Qu'est-ce que tu leur reproches ? demandé-je à Christina.

— Peter est un petit salopard. Quand on était enfants, il s'en prenait toujours à des gamins d'autres factions et, quand un adulte intervenait, il se mettait à pleurer en inventant une histoire comme quoi l'autre avait commencé. Et bien sûr, ça marchait à tous les coups. Tout le monde le croyait, vu qu'on est des Sincères et qu'on n'a pas le droit de mentir.

Elle fait la grimace et continue :

— Drew n'est que son sous-fifre. Ça m'étonnerait qu'il soit capable de penser par lui-même. Et Molly... c'est le genre à faire griller les fourmis avec une loupe pour le plaisir de les voir agoniser.

Dans l'arène, Al frappe Will en pleine mâchoire. Je serre les dents. Eric, à l'autre bout de la salle, observe Al d'un air narquois en triturant ses piercings au sourcil.

Will vacille sur le côté, une main sur le visage, et bloque le coup suivant de sa main libre. À en juger par sa tête, ça lui fait aussi mal que si le coup avait porté. Al est lent, mais puissant.

Peter, Drew et Molly chuchotent en nous jetant des regards furtifs.

— Je crois qu'ils parlent de nous, dis-je.

— Et alors ? Ils savent parfaitement que je les déteste.

— Ah bon ? Comment ils le savent ?

Christina leur fait signe avec un sourire mielleux. Je baisse le nez en rougissant. En plus, on ne devrait pas dire du mal des gens.

Will fait un croche-pied à Al et recule brusquement. Al, déséquilibré, tombe par terre mais se relève aussitôt.

— Parce que je leur ai dit, tiens, répond Christina, son sourire toujours plaqué sur la figure.

Ses dents du haut sont bien alignées et celles du bas de travers. Elle se tourne vers moi et m'explique :

— Les Sincères essaient d'être honnêtes sur ce qu'ils ressentent. Il y a des tas de gens qui m'ont dit qu'ils ne m'aimaient pas. Et aussi des tas qui ne m'ont rien dit du tout. Qu'est-ce que ça peut faire ?

— Nous... on ne doit pas causer de peine aux autres, dis-je.

— Au fond, je trouve que je leur rends service en les détestant. Ça leur rappelle qu'ils ne sont pas la huitième merveille du monde.

Je ris, avant de reporter mon attention sur ce qui se passe dans l'arène. Les deux adversaires se jaugent un moment, plus hésitants qu'auparavant. Will repousse une mèche de cheveux qui lui retombe aussitôt dans les yeux. Ils jettent des petits coups d'œil vers Quatre comme s'ils attendaient qu'il signale la fin du combat, mais il reste les bras croisés, sans réagir. Eric regarde sa montre.

Au bout de quelques secondes de ce manège, il leur crie :

— Hé, vous vous croyez à la récré ? On fait une pause pour la sieste ? Battez-vous !

Al se redresse en laissant retomber ses bras le long du corps.

— Mais... on compte les points ou quoi ? Quand est-ce que ça s'arrête ?

— Quand l'un des deux ne peut plus continuer, répond Eric.

— Selon les règles des Audacieux, ajoute Quatre, vous avez aussi le droit de déclarer forfait.

Eric le toise en plissant les yeux.

— Selon les règles *d'avant*, rectifie-t-il. Dans le nouveau règlement, personne ne dèclare forfait.

— Le courage, c'est aussi de savoir reconnaître la supériorité de l'autre, observe Quatre.

— Le courage, c'est de ne jamais se rendre.

Pendant quelques secondes, Quatre et Eric se regardent en chiens de faïence et j'ai le sentiment de voir s'affronter deux conceptions des Audacieux : l'une noble et l'autre implacable. Mais même moi qui suis nouvelle, je sais que dans cette pièce, c'est Eric, le plus jeune leader de la faction, qui détient l'autorité.

Al s'essuie le front, constellé de gouttes de sueur

— C'est n'importe quoi, dit-il. À quoi ça rime que je lui casse la figure ? On est de la même faction !

— Ah, parce que tu crois que ça va être facile ? réplique Will avec un grand sourire. Vas-y, essaie, gros balourd.

Will relève les poings devant son visage. Je vois ses yeux briller d'une lueur nouvelle. Est-ce qu'il s'imagine vraiment qu'il peut gagner ? Un bon coup sur la tête et Al le colle au tapis.

À condition d'arriver à le frapper. Will esquive sa première tentative, pare un deuxième coup, contourne son adversaire et lui décoche un coup de pied dans les reins Al titube et se retourne.

Quand j'étais petite, j'avais un livre sur les grizzlis. On en voyait un dressé sur ses pattes arrière, les pattes avant tendues devant lui, rugissant de tous ses crocs À cet instant, Al me rappelle cet ours. Il charge, saisit le bras de Will pour le bloquer et lui assène un direct à la mâchoire.

La lumière s'éteint dans le regard de Will. Ses yeux chavirent et il s'affale comme une chiffe molle dans les bras d'Al avant de glisser et de tomber par terre. Un frisson glacé remonte le long de mon dos.

Les yeux écarquillés, Al s'agenouille pour lui tapoter la joue. Tout le monde attend en silence que Will réagisse. Pendant plusieurs secondes, rien ne se passe, il reste étendu sans bouger, un bras replié sous lui. Enfin, il cligne des paupières, l'air sonné.

— Relève-le, dit Eric.

Il fixe le corps étendu de Will d'un air avide, la lèvre supérieure retroussée, comme quelqu'un qui n'aurait pas mangé depuis des semaines regarderait un morceau de viande.

Quatre se tourne vers le tableau pour entourer le nom d'Al. Premier vainqueur.

— Aux suivants... Molly et Christina ! lance Eric.

Al passe le bras de Will autour de ses épaules et le tire hors de l'arène.

Christina fait craquer ses doigts. Je lui souhaiterais volontiers bonne chance si je pensais que ça pouvait lui être utile. Elle n'est pas frêle, mais Molly est beaucoup plus baraquée. Espérons que sa légèreté l'avantagera.

À l'autre bout de la salle, je vois Quatre qui emmène Will en le soutenant par la taille, tandis qu'Al, près de la porte, les suit des yeux.

Le départ de Quatre ne me dit rien qui vaille. C'est comme s'il nous laissait seuls avec une baby-sitter dont le passe-temps favori serait d'aiguiser des couteaux.

Christina coince ses cheveux derrière ses oreilles. Ils sont noirs, coupés à hauteur du menton, et retenus par des petites barrettes en argent. De nouveau, elle fait craquer ses doigts. Elle a l'air nerveuse. Qui ne le serait pas après avoir vu Will s'effondrer comme une poupée de chiffon ?

Si tous les combats chez les Audacieux s'achèvent quand il n'en reste qu'un debout, je me demande comment je sortirai de cette étape de l'initiation. Serai-je à la place d'Al, penchée sur un corps affalé, sachant que c'est moi qui l'ai mis au sol ?

Ou bien à celle de Will, allongée comme une masse inerte ? Est-ce de l'égoïsme ou du courage de ma part de vouloir gagner ? J'essuie mes paumes moites sur mon pantalon.

Christina frappe Molly d'un coup de pied sur le côté et je m'arrache à mes réflexions. Molly tressaille et montre les dents, comme si elle allait se mettre à gronder. Elle ne songe même pas à écarter la mèche de cheveux noirs qui lui tombe sur le visage.

Al m'a rejointe, mais je suis trop concentrée sur le combat en cours pour le regarder ou le féliciter pour sa victoire. En admettant qu'il l'ait vraiment souhaitée, ce dont je doute.

Molly ricane et, sans avertissement, plonge mains tendues sur Christina. Elle la frappe de plein fouet au ventre, la jette par terre et la maintient au sol. Christina se débat, mais Molly, plus lourde, tient bon.

Elle la bourre de coups de poing. Christina bouge la tête pour esquiver mais l'autre l'atteint au visage. Instinctivement, je saisis le bras d'Al et je serre aussi fort que je peux. J'ai juste besoin de m'accrocher à quelque chose. Du sang coule sur la joue de Christina et goutte par terre. C'est la première fois que je prie pour que quelqu'un s'évanouisse.

Mais ma prière n'est pas entendue. Molly frappe toujours, encore et encore : à la mâchoire, au nez, à la bouche. Christina hurle et parvient à dégager un bras. Elle atteint Molly à l'oreille et réussit à se libérer. Elle s'agenouille en se tenant le visage d'une main. Un flot de sang épais et sombre jaillit de son nez et lui couvre aussitôt les doigts. Elle pousse un nouveau hurlement et s'éloigne de Molly en rampant. En voyant tressauter ses épaules, je comprends qu'elle pleure, mais le sang qui bat dans mes tympans étouffe le bruit.

S'il vous plaît, faites qu'elle s'évanouisse.

Molly lui balance un coup de pied dans les côtes et elle tombe sur le dos. Al me presse contre lui. Je serre les dents pour m'empêcher de crier. Je n'avais aucune compassion pour lui la première nuit, mais je ne suis pas encore sans cœur ; à la vue de Christina se tenant les côtes, je dois prendre sur moi pour ne pas m'interposer.

— Arrête ! gémit Christina quand Molly prend son élan pour frapper de nouveau.

Elle lève une main.

— Arrête ! Je... (Elle tousse.) Je déclare forfait.

Molly sourit et je lâche un soupir de soulagement. Al soupire aussi ; je sens son thorax se soulever et s'abaisser contre mon épaule.

Eric gagne lentement le centre de la salle et s'arrête devant Christina, les bras croisés. À mi-voix, il articule :

— Pardon ? Je n'ai pas bien entendu. Tu déclares forfait ?

Christina se redresse sur les genoux et sa main laisse une empreinte rouge sur le parquet. Elle se pince le nez pour arrêter le saignement.

— Lève-toi, lui ordonne-t-il.

S'il avait hurlé, je n'aurais peut-être pas eu l'impression que mon estomac allait se vider entièrement. J'aurais pu me dire qu'il allait s'en tenir là. Mais il a parlé d'une voix froide et posée. Il attrape Christina par le bras, la remet brutalement sur ses pieds et la traîne hors de la salle. Il se retourne pour nous lancer :

— Suivez-moi.

Et on obéit.

✛ ✛ ✛

On s'arrête près du garde-fou. Le rugissement de la rivière résonne dans la Fosse presque déserte. C'est le milieu de l'après-midi, bien que j'aie l'impression de ne pas avoir vu le jour depuis des semaines.

S'il y avait des gens dans le coin, je pense qu'aucun d'eux ne lèverait le petit doigt. D'abord, parce qu'Eric nous accompagne ; ensuite, parce que les règles des Audacieux n'excluent pas la brutalité.

Eric pousse Christina contre le garde-fou.

— Passe de l'autre côté, lui ordonne-t-il.

— Quoi ?

Le ton de Christina est incrédule. Cependant, ses yeux écarquillés et son teint grisâtre montrent qu'elle le croit capable d'aller jusqu'au bout. Il ne reculera pas.

— Passe de l'autre côté de la barrière et suspends-toi par les mains à la rambarde, répète-t-il. Si tu réussis à tenir cinq minutes au-dessus du gouffre, j'oublierai ta lâcheté. Sinon, ton initiation s'arrête là.

Les rails métalliques sont étroits et couverts d'une pellicule d'eau qui les rend froids et glissants. Même si Christina a le cran de tenir, rien ne dit qu'elle y arrivera. Elle a le choix entre rejoindre les sans-faction et risquer la mort.

Je ferme les yeux et je l'imagine en train de s'écraser en bas sur les rochers.

— Très bien, dit-elle d'une voix chevrotante.

Elle est assez grande pour enjamber la rambarde. Son pied tremble. Elle pose un orteil sur le rebord de la falaise, ramène l'autre jambe et s'accroupit. Face à nous, elle se frotte les mains sur son pantalon et s'agrippe au rail si fort que ses doigts blanchissent. Elle retire un pied du rebord, puis l'autre, lâchant ses jambes dans le vide. Je vois son expression à travers les barreaux, déterminée, les lèvres serrées.

À côté de moi, Al règle le chronomètre de sa montre sur cinq minutes.

Pendant quatre-vingt-dix secondes, tout se passe bien. Christina agrippe fermement la rambarde. Je commence à me dire qu'elle va s'en sortir et prouver à Eric qu'il a été stupide de douter d'elle.

Mais soudain, le torrent percute la paroi et un jet d'écume lui heurte violemment le dos. Son visage est projeté sur la barrière et elle pousse un cri. Sa main glisse. Elle ne tient plus que par le bout des doigts. Elle essaie de raffermir sa prise, mais ses mains mouillées dérapent.

Si je l'aide, Eric me fera subir le même sort qu'elle. Je peux soit la laisser faire une chute mortelle sans réagir, soit me résigner à devenir sans-faction. Quel est le pire : regarder quelqu'un mourir sans broncher ou se retrouver exilé et les mains vides ?

Mes parents ne se poseraient même pas la question.

Mais je ne suis pas comme eux.

Jusqu'ici, Christina n'a ni pleuré ni crié. Mais cette fois, elle se décompose et lâche un gros sanglot, qui couvre le grondement de la rivière. Une nouvelle vague frappe la paroi et son corps ruisselle d'écume. Une gouttelette parvient jusqu'à mon visage. Ses mains recommencent à glisser et cette fois, la gauche lâche prise. Elle ne tient plus que par quatre doigts de la main droite.

— Accroche-toi, Christina, lance Al de sa voix grave, qui résonne curieusement fort.

Elle le regarde. Il se met à taper dans ses mains.

— Vas-y ! Rattrape-toi ! Tu peux le faire. Rattrape-toi !

Est-ce que j'aurais seulement la force physique pour la retenir ? Est-ce que ça vaudrait la peine de tenter de lui venir en aide alors que rien ne m'assure que je puisse y arriver ?

Je sais ce que sont ces questions : des excuses. Avec des raisonnements, on peut justifier n'importe quoi ; c'est pour ça qu'il faut toujours s'en méfier. C'est ce que disait mon père.

Christina balance son bras pour essayer de rattraper le rail. Al, tout seul, continue à l'encourager en tapant dans ses grosses mains, sans détacher ses yeux des siens. Je voudrais pouvoir en faire autant, je voudrais être capable de bouger ; mais je ne peux que rester plantée là à la fixer, en me demandant depuis combien de temps je suis d'un égoïsme aussi répugnant.

Je jette un œil sur la montre d'Al. Plus qu'une minute. Il me balance un coup de coude sec dans l'épaule.

— Vas-y, Christina, dis-je dans un murmure rauque.

Je m'éclaircis la gorge et je reprends, plus fort cette fois :

— Plus qu'une minute.

La main droite de Christina s'agrippe de nouveau à la rambarde. Ses bras tremblent si fort que je me demande si ce n'est pas la terre qui se dérobe sous mes pieds et qui brouille ma vision, sans que je m'en sois aperçue avant.

— Allez, Christina ! crié-je en chœur avec Al.

En nous entendant tous les deux, je me dis que j'aurais sans doute la force de l'aider.

Je vais l'aider. Si elle glisse, je le ferai.

Une troisième vague s'écrase sur son dos et, dans un cri, elle lâche la barre. Je pousse un hurlement qui résonne à mon oreille comme s'il venait de quelqu'un d'autre.

Mais elle n'est pas tombée. Elle a réussi à se rattraper.

Ses mains glissent le long du métal, jusqu'à ce que sa tête disparaisse. On ne voit plus que le bout de ses doigts.

La montre d'Al indique que les cinq minutes sont passées.

— Temps écoulé, jette-t-il à Eric, presque en crachant les mots.

Eric regarde sa montre. En inclinant le poignet, en prenant tout son temps, pendant que mon estomac se vrille et que mes poumons se bloquent. Je cligne des paupières et je revois l'amie de Rita sur le trottoir sous la voie ferrée, les bras et les jambes en étoile ; je revois Rita qui pleure et qui hurle ; je me revois en train de me détourner.

— Très bien, dit Eric. Christina, tu peux remonter.

Al s'approche de la barrière.

— Non, l'arrête Eric. Elle doit le faire toute seule.

— Non, gronde Al. Elle a fait ce que tu as demandé. Ce n'est pas une lâche. Elle a fait ce que tu as demandé.

Eric ne réagit pas. Al se penche au-dessus du rail. Il est assez grand pour pouvoir attraper Christina par le poignet. Elle saisit son avant-bras et il la hisse vers lui, le visage rouge de colère. Je me précipite pour l'aider. Je suis trop petite pour être très utile, mais j'attrape Christina sous l'aisselle dès qu'elle est assez haut et, à deux, on la tire par-dessus la rambarde. Elle s'affale par terre, le visage encore taché du sang du combat, le dos trempé, tremblant de la tête aux pieds.

Je m'agenouille à côté d'elle. Ses yeux se posent sur moi, puis sur Al, et tous les trois, on reprend notre souffle.

CHAPITRE DIX

CETTE NUIT-LÀ, je rêve de Christina suspendue à la rambarde, mais par les orteils. Quelqu'un crie que seul un Divergent peut l'aider, alors je me précipite pour la remonter. À cet instant, on me pousse par-dessus la barrière et je me réveille juste avant de m'écraser sur les rochers.

Il est l'heure de se lever. Trempée de sueur, je vais en frissonnant à la salle de bains des filles pour me doucher et me changer. Quand je reviens, je trouve le mot « Pète-sec » tagué à la peinture rouge sur mon matelas. Il est répété en plus petit sur le cadre du lit et l'oreiller. Je regarde autour de moi, furieuse.

Dans mon dos, Peter sifflote en pianotant sur son oreiller. Je n'aurais jamais cru pouvoir haïr à ce point quelqu'un à l'air aussi gentil ; ses sourcils arqués lui donnent en permanence une expression ouverte et il sourit toujours de toutes ses dents blanches.

— Jolie décoration, commente-t-il.

Je saisis un coin du drap et le retire d'un coup sec.

— Tu peux me dire ce que je t'ai fait ? dis-je entre mes dents. On est dans la même faction, au cas où tu n'aurais pas remarqué.

— Je ne vois pas de quoi tu parles, me répond-il d'un ton détaché.

Puis, après un petit coup d'œil :

— Et on ne sera *jamais* dans la même faction.

Je secoue la tête en ôtant la taie de mon oreiller. *Restons calme.* Il cherche à me faire sortir de mes gonds, je ne vais pas lui donner ce plaisir. Mais chaque fois qu'il tape sur son oreiller, j'ai envie de lui balancer un coup de poing dans l'estomac.

Al entre et je n'ai même pas besoin de lui demander d'aide. Sans qu'on ait échangé un mot, il entreprend d'enlever les draps avec moi. Il faudra que je nettoie le cadre plus tard. Al dépose mes draps dans le panier à linge sale et on se dirige tous les deux vers la salle d'entraînement.

— Ignore-le, me conseille Al. Ce n'est qu'un crétin. Si tu ne réagis pas, il finira par laisser tomber.

Je touche mes joues, encore chaudes de colère. J'essaie de penser à autre chose.

— Ouais. Tu as parlé à Will ? Après... enfin, tu sais.

— Ouais. Ça va. Il ne m'en veut pas.

Al soupire.

— Maintenant, je vais être connu comme le premier à avoir mis un copain dans les vapes.

— Ce n'est pas la pire image qu'on puisse donner. Au moins, comme ça, les autres te ficheront la paix.

— Ce n'est pas la meilleure non plus.

Il sourit en me donnant un petit coup de coude.

— Miss « premier saut ».

J'ai peut-être réussi ça, mais je soupçonne que ma gloire chez les Audacieux va s'arrêter là.

Je m'éclaircis la voix.

— C'était toi ou lui, de toute façon.

— N'empêche que je ne veux pas recommencer, déclare Al en secouant la tête, trop vite et trop fort.

Il renifle.

— Plus jamais.

On est arrivés à la porte de la salle d'entraînement.

— Tu n'auras pas le choix, lui rappelé-je

Sa gentillesse se lit sur son visage. Il est peut-être trop gentil pour devenir un Audacieux.

En entrant, je consulte le tableau. Je n'ai pas eu à me battre hier, je n'y couperai pas aujourd'hui. Je m'immobilise en lisant le nom inscrit en face du mien.

Peter.

Christina arrive derrière moi en faisant de son mieux pour ne pas boiter. Le visage tuméfié, elle lit le tableau en froissant le papier de la brioche qu'elle tient à la main.

— C'est pas vrai, souffle-t-elle. Ils déconnent ou quoi ? Ils vont vraiment te faire combattre contre lui ?

Peter fait presque trente centimètres de plus que moi. Hier, il a mis moins de cinq minutes pour battre Drew, qui arbore ce matin un visage violacé.

— Tu pourrais faire semblant de perdre connaissance après avoir pris quelques coups, me suggère Al. Personne ne te le reprocherait.

— Ouais, peut-être, marmonné-je, les joues à nouveau en feu.

Je sais qu'ils veulent juste m'aider. Mais ça m'énerve qu'ils ne pensent pas, même un quart de seconde, que je puisse avoir une chance face à Peter.

Je me décale sur le côté pour regarder Molly se battre contre Edward, n'écoutant que d'une oreille le bavardage d'Al et Christina. Edward est bien plus rapide que Molly ; c'est clair qu'elle ne gagnera pas aujourd'hui.

À mesure que le combat progresse et que ma colère retombe, je me laisse gagner par la nervosité. Quatre nous a conseillé hier d'exploiter les faiblesses de notre adversaire, mais à part son absence totale de qualités humaines, Peter n'en a pas. Il est assez grand pour être puissant et assez délié pour être rapide. Lui sait parfaitement repérer les faiblesses des autres ; il est vicieux et ne montrera aucune pitié. J'aimerais pouvoir dire qu'il me sous-estime, mais je mentirais ; je suis aussi peu douée qu'il le pense.

Al a probablement raison, autant prendre quelques coups et faire semblant de tourner de l'œil.

Mais je ne peux pas me permettre de baisser les bras. Je ne peux pas être classée dernière.

Le temps que Molly s'écroule, à moitié sonnée, mon cœur bat si fort que je le sens pulser au bout de mes doigts. J'ai oublié comment on fait face à un adversaire. J'ai oublié comment on frappe. Je m'approche du centre de l'arène, le ventre noué. Peter se plante devant moi, encore plus grand que je ne le voyais, les biceps saillants. Il me sourit. Je me demande si ça pourrait m'avancer de lui vomir dessus.

J'en doute.

— Ça va, Pète-sec ? me lance-t-il. On dirait que tu vas te mettre à pleurer. Vas-y, ne te gêne pas ; je serai peut-être plus cool avec toi.

Derrière l'épaule de Peter, je remarque Quatre près de la porte, bras croisés, la bouche pincée comme s'il venait d'avaler quelque chose d'aigre. À côté de lui, Eric tape du pied, à un rythme encore plus rapide que celui des battements de mon cœur.

Peter et moi sommes là, face à face ; la seconde d'après, il a les poings en bouclier devant le visage, les genoux pliés, comme prêt à bondir.

— Allez, Pète-sec, fait-il avec des étincelles dans les yeux. Juste une petite larme. Tu peux essayer de me supplier, aussi.

Rien qu'à cette idée, un goût de bile m'emplit la bouche. Sans réfléchir, je lui balance un coup de pied sur le côté. Du moins j'essaie, avant qu'il intercepte ma jambe et la tire pour me déséquilibrer. Mon dos heurte le sol. Je me dégage d'un coup sec et me relève.

Je dois rester debout pour l'empêcher de me frapper au visage. C'est mon seul objectif.

— Assez tourné autour du pot, jette froidement Eric à Peter. Je n'ai pas que ça à faire.

Peter abandonne son air goguenard. Son bras part et la douleur me poignarde la mâchoire, avant d'irradier dans tout mon visage. Mes oreilles tintent et ma vision périphérique s'obscurcit. Je cligne des paupières, la salle se met à tanguer et je titube de gauche et de droite. Je ne me rappelle pas avoir vu arriver son poing.

Je suis trop sonnée pour tenter autre chose que m'éloigner de lui, autant que l'arène me le permet. Il me fonce dessus et me décoche un coup de pied en plein dans le ventre. Je n'ai plus une once d'air dans les poumons, et trop mal pour respirer. Je tombe.

Debout ! C'est tout ce que j'arrive à penser. Je me relève.

Malheureusement, Peter est déjà là. Il m'agrippe par les cheveux et me balance son poing dans le nez. La douleur est différente, cette fois, moins comme un coup de poignard qu'une impression de fêlure dans mon crâne. Des points dansent devant mes yeux, bleus, rouges, verts... J'essaie de repousser Peter en le frappant aux bras, mais il m'atteint dans les côtes. Mon visage est mouillé. J'ai le nez en sang. Le vertige m'empêche de baisser la tête pour vérifier.

Il me pousse et je tombe à nouveau en m'écorchant les mains. Je cligne des paupières et me relève au ralenti, lourdement. Je tousse. J'ai chaud. Je préférerais de loin rester allongée par terre, si ça ne tournait pas autant. Et Peter aussi tourne autour de moi à toute vitesse... Je suis le seul élément qui ne bouge pas au centre d'une planète toupie. Quelque chose me touche au côté et je vacille.

Debout, debout. Je distingue une masse solide devant moi, un corps. Je lance mon poing de toutes mes forces et il rencontre quelque chose de mou. Peter pousse un vague grognement et me frappe l'oreille du plat de la main, en rigolant doucement. Ma tête bourdonne. Je bats des paupières pour chasser les points noirs qui me brouillent la vue. Qu'est-ce que j'ai dans les yeux ?

En lisière de ma vision, j'entrevois Quatre qui ouvre la porte et sort. Il faut croire que ce combat n'est pas assez intéressant pour lui. Ou alors, il est allé voir ce qui fait tourner la salle comme une toupie. Bonne idée. Je me le demande aussi.

Mes genoux me lâchent et je sens la fraîcheur du parquet contre ma joue. Quelque chose percute mes côtes et pour la première fois, je hurle, un long cri aigu que je ne reconnais pas. Un deuxième coup au même endroit et je n'y vois plus rien, même pas ce que j'ai pile devant les yeux. Plus de lumière. Quelqu'un crie : « Ça suffit ! » et je pense : « Assez », et puis : « Plus rien ».

+ + +

À mon réveil, je ne sens pas grand-chose. Je suis dans les vapes, comme si ma tête était bourrée de boules de coton.

Je sais que j'ai perdu ; mais si le fait d'être dans le cirage tient la douleur à distance, il m'empêche aussi de penser à ma défaite.

— Elle a déjà l'œil au beurre noir ? demande quelqu'un.

Je soulève une paupière ; l'autre reste fermée comme si elle était collée à la glu. À ma droite, il y a Will et Al ; Christina, assise à ma gauche sur le lit, maintient une poche de glace plaquée sur sa mâchoire.

— Qu'est-ce qui s'est passé ? T'as une de ces têtes, marmonné-je.

Ma bouche me fait un effet bizarre, comme si elle était trop grosse.

Elle se marre.

— Tu ne t'es pas regardée ! On devrait peut-être trouver un bandeau pour ton œil.

— Merci, je suis au courant de ce qui m'est arrivé. J'y étais. Si on peut dire...

— Et elle vient de faire de *l'humour* ! lance Will en rigolant. On devrait te mettre sous calmants plus souvent ! Oh, et pour répondre à ta question... j'ai battu Christina.

— Là, tu me déçois, dit Al à Christina en secouant la tête.

— Tu plaisantes ? Il est super fort, rétorque-t-elle. Néanmoins, je crois que j'ai compris comment éviter de perdre. Il suffit que j'empêche les gens de me balancer leur poing dans la mâchoire.

— Il t'a fallu tout ce temps ? réplique Will avec un clin d'œil. Pas très futée, hein ? Tu ne risquais pas de devenir une Érudite.

— Toi, ça va, Tris ? me demande Al.

Il a les yeux marron foncé, presque de la même couleur que la peau de Christina. Ses joues râpeuses seraient recouvertes d'une barbe drue s'il ne se rasait pas. Il fait bien plus que ses seize ans.

— Ouais, marmonné-je. Je voudrais juste rester là pour ne plus jamais avoir à croiser Peter.

À ce propos, je ne sais même pas où je suis. Je me trouve dans une grande pièce tout en longueur meublée de deux rangées de lits, dont certains sont isolés par des rideaux. Ça doit être ici que viennent les Audacieux quand ils sont malades ou blessés. Dans le coin à droite, il y a un petit poste d'infirmière. Celle qui l'occupe nous regarde par-dessus son écritoire. Je n'ai jamais vu une infirmière avec autant de piercings à l'oreille. J'imagine que des Audacieux doivent se porter volontaires pour certains boulots assurés ailleurs par d'autres factions. Ce serait un peu idiot de devoir emmener les Audacieux à l'hôpital de la ville chaque fois qu'ils se font mal.

La première fois que je suis entrée dans un hôpital, j'avais six ans. Ma mère s'était cassé le bras en tombant sur le trottoir devant chez nous. En l'entendant crier de douleur, j'avais fondu en larmes. Mais Caleb, lui, avait couru chercher mon père sans dire un mot. À l'hôpital, une Fraternelle vêtue d'une tunique jaune, aux ongles impeccables, avait pris la tension de ma mère et remis son os en souriant.

Je revois Caleb lui expliquant que la guérison ne prendrait

pas plus d'un mois, parce que ce n'était qu'une fêlure. Je m'étais dit qu'il cherchait à la rassurer, parce que c'est ce que font les Altruistes, mais je me demande maintenant s'il ne répétait pas une chose lue quelque part, et si toutes ses tendances d'Altruiste n'étaient pas simplement des caractéristiques d'Érudit déguisées.

— Ne t'en fais pas pour Peter, me dit Will. Il se fera au moins battre par Edward, qui fait du close-combat depuis l'âge de dix ans. Juste pour s'amuser.

— Tant mieux, déclare Christina.

Elle regarde sa montre et signale :

— Je crois qu'on est en train de rater le dîner. Tu veux qu'on reste avec toi, Tris ?

— Pas la peine, ça va.

Elle se lève, imitée par Will, mais Al leur fait signe de partir devant. Il a une odeur bien à lui – douce et fraîche en même temps, comme un mélange de sauge et de citronnelle. Quand il se tourne et se retourne la nuit, elle me parvient par bouffées et je sais alors qu'il fait un cauchemar.

— Je voulais juste te dire que tu as manqué l'annonce d'Eric, m'informe-t-il. Il y a une sortie demain. On va aux portes de la ville, à la Clôture, où ils vont nous présenter les boulots des Audacieux. Rendez-vous au train à huit heures et quart.

— OK, merci.

— Et n'écoute pas Christina. Tu n'es pas si amochée que ça. Tu es très bien, même, ajoute-t-il avec un sourire. Comme toujours. Enfin, tu fais très intrépide. Très Audacieuse.

Ses yeux glissent sur les miens et il se gratte la nuque. Un silence s'installe. C'était gentil de me dire ça, mais son attitude pourrait laisser entendre plus qu'une remarque anodine.

J'espère que je me trompe. Je ne suis pas attirée par Al. Je ne peux pas être attirée par quelqu'un d'aussi vulnérable.

Je souris autant que mes contusions me le permettent, histoire d'alléger l'atmosphère

— Je vais te laisser te reposer, dit-il.

Au moment où il se lève pour partir, je lui saisis le poignet.

— Et toi, ça va ?

Il fronce les sourcils et j'ajoute :

— Je veux dire, tu t'habitues ?

— Bah, fait-il en haussant les épaules. Doucement.

Il retire sa main et la fourre dans sa poche. Ma question a dû le gêner, parce que je ne l'ai jamais vu rougir comme ça. Si je passais mes nuits à pleurer dans mon oreiller, moi aussi, je serais gênée. Au moins, quand je pleure, je me débrouille pour le cacher.

— J'ai perdu face à Drew, m'annonce-t-il. Après ton combat avec Peter. Il fait une pause et me regarde. J'ai pris plusieurs coups, je suis tombé et je suis resté à terre. Alors que j'aurais pu me relever. Même si je perds tous les combats suivants, comme j'ai battu Will, je ne serai pas en fin de classement. Du coup, rien ne m'oblige à démolir quelqu'un.

— C'est vraiment ce que tu veux ?

Il baisse les yeux.

— Je n'y arrive pas, c'est tout. Je suis peut-être un lâche, au fond.

— Ce n'est pas parce qu'on ne veut pas frapper les gens qu'on est un lâche.

Je l'ai dit parce que c'était la chose à dire, même si je ne suis pas sûre de le penser.

Pendant quelques instants, on se regarde sans prononcer

un mot. Peut-être que je le pense quand même. Ce n'est pas parce qu'il ne prend aucun plaisir à infliger la douleur qu'il est lâche, mais parce qu'il refuse d'agir.

Il m'adresse un coup d'œil peiné et me demande :

— Tu crois que nos familles vont venir nous voir ? Il paraît que les familles des transferts ne viennent jamais le jour des Visites.

— Je ne sais pas. Et je ne sais pas non plus ce qui serait le mieux.

— Le mieux, c'est sans doute qu'ils ne viennent pas. C'est déjà assez dur comme ça.

Il hoche la tête, comme pour se convaincre lui-même, et il s'en va.

Dans moins d'une semaine, pour la première fois depuis la cérémonie du Choix, les novices natifs des Altruistes pourront retourner chez eux voir leurs familles. Ils s'installeront au salon et pour la première fois, auront une relation d'adultes avec leurs parents.

Avant, j'avais hâte de voir ce jour arriver. Je pensais à tout ce que je dirais à mes parents quand j'aurais le droit de leur poser des questions à table.

Dans moins d'une semaine, les novices natifs des Audacieux retrouveront leurs familles dans la Fosse ou au-dessus, dans la tour de verre, et feront ce que sont censés faire les Audacieux quand ils se retrouvent. Ça ne m'étonnerait pas qu'ils en profitent pour jouer à se lancer des couteaux.

Et les transferts qui ont des parents magnanimes pourront les revoir aussi. Je soupçonne que les miens ne seront pas là. Pas après le regard outré que m'a lancé mon père à la cérémonie. Pas après que leurs deux enfants les ont désavoués.

Si je leur avais dit que j'étais une Divergente et que je ne savais pas quoi choisir, ils l'auraient peut-être admis. Ils m'auraient peut-être aidée à comprendre ce que c'est qu'un Divergent, ce que ça implique et en quoi c'est dangereux. Mais comme je n'ai pas osé leur confier mon secret, je ne le saurai jamais.

Je serre les dents en sentant les pleurs monter dans ma gorge. J'en ai marre. J'en ai marre des pleurs et de la faiblesse. Mais je ne peux pas faire grand-chose pour me retenir.

Je m'assoupis un moment. Plus tard dans la soirée, je me glisse hors de la pièce pour regagner le dortoir. La seule chose pire que de laisser Peter m'envoyer à l'infirmerie serait d'y passer la nuit. Je ne lui ferai pas ce plaisir.

CHAPITRE ONZE

LE LENDEMAIN MATIN, je n'entends ni le réveil, ni le frotte-ment des pieds sur le carrelage, ni les conversations des autres novices pendant qu'ils se préparent. Je ne réagis que quand Christina me secoue l'épaule d'une main en me tapotant la joue de l'autre. Elle a déjà enfilé un blouson noir, fermeture Éclair remontée jusqu'au menton. Si le combat d'hier lui a laissé des bleus, ça ne se voit pas sur sa peau sombre.

— Allez, me lance-t-elle. À l'attaque !

J'ai rêvé que Peter me ligotait à un poteau et me demandait si j'étais une Divergente. Je répondais « non » et il me frappait jusqu'à ce que j'avoue. Je me suis réveillée les joues baignées de larmes.

J'essaie de parler, mais je ne réussis qu'à émettre un grogne-ment. Mon corps est tellement endolori que même respirer me fait mal. Mes yeux bouffis par les larmes de cette nuit n'arrangent rien. Christina me tend une main pour m'aider à m'asseoir.

Le réveil indique huit heures. On doit être au train dans un quart d'heure.

— Je file nous chercher un truc à manger, me dit-elle. Toi...
tu te prépares. Ça risque de te prendre un moment.

Je lui réponds par un nouveau grognement. À tâtons,
je cherche un tee-shirt propre dans le tiroir sous mon lit en
essayant de ne pas trop me pencher. Une chance que Peter ne
soit pas là pour me voir ramer. Après le départ de Christina, il
ne reste plus personne dans le dortoir.

Je déboutonne mon pyjama et j'inspecte mes côtes, couvertes de bleus. Pendant une seconde, je reste hypnotisée par
les couleurs, vert vif, bleu canard et brunâtre. Je m'habille aussi
vite que je peux et je garde les cheveux détachés, faute de pouvoir lever les bras pour les tresser.

Mon reflet dans le petit miroir me renvoie l'image d'une
inconnue. Blonde comme moi, avec un visage étroit comme
le mien, mais toute ressemblance s'arrête là. Je n'ai pas cet
œil au beurre noir, cette lèvre fendue, ce bleu à la mâchoire ni
cette pâleur cadavérique. Elle a beau faire les mêmes gestes
que moi, cette fille ne peut pas être moi.

Quand Christina revient avec un muffin dans chaque main,
elle me retrouve assise sur mon lit, les yeux rivés sur mes chaussures. Je vais devoir me pencher pour les mettre. Ça va faire mal.

Mais déjà, elle m'a passé un muffin et s'est accroupie en face
de moi pour nouer mes lacets. Un élan de gratitude m'envahit,
chaud et presque douloureux. Il y a peut-être une petite part
Altruiste chez chacun d'entre nous, même si certains l'ignorent.

Sauf chez Peter, bien sûr.

— Merci..

— On n'aurait eu aucune chance d'être à l'heure si tu avais
dû le faire toi-même, me réplique-t-elle. Allons-y. Tu peux manger en marchant ?

On se dépêche en direction de la Fosse. Mon muffin est à la banane et aux noix. Ma mère en a fait un jour pour les donner à des sans-faction, mais je n'ai pas eu l'occasion de les goûter. J'étais déjà trop grande pour être chouchoutée. Je m'efforce d'ignorer le pincement au cœur que j'éprouve chaque fois que je pense à elle et je presse le pas derrière Christina, qui oublie qu'elle a des jambes plus longues que les miennes.

On gravit les marches qui mènent de la Fosse à la tour de verre et on court jusqu'à la sortie. Chaque fois que mes pieds frappent le sol, je ressens des décharges dans les côtes, mais je fais comme si de rien n'était. On arrive à la voie ferrée juste au moment où le train surgit en sifflant.

— Qu'est-ce que vous avez fichu ? nous demande Will en criant pour couvrir le vacarme.

— Courte-sur-Pattes ici présente a pris cinquante ans en une nuit, répond Christina.

— Oh, la ferme, dis-je, mi-figue, mi-raisin.

Quatre se tient à la tête du groupe, si près des rails que s'il se penchait de trois centimètres, le train lui arracherait le nez. Il recule pour nous laisser sauter. Will se hisse tant bien que mal dans un wagon ; il atterrit sur le ventre, les jambes à l'extérieur. Quatre saisit la poignée et monte avec la plus parfaite aisance. On ne dirait jamais qu'il a plus d'un mètre quatre-vingts à tracter.

La souffrance me fait grimacer, et je serre les dents tandis que je cours le long du train. J'agrippe la poignée. Je vais le sentir passer.

Al m'attrape sous les aisselles et me hisse sans effort dans le wagon. L'espace d'une seconde, une douleur fulgurante me vrille les côtes. Je vois Peter derrière moi et je me sens rougir.

Je remercie Al d'un sourire ; il a juste voulu être gentil. Mais je préfèrerais que les gens arrêtent de vouloir être gentils. Peter a déjà assez de munitions contre moi.

— Alors, ça va, ce matin ? me lance-t-il, avec une mimique compatissante. Pas trop en compote ?

Il s'esclaffe, imité par Drew et Molly. Elle a un rire atroce, une espèce de hennissement qui lui secoue les épaules, alors que Drew rit en silence, ce qui donne un peu l'impression qu'il grimace de douleur.

— On est tous scotchés par la finesse de tes remarques, lui balance Will.

— Ouais, tu ne crois pas que tu aurais mieux fait de choisir les Érudits ? ajoute Christina. Il paraît que les chochottes, ça ne les dérange pas.

Quatre, debout devant la porte, intervient avant que Peter ait le temps de répondre.

— Dites, je vais devoir écouter vos chamailleries encore longtemps ?

Tout le monde se tait et Quatre se retourne vers l'extérieur. Les bras écartés, il se retient aux poignées et se penche presque entièrement hors du wagon, fermement campé sur ses jambes. Le vent plaque son tee-shirt contre sa poitrine. J'essaie de m'intéresser au paysage qui défile derrière lui : une mer de bâtiments abandonnés ou en ruine qui rapetissent à mesure qu'on s'éloigne. Mais au bout de quelques secondes, mes yeux reviennent d'eux-mêmes se poser sur Quatre.

Je demande à Christina :

— Tu crois que c'est quoi, tout ça, dehors ? Je veux dire, derrière la Clôture ?

— Je ne sais pas. Des fermes, j'imagine.

— Ouais, mais... derrière les fermes ? Contre quoi est-ce qu'on protège la ville ?

Elle tortille ses doigts sous mon nez.

— Des monstres !

Je lève les yeux au plafond.

— Jusqu'à il y a environ cinq ans, on n'avait même pas de gardes près de la Clôture, remarque Will. Vous ne vous rappelez pas quand la police des Audacieux patrouillait dans le secteur des sans-faction ?

— Si, dis-je.

Je me souviens aussi que mon père faisait partie de ceux qui avaient voté pour faire évacuer la police des Audacieux de ce secteur. Il estimait que les pauvres n'avaient pas besoin de l'avoir sur le dos ; que c'était de l'aide qu'il leur fallait. Mais ce n'est ni l'endroit ni le moment de raconter ça. C'est typiquement le genre de position que les Érudits utilisent comme preuve de l'incompétence des Altruistes.

— Ah, c'est vrai, observe Will. Toi, tu devais les voir tout le temps.

— Pourquoi tu dis ça ? rétorqué-je, un peu trop sèchement.

Je n'ai aucune envie qu'on m'associe d'une manière ou d'une autre aux sans-faction.

— Parce que tu traversais leur secteur pour aller en cours, non ?

— Quoi, tu t'es amusé à apprendre le plan de la ville par cœur ? lui demande Christina.

— Oui, répond Will, comme si ça allait de soi. Pas toi ?

Les freins crissent, le train ralentit brusquement et une secousse nous projette en avant. Dans mon état, ça m'arrange ; l'élan m'aide à me lever.

Dehors, les bâtiments délabrés ont fait place à des voies de chemin de fer et à des champs. Le train s'arrête sous un auvent. Je saute dans l'herbe en me tenant à une poignée.

Devant moi, il y a un grillage couronné de fils de fer barbelés. En m'approchant, je m'aperçois qu'il se poursuit à perte de vue, perpendiculaire à l'horizon. De l'autre côté se dresse un bosquet, où seuls quelques arbres tranchent par leur feuillage vert au milieu des troncs morts. Derrière le grillage, la zone fourmille de gardes Audacieux armés de fusils.

— Suivez-moi, nous dit Quatre.

Je reste à côté de Christina. Je ne veux pas l'admettre, même à moi-même, mais je me sens plus tranquille auprès d'elle. Si Peter essaie de me harceler, elle me défendra.

Intérieurement, je maudis ma lâcheté. Les insultes de Peter ne devraient me faire ni chaud ni froid. Au lieu de ruminer mes mauvaises performances d'hier et de me planquer derrière les autres, je ferais mieux d'apprendre à me défendre.

Quatre nous conduit vers le portail, aussi large qu'un immeuble, qui barre la route défoncée venant de la ville. Quand j'étais petite et que je venais ici avec ma famille, on prenait cette route en bus pour aller aux fermes des Fraternels où on passait la journée à cueillir des tomates, en transpirant dans nos tuniques.

Nouveau petit pincement au cœur.

— Si vous ne terminez pas l'évaluation dans les cinq premiers du classement, vous avez des chances d'atterrir ici, nous informe Quatre en atteignant le portail. Les possibilités d'avancement pour les gardiens de la Clôture sont assez restreintes. On peut éventuellement intégrer les patrouilles qui vont au-delà du secteur des Fraternels...

— Elles servent à quoi ? interroge Will.

Quatre lève un sourcil.

— Tu le découvriras si tu en fais partie. Je disais donc que la plupart de ceux qui sont affectés à la Clôture en début de carrière restent définitivement à ce poste. Si ça peut vous consoler, certains ne trouvent pas ça si pénible.

— C'est sûr, me souffle Christina, c'est toujours mieux que de conduire des bus ou ramasser les ordures comme les sans-faction.

— Tu as eu quel classement à l'évaluation ? demande Peter à Quatre.

Je ne m'attends pas à une réponse, mais Quatre le regarde froidement et dit :

— Premier.

— Mais... pourquoi tu n'as pas eu un poste au gouvernement ? s'exclame Peter avec des yeux ronds, qui me paraîtraient innocents si je ne savais pas à quel point il est horrible.

— Ça ne m'intéressait pas, réplique platement Quatre.

Je me souviens que le premier jour, il a mentionné qu'il travaillait dans la salle de contrôle, où les Audacieux veillent à la sécurité de la ville. J'ai du mal à l'imaginer dans cet environnement, entouré d'ordinateurs. Pour moi, sa place est dans la salle d'entraînement.

Au lycée, on nous a parlé des métiers spécifiques aux différentes factions. Les Audacieux ont des choix limités. Ils peuvent garder la Clôture ou prendre un poste dans la sécurité. À l'intérieur de l'enceinte, ils peuvent être tatoueurs, fabriquer des armes ou se spécialiser dans les spectacles de sports de combat. Ou enfin, assister les leaders. C'est sans doute ce qui pourrait m'arriver de mieux.

Sauf qu'avec mon classement catastrophique, je risque de me retrouver sans-faction dès l'issue de la première étape.

Devant le portail, quelques gardiens jettent un coup d'œil dans notre direction, mais ils sont surtout occupés à ouvrir les portes, deux fois plus hautes et bien plus larges qu'eux, pour laisser entrer un camion.

Le Fraternel qui est au volant arbore une barbe, un chapeau et un sourire. Il s'arrête tout de suite après le portail et sort du véhicule. Sur le plateau arrière, d'autres Fraternels sont assis sur des cageots de pommes.

— Beatrice ?

Je tressaille à l'appel de mon nom. L'un des Fraternels assis à l'arrière s'est levé. Il a des cheveux blonds bouclés et un nez à l'arête étroite et au bout épaté qui me rappellent quelque chose. Robert. J'essaie de le revoir à la cérémonie du Choix, et la seule chose qui me revient à l'esprit est le bourdonnement permanent dans mes oreilles. Qui d'autre a changé de faction ? Susan ? Y a-t-il des novices chez les Altruistes cette année ? Si les Altruistes sont en perte de vitesse, c'est notre faute, à Robert, Caleb et moi. Ma faute. Je chasse cette pensée de mon esprit.

Robert saute à bas du camion. Il porte un tee-shirt gris et un jean. Après une seconde d'hésitation, il s'approche pour me serrer dans ses bras, et je me raidis. Il n'y a que les Fraternels qui se saluent ainsi. Je ne bouge pas un muscle jusqu'à ce qu'il s'écarte.

Son sourire s'estompe tandis que ses yeux se posent sur moi.

— Beatrice, qu'est-ce qui t'est arrivé ? Qu'est-ce que tu t'es fait au visage ?

— Rien. Rien, c'est juste l'entraînement.

« Beatrice ? » répète une voix nasillarde derrière moi.

C'est Molly, qui croise les bras en ricanant.

— C'est ça, ton vrai nom, Pète-sec ?

— Tu croyais que « Tris » était le diminutif de quoi ? sifflé-je.

— Je sais pas... Minable ?

Elle pose deux doigts sur son menton. S'il était plus marqué, il pourrait équilibrer son nez, mais il est tellement fuyant qu'il se fond presque avec son cou.

— Ah, mais c'est vrai, reprend-elle, ça ne commence pas par Tris. Suis-je bête !

— Pas la peine de rentrer dans son jeu, me chuchote Robert. Je m'appelle Robert, lui dit-il. Et toi ?

— Quelqu'un qui n'en a rien à faire de ton nom, réplique-t-elle. Qu'est-ce que t'attends pour remonter dans ton camion ? On n'est pas censés fraterniser avec les membres des autres factions.

— Et si tu allais voir ailleurs ? suggéré-je sèchement.

— Excuse-moi. Je ne voulais pas interrompre ce moment d'intimité avec ton petit ami.

Et elle s'éloigne en souriant.

Robert me lance un regard attristé.

— Ils n'ont pas l'air sympas.

— Ça dépend lesquels.

— Tu pourrais retourner chez toi, tu sais. Je suis sûr que les Altruistes feraient une exception pour toi.

— Qu'est-ce qui te fait croire que j'en ai envie ? demandé-je, les mains crispées. Tu crois que je ne peux pas m'en sortir ici, c'est ça ?

— Non, pas du tout, rectifie-t-il en secouant la tête. C'est juste que tu ne devrais pas y être obligée. Tu as le droit d'être heureuse.

— C'est mon choix.

Je regarde par-dessus son épaule. Les gardes semblent avoir fini d'inspecter le camion. Le barbu remonte derrière son volant et claque la portière.

— Et puis, Robert... mon but dans la vie n'est pas juste... d'être heureuse.

— Ce serait pourtant plus simple, non ?

Sans me laisser le temps de répondre, il me donne une petite tape sur l'épaule et remonte dans le camion. Une fille à l'arrière se met à jouer du banjo. Le camion démarre et s'éloigne en emportant le son du banjo et la voix gazouillante de la fille

Robert agite la main dans ma direction, et à nouveau, je m'imagine avec une autre vie. Je me vois à l'arrière du camion, chantant avec la fille, même si je n'ai jamais chanté, riant de mes fausses notes, montant cueillir les fruits dans les pommiers, menant une vie paisible et sans risques.

Les gardes referment le portail et le verrouillent derrière eux. Le verrou se trouve à l'extérieur. Bizarre. Pourquoi fermer le portail de l'extérieur et non de l'intérieur ? À croire qu'ils ne cherchent pas à empêcher quelqu'un ou quelque chose d'entrer, mais à nous empêcher, nous, de sortir.

Je laisse tomber. C'est absurde.

Quatre, jusque-là en conversation près de la Clôture avec une garde portant son fusil en équilibre sur l'épaule, se dirige vers moi.

— Tu as un talent pour prendre les mauvaises décisions qui m'inquiète, me dit-il en s'arrêtant à cinquante centimètres de moi.

Je croise les bras.

— On n'a parlé que deux minutes.

— Même une minute, ça ne changerait pas la question.

Il fronce les sourcils et effleure le bleu au coin de mon œil. J'ai un mouvement de recul instinctif, mais il ne retire pas sa main tout de suite. Il penche la tête sur le côté et soupire.

— Tu sais, si tu apprenais à attaquer la première, tu pourrais faire nettement mieux.

— Attaquer la première ? répété-je. En quoi ça m'aiderait ?

— Tu es rapide. Si tu arrives à placer quelques bons coups avant que l'autre ait le temps de réagir, tu peux gagner.

— Et tu as eu le temps de voir tout ça en partant au milieu de mon seul et unique combat, répliqué-je.

— Je n'avais pas envie de regarder.

Qu'est-ce que ça veut dire, ça ?

Il s'éclaircit la gorge.

— Bon, voilà le train. On y va.

CHAPITRE DOUZE

CE SOIR-LÀ, je m'affale sur mon matelas avec un énorme soupir. Il s'est passé deux jours depuis mon combat contre Peter et mes bleus virent au vert violacé. Je commence à avoir l'habitude d'avoir mal dès que je bouge ; du coup, je bouge plus facilement. Mais je suis loin d'être remise.

J'ai quand même dû me battre aujourd'hui. Heureusement, je me suis retrouvée face à Myra, qui ne pourrait pas placer un coup de poing même si on lui guidait le bras. Je l'ai mise à terre au bout de deux minutes, et elle était trop sonnée pour se relever. Je pourrais me réjouir, mais il n'y a aucun mérite à vaincre quelqu'un comme Myra.

À la seconde où je pose la tête sur l'oreiller, la porte s'ouvre et des gens affluent dans le dortoir avec des lampes torches. Je manque me cogner au cadre de la couchette du haut en m'asseyant et je plisse les yeux pour tâcher de voir ce qui se passe.

— Tout le monde debout ! rugit quelqu'un.

Le rayon d'une lampe torche fait luire les anneaux à ses

oreilles. C'est Eric, entouré d'autres Audacieux. J'en ai déjà vu certains dans la Fosse.

Quatre est là aussi. Ses yeux se posent sur moi et ne me lâchent plus. Je lui retourne son regard, en oubliant qu'autour de moi, les transferts sont tous en train de sortir de leur lit

— T'es sourde ou quoi, Pète-sec ? me jette Eric.

Je me secoue et je me lève. Une chance que je porte un pyjama. Christina, à côté de moi, est en tee-shirt, jambes nues. Elle croise les bras et dévisage Eric. Tout à coup, je me dis que moi aussi, j'aimerais bien être capable de fixer quelqu'un aussi hardiment avec juste un tee-shirt sur le dos.

— Vous avez cinq minutes pour vous habiller et nous retrouver à la voie ferrée, ajoute Eric. On repart pour une petite sortie éducative.

Je mets des chaussures et je pique un sprint derrière Christina direction la voie ferrée, en grimaçant de douleur. Je sens un filet de sueur couler dans ma nuque tandis qu'on dépasse des Audacieux sur le sentier qui gravit la paroi de la Fosse. Notre présence n'a pas l'air de les surprendre. À croire qu'ils ont l'habitude de croiser des gens qui courent comme des dératés au milieu de la nuit.

On arrive à la voie ferrée juste après les novices natifs. Je devine un amas de fusils par terre à côté des rails.

— Tu crois qu'on va tirer sur quelque chose ? me souffle Christina à l'oreille.

À côté des armes, je distingue ce qui ressemble à des boîtes de munitions. Je m'approche pour déchiffrer ce qui est écrit dessus : « PAINTBALL ».

Je n'en ai jamais entendu parler, mais le nom est assez explicite. Je ris.

— Tout le monde s'équipe ! crie Eric.

On se jette tous sur les fusils. Je m'empare du premier que je trouve. Il est lourd, mais reste maniable. Je fourre une boîte de munitions dans ma poche et je mets l'arme en bandoulière.

— Temps d'attente estimé ? demande Eric à Quatre.

Quatre consulte sa montre.

— Moins d'une minute. Quand est-ce que tu te décideras à connaître les horaires des trains ?

— Pas besoin, tant que tu es là pour me les rappeler, dit Eric en le bousculant d'un coup d'épaule.

Un rond de lumière surgit au loin sur ma gauche. Il grossit peu à peu en formant un halo autour du visage de Quatre. Le contre-jour creuse une ombre sous sa pommette.

Il est le premier à monter dans le convoi. Sans attendre les autres, je m'élance derrière lui pour me caler sur la vitesse du train. Quatre me tend une main et me hisse à l'intérieur. Même les muscles de son avant-bras sont fermes et dessinés.

Je le lâche vivement, sans le regarder, et je vais m'asseoir à l'autre bout du wagon.

Une fois tout le monde à bord, Quatre prend la parole :

— On va se partager en deux équipes pour s'emparer du drapeau. Chacune aura le même nombre de transferts et de natifs. Une équipe part en premier pour aller cacher son drapeau. Puis c'est le tour de l'autre.

Le train tangue et il se retient au montant de la portière avant de reprendre.

— C'est un rituel chez nous, je vous conseille de prendre ça au sérieux.

— Qu'est-ce qu'on gagne ? demande quelqu'un.

— Ce n'est pas une question d'Audacieux, le rembarre Quatre. On gagne, point.

— Quatre et moi, on est les capitaines, précise Eric.

Il se tourne vers Quatre.

— On se partage d'abord les transferts ?

Je me raidis. S'ils nous choisissent, je suis sûre d'être prise en dernier.

— À toi l'honneur, lui répond Quatre.

Eric hausse les épaules.

— Edward.

Quatre s'appuie au montant de la portière. La lune fait briller ses yeux. Il passe rapidement en revue le groupe de transferts, sans calcul, et déclare :

— Je veux la Pète-sec.

Des rires étouffés s'élèvent dans le wagon. Je me sens devenir écarlate. Je ne sais pas si je dois me sentir vexée qu'on se moque de moi, ou flattée d'avoir été choisie en premier.

— T'as quelque chose à prouver ? lui lance Eric avec son air narquois habituel. Ou tu prends les plus faibles pour avoir une excuse si tu perds ?

— Tu peux le voir comme ça, fait Quatre d'un ton évasif.

Au moins, c'est clair ; il ne me reste plus qu'à ruminer ma colère. Je fixe mes mains, furieuse. Quelle que soit la stratégie de Quatre, il part du principe que je suis plus faible que les autres. Un goût amer se répand sur ma langue. Je vais lui prouver qu'il a tort. D'une manière ou d'une autre.

— À toi, relance Quatre.

— Peter, annonce Eric.

— Christina.

Ça ne colle pas avec la stratégie que je lui ai prêtée. Christina ne fait pas partie des faibles. Alors, qu'est-ce qu'il fabrique ?

— Molly.

— Will, dit Quatre en se mordillant un ongle.

— Al.

— Drew.

— Il reste Myra, conclut Eric. Donc, elle est avec moi. Les natifs, maintenant.

J'arrête d'écouter. Si Quatre n'essaie pas de prouver quelque chose en prenant les faibles, que cherche-il à faire ? Je passe en revue ceux qu'il a choisis. Qu'est-ce qu'on a en commun ?

Au bout d'un moment, je finis par me faire une idée. À part Will, on a tous le même type de gabarit : ossature légère, carrure étroite. Ceux de l'équipe d'Eric sont des baraqués. Hier encore, Quatre disait que j'étais rapide. Et on l'est plus que ceux de l'équipe adverse, ce qui doit être un avantage pour s'emparer du drapeau. Je n'ai jamais joué à ce jeu, mais logiquement, la vitesse doit compter plus que la force. Je réprime un sourire. Eric est le plus implacable, mais Quatre est le plus malin.

Ils finissent de composer leur équipe et Eric regarde Quatre d'un air moqueur.

— Tu peux partir en deuxième, lui dit-il.

— Pas la peine de me faire de cadeaux, réplique Quatre. Tu sais que je n'en ai pas besoin pour gagner.

— Tu parles. Dans les deux cas, tu es cuit, pronostique Eric en mordillant l'un des anneaux de sa lèvre. OK, prends ta bande de losers et pars en premier.

Tout le monde se lève. Al me glisse un regard de chiot abandonné et je lui souris d'un air compatissant. Quitte à ce que l'un des membres de notre quatuor atterrisse avec Eric, autant que ce soit lui. Généralement, les autres le laissent tranquille.

Le train s'apprête a redescendre au niveau du sol. Je suis bien décidée à retomber sur mes pieds.

Alors que je vais sauter, quelqu'un me pousse et je manque dégringoler du wagon. Je ne prends pas la peine de me retourner pour voir qui a fait ça, de Molly, Drew ou Peter. Peu importe. Je saute avant qu'ils recommencent. Cette fois, j'ai anticipé l'élan donné par la vitesse du train et je fais quelques pas en courant pour l'amortir ; mais je garde l'équilibre. Une vague de plaisir intense me saisit et je souris. C'est un exploit modeste, mais ça me donne le sentiment d'être une Audacieuse.

Une native pose une main sur l'épaule de Quatre et lui demande :

— Quand ton équipe a gagné, où est-ce que vous aviez mis le drapeau ?

— Si je te répondais, ce ne serait pas vraiment dans l'esprit du jeu, Marlene, répond-il un peu sèchement.

— Allez, Quatre, minaude-t-elle avec un sourire enjôleur.

Il repousse sa main et, je ne sais pas trop pourquoi, je ricane intérieurement.

— Quai de la Marine ! lance un autre natif. Mon frère était dans la même équipe. C'est là qu'ils ont caché leur drapeau, sur le manège !

Il est grand, beau, avec des yeux noirs et la peau foncée.

— Alors allons-y, propose Will.

Comme personne n'objecte, on part vers l'est, en direction du marais qui était autrefois un lac immense. Quand j'étais petite, j'essayais d'imaginer à quoi ça pouvait ressembler avec le lac et sans la Clôture plantée dans la boue pour garder la ville. Mais je n'arrive pas à me représenter autant d'eau.

— On est tout près du siège des Érudits, non ? demande Christina à Will en le poussant d'un coup d'épaule.

— Ouais, il est un peu au sud.

Il se retourne brièvement et, l'espace d'une seconde, son visage exprime une vive nostalgie. Rien qu'une seconde.

Je suis à moins de deux kilomètres de mon frère. C'est la première fois depuis une semaine qu'on est aussi proches. Je secoue la tête pour chasser cette pensée. Je ne veux pas penser à lui aujourd'hui. Ni aujourd'hui, ni aucun autre jour. Je dois me concentrer pour réussir la première étape.

On traverse le pont. On a toujours besoin des ponts à cause de la boue qu'il y a en dessous, trop meuble pour être praticable. Je me demande depuis combien de temps le lac est asséché.

De l'autre côté du pont, la ville change. Derrière nous, la plupart des immeubles sont occupés, et tous restent entretenus. Devant nous s'étend une mer de béton qui s'effrite et de verre brisé. Il règne un silence sinistre, assez irréel. On a du mal à voir où on va ; il est plus de minuit, toutes les lumières sont éteintes.

Marlene sort une lampe torche et éclaire la rue devant nous.

— T'as peur du noir, Mar ? la taquine le natif aux yeux noirs.

— Si tu préfères marcher sur des bouts de verre, Uriah, ne te gêne pas pour moi, riposte-t-elle.

Mais elle l'éteint quand même.

Je commence à comprendre qu'être Audacieux implique d'être prêt à se compliquer les choses dans le but de développer son autonomie. Il n'y a rien d'héroïque à errer la nuit sans lampe dans les rues sombres ; on doit juste se prouver qu'on n'a pas besoin d'aide, pas même de celle d'un éclairage. On doit pouvoir se débrouiller en toutes circonstances.

Ça me plaît. Parce qu'un jour viendra peut-être où il n'y aura ni torche, ni fusil, ni main pour me guider. Et ce jour-là. je veux être prête.

Les immeubles s'arrêtent juste en bordure du marais. Une bande de terre s'avance jusqu'au milieu du marécage. Dessus se dresse une énorme roue blanche, à laquelle sont suspendues des dizaines de nacelles. La grande roue.

— Dire qu'il y avait des gens qui montaient là dedans pour *s'amuser*, observe Will.

— Sûrement des Audacieux, répliqué-je.

— Des Audacieux à la manque, alors. Il n'y aurait pas de nacelles sur une grande roue pour les Audacieux. On se suspendrait par les mains, et bonne chance !

On longe l'embarcadère. À gauche, les immeubles sont inhabités, les enseignes décrochées, les fenêtres fermées ; mais c'est un vide propre. Ceux qui ont quitté cet endroit sont partis par choix. Ce n'est pas le cas partout dans la ville.

— Je te défie de sauter dans le marais, lance Christina à Will.

— Après toi, répond-il.

On arrive au manège. Plusieurs chevaux sont éraflés et décolorés, quelques-uns ont perdu leur queue ou des morceaux de selle. Quatre sort le drapeau de sa poche.

— Dans deux minutes, l'autre équipe choisira l'emplacement de son drapeau, dit-il. Je vous conseille de profiter de ce délai pour mettre au point une stratégie. Même si vous n'êtes pas des Érudits, la préparation mentale fait partie de votre formation. Je dirais même que c'est l'aspect le plus important.

Je suis d'accord avec lui. À quoi bon être opérationnel physiquement si nos idées s'en vont dans tous les sens ?

Will prend le drapeau des mains de Quatre et déclare :

— Il faudrait que quelqu'un reste ici pour monter la garde pendant que d'autres vont repérer où se trouve l'équipe d'Eric.

— Ah ouais ? rétorque Marlene en lui arrachant le drapeau. Qui a décidé que t'étais le chef, transfert ?

— Personne, dit Will. Mais il faut bien que quelqu'un le fasse.

— On devrait peut-être s'en tenir à une stratégie plus défensive, suggère Christina. Attendre qu'ils arrivent pour les choper.

— Ça, c'est vraiment une idée de chochotte, intervient Uriah. Moi, je vote pour qu'on y aille tous. On doit juste trouver une cachette assez bonne pour qu'ils ne trouvent pas notre drapeau.

Tout le monde se met à parler en même temps, de plus en plus fort. Christina défend le plan de Will. Les natifs votent pour l'offensive. Impossible de s'entendre sur qui doit décider. Quatre est assis au bord du manège, appuyé contre le sabot d'un cheval en plastique. Il regarde le ciel sans étoiles, où une fine couche de nuages masque la pleine lune. Il a l'air détendu, les mains croisées derrière la nuque, son fusil sur l'épaule.

Je ferme les yeux quelques secondes. Qu'est-ce que j'ai à me laisser distraire par lui aussi facilement ? On se concentre.

Qu'est-ce que je dirais si je pouvais crier plus fort qu'eux tous et couvrir leurs chamailleries ? Qu'on ne peut pas agir avant de savoir où se trouve l'autre équipe. Elle peut être n'importe où dans un rayon de trois kilomètres, en enlevant la surface du marais. Ce n'est pas en discutant sur la façon de partir à sa recherche qu'on va la trouver.

C'est en grimpant le plus haut possible.

Je jette un coup d'œil par-dessus mon épaule pour m'assurer

que personne ne me regarde. Je m'approche à pas feutrés de la grande roue, une main sur mon fusil pour éviter les bruits de frottement.

Je lève les yeux sur la roue et ma gorge se noue. Elle est plus haute que je ne pensais, si haute que je distingue à peine les nacelles qui se balancent au sommet. Le seul bon point, c'est qu'elle est conçue pour soutenir un certain poids. Si je l'escalade, elle tiendra.

Mon cœur s'accélère. Vais-je vraiment risquer ma vie pour ça ? Pour gagner à un jeu ?

En scrutant l'imposante structure métallique de la roue, je repère les barreaux d'une échelle. Ils ne dépassent pas la largeur de mes épaules et n'ont pas de rampe de protection, mais c'est toujours mieux que d'escalader les rayons de la roue.

Je saisis un barreau. Fin et rouillé, il paraît prêt à s'effriter entre mes doigts. Je m'y appuie de tout mon poids pour tester sa solidité. Le mouvement me fait mal aux côtes et je serre les dents.

— Tris, fait une voix basse dans mon dos.

Je ne sais pas pourquoi ça ne m'étonne pas. Peut-être parce que je suis en train de devenir une Audacieuse et que j'apprends à m'attendre à n'importe quoi. Peut-être parce que sa voix est grave, avec quelque chose d'apaisant. Quoi qu'il en soit, en tournant la tête, je vois Quatre derrière moi, le fusil également en bandoulière.

— Oui ? dis-je.

— Je suis curieux de savoir ce que tu es en train de faire.

— Je cherche à prendre de la hauteur.

Je le vois sourire dans la pénombre.

— OK. Je viens avec toi.

J'hésite une seconde. Il ne me regarde pas comme le font

parfois Will, Al et Christina : comme quelqu'un de trop faible et trop petit pour être vraiment utile. Et ils me plaignent pour ça. Mais s'il insiste pour m'accompagner, c'est probablement qu'il ne me croit pas capable d'y arriver.

— Je peux très bien me débrouiller, lui assuré-je.

— C'est certain.

Je ne perçois pas de sarcasme dans son ton.

Je monte, et quand je me suis élevée de quelques mètres, il me suit. Il est plus rapide que moi, et bientôt, ses mains se posent sur le barreau que mes pieds viennent de quitter.

— Alors, dis-moi, fait-il, un peu essoufflé. D'après toi, quel est le but de cet exercice ? Je te parle du jeu, pas de l'escalade.

Je regarde en bas. Le sol paraît très loin, et j'en suis à peine au tiers. Au-dessus de moi, il y a une plateforme, juste sous le centre de la roue. C'est là que je vais. Je ne me demande même pas comment je vais redescendre. Le vent qui me caressait les joues tout à l'heure me déporte maintenant sur le côté. Il va être de plus en plus violent à mesure qu'on monte. Je dois m'y préparer.

— Apprendre la stratégie, dis-je. Ou l'esprit d'équipe.

— L'esprit d'équipe, répète-t-il.

Un éclat de rire s'étrangle dans sa gorge, comme un souffle de panique.

Le vent est de plus en plus fort. Je continue à grimper en me collant à l'échelle pour ne pas tomber, mais ça rend l'ascension plus difficile. En bas, le manège paraît tout petit. C'est à peine si je distingue encore les autres. Il en manque ; un groupe de recherche a dû s'en aller.

— L'esprit d'équipe est censé être une priorité, reprend Quatre. Du moins il l'était il n'y a pas si longtemps.

Je ne l'écoute pas vraiment, parce que j'ai le vertige. J'ai mal

aux mains à force de serrer les barreaux et mes jambes flageolent, je ne sais pas bien pourquoi. Ce n'est pas la hauteur
qui m'effraye. Elle m'emplit plutôt d'une sorte d'énergie vitale,
comme si chaque organe, chaque veine, chaque muscle de mon
corps chantait à l'unisson.

Puis je me rends compte que c'est à cause de lui. Quelque
chose chez lui me donne l'impression que je vais tomber. Ou
me liquéfier. Ou m'enflammer.

Ma main manque de rater le barreau suivant.

— Maintenant dis-moi, poursuit-il. Quel est le rapport entre
la stratégie et... le courage ?

Il a du mal à respirer.

Sa question me rappelle qu'il s'agit de mon instructeur et
que l'expérience est censée m'enseigner quelque chose. Un
nuage vogue devant la lune et un rayon passe sur ma main.

— La... la stratégie nous prépare à agir, dis-je enfin. Elle nous
apprend à garder la tête froide dans toutes les situations.

J'entends son souffle, rapide et bruyant.

— Ça va ? lui demandé-je.

— Tu es sûre que tu es humaine, Tris ? (Il avale une grande
goulée d'air.) Ça ne te fait pas peur... d'être aussi haut ?

Je regarde en bas par-dessus mon épaule. Si je tombe, je
meurs. Mais je ne pense pas que je vais tomber.

Une rafale me déporte violemment sur la droite. Je vacille et
m'agrippe au barreau. Sa main froide se plaque sur ma hanche,
sur la peau nue laissée à découvert par mon tee-shirt. D'une
pression, il me repousse vers la gauche et me stabilise.

Maintenant, c'est moi qui n'arrive plus à respirer. Je garde
les yeux rivés sur mes mains, la bouche sèche. Je sens encore
ses longs doigts sur ma peau.

— Ça va ? me demande-t-il à son tour à voix basse.

— Oui, dis-je d'une voix tendue.

Je continue à grimper en silence jusqu'à la plateforme.

Là-haut, des tiges de métal verticales aux extrémités émoussées témoignent qu'autrefois, il y avait un garde-fou. Je m'assois sur le côté pour lui laisser de la place. Machinalement, je laisse pendre mes jambes dans le vide. Quatre, lui, va s'adosser en rampant au support métallique, la respiration saccadée.

— Tu as le vertige, remarqué-je. Comment peux-tu survivre avec ça chez les Audacieux ?

— J'ignore ma peur. Je n'en tiens pas compte.

Je le fixe quelques secondes. Je trouve qu'il y a une grosse différence entre ne pas avoir peur et agir en dépit de sa peur comme il le fait.

— Quoi ? murmure-t-il.

Je l'ai regardé trop longtemps.

— Rien.

Je détourne les yeux pour contempler la ville. Il faut que je me concentre. Je suis venue ici avec un objectif.

La ville est plongée dans le noir, mais même en plein jour, je ne verrais pas grand-chose. Une tour me bouche la vue.

— On n'est pas assez haut, déclaré-je.

Je lève la tête. Au-dessus de moi, la structure de la roue forme un enchevêtrement de barres blanches. En calant mes pieds aux intersections, je peux grimper sans prendre trop de risques. Ou le moins possible.

— Je vais monter, dis-je en me levant.

Je saisis une barre et me hisse. Une douleur fulgurante me poignarde les côtes. J'essaie de ne pas y prendre garde.

— Nom de Dieu, Pète-sec, grommelle Quatre.

— Tu n'as pas besoin de me suivre, répliqué-je en fixant le réseau métallique au-dessus de moi.

Je glisse un pied au croisement de deux barres et, en prenant appui dessus, je me projette vers le haut pour attraper la barre suivante. Pendant une seconde, je vacille. Mon cœur tambourine si fort dans ma cage thoracique que je ne sens plus rien d'autre. Toutes mes pensées sont concentrées sur ces battements, calées dessus.

— Mais si, me répond-il.

C'est de la folie, et j'en suis consciente. Une erreur d'évaluation d'un centimètre, une demi-seconde d'hésitation, et c'est fini. Ma poitrine brûle. Mais je souris en agrippant une nouvelle barre. Je me hisse, les bras tremblants, et je ramène une jambe sous moi pour monter d'un cran. Quand j'ai retrouvé mon équilibre, je me tourne pour regarder Quatre ; mais c'est le sol que je découvre.

Le souffle me manque.

Je me vois tomber en heurtant les poutrelles, puis allongée par terre, les membres brisés, comme l'amie de Rita sur le trottoir. Quatre attrape une barre dans chaque main et se hisse aussi facilement que s'il se redressait dans son lit. Mais il n'est pas à l'aise. Pas un muscle de ses bras n'est relâché. Je suis vraiment débile de penser à ça à trente mètres au-dessus du vide.

Je saisis une nouvelle barre, je trouve un nouveau point d'appui pour mon pied. Cette fois, la vue sur la ville est dégagée et s'étend jusqu'à l'horizon. La plupart des immeubles sont noirs dans le ciel bleu marine. Mais au sommet de la Ruche, les lumières rouges restent éclairées et clignotent aussi vite que les battements de mon cœur.

Tout en bas, les rues ressemblent à des tunnels. Pendant

plusieurs secondes, je ne distingue qu'une sorte de grande nappe sombre, avec juste quelques nuances entre le ciel, les immeubles et la terre. Puis je repère une minuscule lumière qui pulse tout en bas.

Je la montre du doigt à Quatre.

— Tu vois ça ?

Il ne s'arrête de grimper que lorsqu'il parvient juste derrière moi. Il regarde par-dessus mon épaule, sa tête tout près de la mienne, et je sens son souffle irrégulier contre mon oreille. Le vertige me reprend, comme quand j'escaladais l'échelle.

— Ouais, fait-il d'un ton joyeux. Ils sont dans le parc, à l'autre bout de l'embarcadère. On repère leurs silhouettes sans problème. Ils doivent compter sur les arbres pour les camoufler, mais ça ne marche pas vraiment.

Je tourne la tête vers lui. Il est si près que j'en oublie où on est. Je ne vois plus que les coins de sa bouche, un peu tombants, comme les miens, et sa cicatrice sur le menton.

Je m'éclaircis la gorge.

— Bon, commence à redescendre, je te suis.

Il acquiesce et s'exécute. Avec ses longues jambes, il n'a pas de mal à trouver un appui. Mais même dans le noir, j'aperçois ses mains trembler.

Je pose un pied sur une barre transversale et m'appuie dessus. La barre craque et se détache, et je l'entends qui cogne plusieurs barreaux en tombant. Je suis suspendue dans le vide.

Je laisse échapper un cri étranglé.

— Quatre !

Je cherche un autre point où caler mon pied, mais il n'y en a pas à moins d'un mètre. Trop loin. J'ai les mains en sueur. Je me revois en train de les essuyer sur mon pantalon avant la cérémonie du Choix, et avant le test d'aptitudes, et avant chaque événement important de ma vie. Je me retiens de hurler. Je vais glisser. Je vais glisser.

— Tiens bon ! me crie Quatre. Accroche-toi ! J'ai une idée...

Il continue à descendre. Il devrait remonter vers moi, au lieu de s'éloigner ! Je garde les yeux rivés sur mes mains crispées sur la fine barre. Mes doigts sont rouge foncé, presque violets. Je ne tiendrai pas longtemps.

Je ferme les yeux en serrant les paupières. Pas la peine de regarder. Le mieux est de me dire que tout ça n'existe pas. J'entends le crissement des baskets de Quatre sur le métal, puis ses pas rapides sur les barreaux de l'échelle.

— Quatre !!

J'ai hurlé. Peut-être qu'il est parti. Peut-être qu'il m'a abandonnée. Peut-être qu'il s'agit d'une épreuve pour tester ma force, mon courage. J'inspire par le nez et je souffle par la bouche. Pour me calmer, je compte mes respirations. Une, deux. Inspiration, expiration. *Allez, Quatre !* Je ne pense à rien d'autre. *Allez, fais quelque chose !*

Soudain, j'entends un grincement suivi d'un sifflement. La barre à laquelle je me suspends se met à vibrer et je pousse un cri étouffé, les dents serrées, en luttant pour ne pas lâcher prise.

La roue s'est mise à tourner.

Le vent tourbillonne autour de mes chevilles et de mes poignets tandis que l'air monte vers moi comme un geyser. J'ouvre les yeux. Je descends. Je laisse échapper un rire hystérique en voyant le sol se rapprocher. Mais je gagne de la vitesse. Si je ne lâche pas au bon moment, les nacelles et les barres métalliques vont me traîner et m'emporter. Et là, je peux mourir pour de bon.

Je contracte tous mes muscles en voyant le sol se précipiter vers moi, et je lâche prise dès que je distingue les fissures dans le trottoir. Mes pieds percutent le sol. Mes jambes se dérobent et je replie les bras pour rouler le plus vite possible sur le côté. Je m'érafle la figure sur le ciment. Je me retourne juste à temps pour voir une nacelle m'arriver dessus, comme une chaussure géante sur le point de m'écraser. Je roule plus loin, tandis que le fond de la nacelle me frôle l'épaule.

Sauvée.

J'enfouis mon visage dans mes mains. Je n'essaie même pas de me relever. Je suis sûre que je ne tiendrais pas debout. J'entends des pas, et les doigts de Quatre se referment sur mes poignets en les écartant de mes yeux.

Il emprisonne l'une de mes mains dans les siennes et sa chaleur soulage mes doigts écorchés par les barreaux.

— Ça va ? me demande-t-il avec une pression.

— Ça va...

Il se met à rire.

Au bout d'une seconde, je ris aussi, puis je me redresse en position assise. Je suis consciente du peu d'espace qui nous sépare – une dizaine de centimètres, chargés d'électricité. Et je voudrais que cet espace soit encore plus petit.

Il se relève en me tirant. La roue continue à tourner, créant un souffle d'air qui rejette mes cheveux en arrière.

— Tu aurais pu me dire que la grande roue marchait toujours, dis-je, d'un ton que je veux détaché. Ça nous aurait évité de grimper.

— Il aurait fallu que je le sache. Je ne pouvais pas te laisser comme ça là-haut, alors j'ai tenté le coup. Allez, viens, on doit encore leur piquer leur drapeau.

Après une hésitation, il me prend le bras, repliant les doigts autour de mon coude. Dans d'autres factions, il m'aurait donné le temps de récupérer, mais comme c'est un Audacieux, il se contente de me sourire et se lance en direction du manège, où notre équipe garde le drapeau. Je le suis, mi-courant, mi-boitant. Je me sens encore faible, mais mon esprit est parfaitement en éveil, surtout avec sa main sur moi.

Christina est perchée sur un cheval, ses longues jambes croisées, un bras enroulé autour de la barre de support. Derrière elle, notre drapeau dessine un petit triangle qui luit doucement dans le noir. Elle est avec trois natifs. L'un d'eux s'agrippe à la tête d'un cheval dont l'œil m'observe entre ses doigts. Assise sur le bord du manège, une Audacieuse plus âgée gratte le quadruple piercing qu'elle a au sourcil.

— Où sont passés les autres ? demande Quatre.

Il a l'air aussi excité que moi, les yeux agrandis par l'adrénaline.

— C'est vous qui avez mis la grande roue en marche ? riposte la fille plus âgée. Qu'est-ce qui vous a pris ? C'était le meilleur moyen de dire aux autres : « Hou hou, on est là ! » (Elle secoue la tête d'un air dégoûté.) Si je perds encore cette année, vous imaginez la honte ? Pour la troisième fois de suite !

— On se fiche de la roue, répond Quatre. On sait où ils sont.

— On ? fait Christina.

Son regard passe de Quatre à moi.

— Oui, pendant que vous vous tourniez les pouces, Tris a escaladé la grande roue pour repérer l'équipe d'Eric.

— Et qu'est-ce qu'on fait maintenant ? demande un garçon en bâillant.

Quatre se tourne vers moi. Lentement, les yeux des autres

novices l'imitent. Je m'apprête à hausser les épaules en disant que je n'en sais rien, quand une image de la jetée s'étendant à mes pieds me revient à l'esprit. J'ai une idée.

— On se divise en deux groupes : un qui fait le tour de l'embarcadère par la droite et l'autre par la gauche. Leur équipe est dans le parc au bout de l'embarcadère. Le groupe de droite la charge pendant que celui de gauche la contourne pour s'emparer du drapeau.

Christina me regarde comme si elle ne me reconnaissait pas. Ce qui peut se comprendre.

— Ça se tient, dit la fille plus âgée en tapant dans ses mains. On y va ?

Christina se joint à moi pour partir à gauche avec Uriah, dont le sourire paraît éclatant de blancheur sur sa peau mate. Je viens de m'apercevoir qu'il a un petit serpent tatoué derrière l'oreille, dont la queue s'enroule autour de son lobe. Christina se met à courir et je la suis.

Chacune de ses longues foulées m'oblige à en faire deux. En courant, je réalise qu'un seul d'entre nous aura l'occasion de toucher le drapeau. Le fait que ce soit grâce à mon plan et à mes infos ne fera aucune différence. Je suis déjà à bout de souffle, mais j'accélère derrière Christina. Je passe mon fusil devant moi, le doigt sur la détente.

On arrive au bout de l'embarcadère et je plaque une main sur ma bouche afin d'étouffer le son de ma respiration. On ralentit pour faire moins de bruit et ainsi éviter d'être entendus, et je cherche la lumière des yeux. On la voit mieux au sol. Je la pointe du doigt et Christina se dirige vers elle avec un hochement de tête.

Soudain, une explosion de cris me fait sursauter. Des billes de peinture sifflent dans les airs et vont s'écraser sur leurs cibles. Les nôtres sont passés à l'offensive. L'autre équipe court vers nous pour leur échapper et le drapeau est laissé presque sans surveillance. Uriah vise et touche le dernier garde à la cuisse. C'est une fille de petite taille aux cheveux violets, qui jette son fusil à terre.

J'accélère pour rattraper Christina. Le drapeau est accroché à une branche d'arbre, loin au-dessus de ma tête. On essaie toutes les deux de s'en emparer.

— Allez, Tris, me rabroue-t-elle. Tu es déjà l'héroïne du jour. En plus, tu sais que tu ne peux pas l'attraper.

Elle me jette un coup d'œil condescendant, comme on rabaisse parfois les enfants quand ils essaient de jouer les adultes, et arrache le drapeau de la branche. Sans me regarder, elle se retourne et pousse un cri de victoire. La voix d'Uriah se joint à la sienne et j'entends au loin un concert de hourras.

Uriah me donne une tape sur l'épaule et j'essaie d'oublier l'expression de Christina. Elle a peut-être raison ; j'ai déjà fait mes preuves aujourd'hui. Je ne dois pas me montrer trop avide. Je ne veux pas devenir comme Eric, terrifiée par la force des autres.

Les cris de joie sont contagieux, et j'y mêle ma voix tout en courant vers mes coéquipiers. Christina brandit le drapeau à bout de bras et le groupe converge autour d'elle. Ils sont trop nombreux pour que je puisse l'approcher, et je me tiens un peu en retrait avec un grand sourire.

Une main se pose sur mon épaule.

— Bien joué, me murmure Quatre.

+ + +

— Je ne peux pas croire que j'ai raté ça ! répète Will en secouant la tête.

L'air qui s'engouffre par la portière ouverte du wagon agite ses cheveux dans tous les sens.

— Tu remplissais la mission vitale de ne pas être dans nos pattes, lui répond Christina avec un grand sourire.

— Pourquoi a-t-il fallu que je tombe dans l'autre équipe ? grogne Al.

— Parce que la vie n'est pas juste, Albert, réplique Will, et que le monde conspire contre nous. Hé, je peux revoir le drapeau ?

Peter, Molly et Drew sont assis dans un coin, l'air sombre, le torse et le dos maculés de peinture bleue et rose. Ils chuchotent entre eux en nous jetant des coups d'œil à la dérobée, surtout sur Christina. C'est l'avantage de ne pas porter le drapeau ; je ne suis la cible de personne. Enfin, pas plus que d'habitude.

— Alors comme ça, tu as escaladé la grande roue, me dit Uriah.

Il traverse le wagon en titubant et vient s'asseoir près de moi, suivi de Marlene, la fille au sourire enjôleur.

— Oui, acquiescé-je.

— Très malin de ta part. Digne des Érudits, même, commente Marlene. Moi, c'est Marlene.

— Tris.

Chez moi, comparer quelqu'un à un Érudit est une insulte, mais elle l'a entendu comme un compliment.

— Ouais, je sais qui tu es, me répond-elle. Ceux qui sautent les premiers, on a tendance à ne pas les oublier.

J'ai l'impression que des années se sont écoulées depuis que je me suis jetée de cette tour dans mon uniforme d'Altruiste.

Uriah extrait une bille de peinture de son fusil et la presse entre le pouce et l'index. Le train vire sur la gauche et le mouvement le projette contre moi. Il a pincé la poche trop fort et un jet de peinture rose nauséabonde jaillit de la bille pour m'asperger le visage.

Marlene est pliée de rire. Après m'être lentement essuyé le visage, je barbouille la joue d'Uriah. Une odeur d'huile rance envahit le wagon.

— Berk ! lâche Uriah.

Il presse de nouveau la bille dans ma direction, mais le trou est placé du mauvais côté et la peinture gicle dans sa bouche. Il la recrache avec des râles de suffocation.

Je m'essuie sur ma manche et je ris jusqu'à avoir mal au ventre.

Si toute ma vie pouvait ressembler à cette nuit, pleine de rire et d'action intrépide, avec le genre d'épuisement qu'on éprouve après une journée bien remplie, je serais satisfaite. Je regarde Uriah se gratter la langue du bout des ongles, en me disant que tout ce que j'ai à faire, c'est réussir l'initiation, et cette vie sera à moi.

CHAPITRE TREIZE

LE LENDEMAIN MATIN, en entrant avec un bâillement dans la salle d'entraînement, je vois une grande cible dressée au fond de la pièce. Et des couteaux sur une table à côté de la porte. Encore un entraînement sur cible. Au moins, on ne va pas se cogner dessus.

Eric se tient au milieu de la salle, si raide qu'il a l'air d'avoir une tige en métal à la place de la colonne vertébrale. Il me suffit de le regarder pour avoir la sensation de manquer d'air. Au moins, tant qu'il restait affalé dans un coin, je pouvais faire comme s'il n'était pas là. Cette fois, impossible.

— Demain, pour le dernier jour de la première étape, vous reprendrez les combats, annonce-t-il, d'une voix plus grave que d'habitude. Mais aujourd'hui, vous allez apprendre à lancer des couteaux. Prenez-en chacun trois. Et je vous conseille d'observer attentivement la technique pendant la démonstration de Quatre.

Personne ne bouge.

— Allez !

On se bouscule autour de la table. Les couteaux ne sont pas aussi lourds que les pistolets, mais ça me fait un drôle d'effet de les tenir, comme si je violais un interdit.

— Il est de mauvais poil ce matin, me souffle Christina.

— Tu l'as déjà vu de bon poil ? répliqué-je.

Mais je comprends ce qu'elle veut dire. À en juger par le regard venimeux qu'il décoche à Quatre dans son dos, sa défaite de la nuit dernière a dû le vexer, plus qu'il ne veut l'admettre. La capture du drapeau est une question de fierté, et ici, la fierté, ça compte. Plus que le bon sens ou la réflexion.

J'observe le bras de Quatre pendant qu'il lance son premier couteau. La fois suivante, je regarde sa position. Il ne manque jamais la cible, expirant quand il lâche son arme.

— Tout le monde en rang ! ordonne Eric.

J'essaie de me mettre en condition. *Pas de précipitation.* C'est ce que me disait ma mère quand j'apprenais à tricoter. Je dois voir ça comme un exercice mental, et non physique. Alors, je prends plusieurs minutes pour m'entraîner sans couteau, à chercher la bonne position, le bon geste du bras.

Eric va et vient derrière nous, d'un pas trop rapide.

— On dirait que la Pète-sec a pris trop de coups sur la tête, remarque Peter, quelques places plus loin. Hé, Pète-sec, un *couteau*, tu sais ce que c'est ?

Je continue en l'ignorant, avec une arme cette fois, mais sans la lâcher. Je m'isole mentalement des allées et venues d'Eric, des moqueries de Peter et de l'impression tenace que Quatre m'observe et je lance.

La lame va frapper la cible en tournoyant. Elle ne s'est pas fichée dedans, mais je suis la première à l'avoir touchée.

Je jette un coup d'œil narquois à Peter, qui vient de manquer son coup pour la deuxième fois.

— Hé, Peter, un *couteau*, tu sais ce que c'est ?

Je n'ai pas pu me retenir.

À côté de moi, Christina ricane, et touche sa cible.

Une demi-heure plus tard, Al est le seul qui n'ait pas encore réussi. À chaque fois, son arme glisse par terre ou frappe le mur. Pendant que les autres récupèrent leurs couteaux sur la cible, il ramasse les siens à quatre pattes.

Après un nouvel échec, Eric lui jette :

— Tu vas te décider ou quoi ? Tu as besoin de lunettes ? Tu veux peut-être que je rapproche la cible ?

Al devient écarlate. Il lance une autre lame, qui passe à un bon mètre à droite de la cible et va toucher le mur non loin de la tête d'Eric.

— À quoi tu joues, novice ? gronde Eric d'une voix sourde en retournant se planter devant lui.

Je me mords la lèvre. Ça va mal finir.

— Il a ripé, bafouille Al

— Eh bien, va le ramasser.

Eric nous dévisage : nous nous sommes tous interrompus.

— Quelqu'un vous a dit d'arrêter ?

Les couteaux se remettent à voler. On a déjà vu Eric en colère, mais là, c'est différent. Il a l'air presque enragé.

— Le ramasser ? fait Al, les yeux écarquillés. Mais.. les autres continuent à lancer !

— Et alors ?

— Et alors, je ne tiens pas à m'en prendre un !

— Je pense que tu peux leur faire confiance pour viser mieux que toi, réplique Eric avec un petit sourire narquois, mais le regard toujours aussi glacial. Va chercher ton couteau.

Al n'a pas l'habitude d'objecter aux ordres. Pas par peur, à mon avis, mais parce qu'il sait qu'ici ça ne sert à rien. Cette fois, il serre les dents. Il a beau être de bonne composition, il a atteint ses limites.

— Non, déclare-t-il.

— Et pourquoi ? demande Eric en le transperçant du regard. Tu as peur ?

— De me faire poignarder par un couteau volant ? Bizarrement, oui !

Il vient de commettre une erreur en se montrant honnête. Pas en refusant, ce qu'Eric aurait éventuellement pu admettre.

— Tout le monde s'arrête ! crie Eric.

Les lames cessent de traverser la pièce, et les conversations de bourdonner. Mes doigts se crispent sur le manche de mon couteau.

— Dégagez l'espace. Pas toi, ajoute Eric en regardant Al.

Je lâche mon arme qui tombe par terre avec un bruit sourd. Je suis les autres au fond de la salle. Ils se pressent devant moi, avides de voir ce qui, moi, me retourne le cœur : Al exposé à la colère d'Eric.

— Mets-toi devant la cible, lui ordonne-t-il.

Je vois les grosses mains d'Al trembler. Il s'exécute.

— Hé, Quatre, tu me files un coup de main ? lance Eric.

Quatre se gratte un sourcil avec la pointe de son arme et s'approche, les yeux cernés et la bouche un peu crispée. Il est aussi fatigué que nous.

— Tu vas rester là pendant que Quatre fait ses lancers, aussi longtemps qu'il faudra pour que tu ne tressailles plus, dit Eric à Al.

— Est-ce vraiment nécessaire ? intervient Quatre.

Son ton est nonchalant, mais son visage et son corps sont sous tension, en alerte.

Je me raidis. Quel que soit le ton, sa question est un défi. Et il est rare que Quatre défie Eric ouvertement.

Celui-ci le dévisage en silence. Quatre soutient son regard. Les secondes passent et je sens mes ongles s'enfoncer dans mes paumes.

— C'est moi qui commande, ici, je te rappelle, lâche enfin Eric, d'une voix si basse que j'ai du mal à l'entendre. Ici comme ailleurs.

Quatre ne change pas d'expression, mais le rouge lui monte aux joues. Il serre les doigts sur ses couteaux et se tourne vers Al.

Mon regard passe des grands yeux écarquillés d'Al à ses mains tremblantes, puis au visage fermé de Quatre. La colère bouillonne dans ma poitrine, et finit par jaillir dans un cri :

— Arrêtez !

Quatre tourne un des couteaux dans sa main en effleurant le fil de la lame. Il me jette un regard si dur que j'ai l'impression d'être changée en pierre. Je sais pourquoi. J'ai été idiote d'intervenir en présence d'Eric. J'ai été idiote d'intervenir tout court.

— Vous allez juste réussir à prouver que vous êtes des brutes, leur lancé-je. Ce qui, si je me souviens bien, n'est qu'un signe de lâcheté. N'importe quel imbécile peut se tenir debout devant une cible.

— Alors ça ne devrait pas te poser de problème, riposte Eric. Tu n'as qu'à prendre sa place.

C'est la dernière chose que j'ai envie de faire, mais il est trop tard pour reculer. Je ne me suis pas laissé le choix. Je me faufile à travers le groupe de novices et quelqu'un me pousse d'un coup à l'épaule.

— Adieu, joli minois, me siffle Peter. Oups, c'est vrai, on ne peut pas perdre ce qu'on n'a pas.

Bien droite, je m'avance vers Al, qui me remercie d'un signe de tête. J'essaie de lui sourire sans y parvenir. Je me place devant la cible. Ma tête n'arrive même pas au milieu, mais ça n'a pas d'importance. Je fixe les couteaux de Quatre : un dans la main droite, deux dans la gauche.

J'ai la gorge sèche. Je regarde Quatre bien en face en avalant péniblement ma salive.

Il est toujours précis. Il ne me touchera pas. Tout ira bien.

Je redresse le menton. Je ne me déroberai pas. Si je me dérobais, je prouverais à Eric que ce n'est pas si facile que ça. Que je suis une lâche.

— Si tu tressailles, Al te remplace, me prévient Quatre lentement, posément. C'est clair ?

J'acquiesce.

Il lève le bras sans me quitter des yeux, ramene son coude en arrière et lance le couteau. Je ne distingue qu'un éclair dans l'air, puis j'entends un bruit sourd. La lame s'est fichée dans la cible à trente centimètres de ma joue. Je ferme les paupières, envahie par le soulagement.

— Tu laisses tomber, Pète-sec ? me demande Quatre.

Je pense aux mains tremblantes d'Al, à ses sanglots étouffés la nuit, et je secoue la tête.

— Non.

— Dans ce cas, garde les yeux ouverts, ajoute-t-il.

Il me désigne les siens en formant un « V » avec l'index et le majeur.

J'obéis, les paumes collées sur les cuisses pour me raffermir Il fait passer un couteau dans sa main droite, et je ne vois rien d'autre que ses yeux tandis que la lame frappe la cible au-dessus de moi. Elle est passée plus près que la première. Je la sens vibrer au-dessus de mon crâne.

— Allez, Pète-sec, dit-il. Laisse quelqu'un d'autre prendre ta place.

Pourquoi me pousse-t-il à abandonner ? Pour le plaisir de me voir me planter ?

Je m'énerve.

— Fous-moi la paix !

Je retiens ma respiration tandis qu'il fait tourner le dernier couteau dans sa main. Une lueur s'allume dans son regard à l'instant où il le lâche. La lame arrive droit sur moi en tournoyant. Je me pétrifie. Cette fois, quand elle frappe la cible, mon oreille me brûle. Je la touche. Il m'a éraflée.

Et à voir sa tête, il l'a fait exprès.

— J'adorerais continuer pour découvrir si vous avez tous autant de cran, intervient Eric d'une voix mielleuse, mais je crois que ça suffira pour aujourd'hui.

Il me presse l'épaule. Ses doigts sont secs et glacés et il me sourit d'un air de propriétaire, comme s'il prenait sa part dans ce que je viens de faire. Je ne lui retourne pas son sourire. Il n'a rien à voir là-dedans.

— Pas mal. Je devrais te suivre de plus près, déclare-t-il.

Sa remarque me fait froid dans le dos, tout à coup, comme si le mot « DIVERGENT » était gravé sur mon front et qu'il lui suffisait de m'observer assez longtemps pour le voir. Mais il se contente de sortir à la suite des autres.

Je me retrouve seule dans la salle avec Quatre. J'attends que la porte se referme pour lui faire face. Il s'approche de moi.

— Ça va, ton or... ? commence-t-il.

— Tu l'as fait *exprès* ! crié-je.

— Exact, dit-il à voix basse. Et tu peux me remercier de t'avoir aidée.

Je serre les dents.

— Te *remercier* ? Tu n'as pas arrêté de me déstabiliser, tu as failli m'entailler l'oreille et je devrais te remercier ?

— Je me demande quand tu vas enfin te décider à piger !

Il me jette un regard furieux, et même là, ses yeux restent pensifs. Ils sont d'un bleu spécial, si sombre qu'ils paraissent presque noirs, avec une petite tache plus claire au coin de l'iris gauche.

— Piger quoi ? Que tu veux prouver à Eric que tu es un dur ? Que tu es un sadique, comme lui ?

— Je ne suis pas un sadique.

Il n'a pas haussé le ton. Je préfèrerais ; ça me ferait moins peur. Il approche son visage du mien, ce qui me rappelle le test d'aptitudes, quand j'étais à quelques centimètres des crocs du chien.

— Si je voulais te faire du mal, tu ne crois pas que je l'aurais déjà fait ? ajoute-t-il.

Il traverse la pièce et fiche la lame d'un couteau dans le bois de la table, si violemment qu'elle y reste plantée.

— Je... lancé-je.

Mais il est déjà parti. Je lâche un cri de frustration en essuyant le sang de mon oreille.

CHAPITRE QUATORZE

DEMAIN, c'est le jour des Visites. J'y pense comme je penserais à la fin du monde. Rien de ce qui peut se passer après n'a d'importance. Tout ce que je fais tourne autour de ça. Je vais peut-être revoir mes parents. Ou pas. Je ne sais pas ce que je redoute le plus.

J'enfile une jambe de pantalon, qui reste coincée au-dessus du genou. J'examine ma jambe. Un muscle saillant empêche le tissu de passer. Je laisse retomber le pantalon sur mes chevilles pour inspecter l'arrière de ma cuisse. Là aussi, un muscle se dessine clairement.

Dans le miroir, je découvre des muscles qui n'étaient pas là avant, sur mes bras, mes jambes, mon ventre. Je me pince la taille, où une fine couche de graisse annonçait de futures formes. Plus rien. L'initiation a éliminé les rares courbes qu'avait mon corps. Est-ce une bonne chose ou une mauvaise ? Au moins, je suis plus forte qu'avant.

Je sors de la salle de bains des filles drapée dans ma serviette. En espérant que le dortoir sera désert. Mais je n'ai pas le choix, je ne peux pas mettre ce pantalon.

Quand j'ouvre la porte du dortoir, un poids de plomb me tombe sur l'estomac. Peter, Molly, Drew et quelques autres sont en train de rigoler dans le coin du fond. Ils se tournent vers moi et se mettent à ricaner. Avec son hennissement, Molly est de loin la plus bruyante.

En tâchant de les ignorer je gagne mon lit et prends ma nouvelle robe dans le tiroir qui se trouve dessous. Une main serrée sur ma serviette, l'autre tenant la robe, je me relève. Peter est juste derrière moi.

Je fais un bond en arrière et manque me cogner la tête sur la couchette de Christina. Quand je veux passer devant lui, il me barre le passage en posant une main sur le matelas du haut. J'aurais dû me douter qu'il ne me laisserait pas filer aussi facilement.

— J'avais jamais remarqué que t'étais aussi maigrichonne, Pète-sec.

— Fous-moi la paix.

J'ai réussi à parler d'un ton relativement calme.

— On n'est pas à la Ruche, figure-toi. Ici, personne n'est obligé de suivre les ordres des Pète-sec.

Ses yeux parcourent mon corps, non avec le regard avide qu'un homme aurait pour une femme, mais cruellement, en détaillant chacun de mes défauts. J'entends mon cœur battre dans mes oreilles tandis que les autres s'approchent lentement et s'agglutinent derrière lui.

Ça va mal tourner.

Il faut que je sorte de là.

Du coin de l'œil, je cherche un trajet jusqu'à la porte. En me faufilant sous le bras de Peter et en courant, ça peut marcher.

— Regardez-la, ricane Molly en croisant les bras. Ce n'est qu'une gamine.

— Oh, ça, c'est pas sûr, réplique Drew. Elle cache peut-être des trucs, sous sa serviette. On n'a qu'à vérifier !

Maintenant. Je plonge sous le bras de Peter et je fonce vers la porte. Quelque chose retient ma serviette. Peter a agrippé le tissu. Elle me glisse des mains et je sens l'air frais sur mon corps nu. Mes cheveux se hérissent sur ma nuque.

Des rires éclatent. Je me précipite jusqu'à la porte en serrant ma robe contre moi pour cacher ma nudité.

Je cours dans le couloir jusqu'à la salle de bains. Là, je m'adosse à la porte, le souffle court, et je ferme les yeux.

Ça n'a pas d'importance. Je m'en fous.

Un sanglot m'échappe et je plaque une main sur ma bouche. Peu importe ce qu'ils ont vu. Je secoue la tête, comme si ce geste pouvait renforcer cette vérité.

J'enfile ma robe avec des mains tremblantes. Elle est noire, toute simple, avec un décolleté en V qui laisse voir le tatouage sur ma clavicule, et m'arrive aux genoux.

Une fois que je suis habillée et que l'envie de pleurer s'est calmée, je sens quelque chose de violent et de brûlant me tordre le ventre : le désir de me venger.

Je me fixe dans le miroir. Puisque c'est ce que je veux, je le ferai.

+ + +

Comme je ne peux pas me battre en robe, je me trouve d'autres habits à la Fosse avant de me rendre à la salle d'entraînement pour mon dernier combat. Pourvu que ce soit Peter.

— Hé, où t'étais ? me demande Christina en me voyant entrer.

Je plisse les yeux pour lire ce qui est écrit sur le tableau à l'autre bout de la pièce. Il n'y a rien en face de mon nom : je n'ai pas encore d'adversaire.

— J'ai été retenue.

Quatre inscrit un nom en face du mien. Pourvu que ce soit Peter. S'il vous plaît, s'il vous plaît...

— Ça va, toi ? s'inquiète Al. Tu as l'air un peu...

— Un peu quoi ?

Quatre s'écarte du tableau. C'est Molly.

Moins bien que Peter, mais mieux que rien.

— À cran, achève Al.

Nos noms figurent en quatrième et dernière position, ce qui veut dire qu'on se bat à la fin. Edward et Peter passent juste avant nous. Parfait. Edward est le seul qui puisse vaincre Peter. Al se bat contre Christina : il va perdre très vite, comme il l'a fait toute la semaine.

— Vas-y mollo, OK ? lui demande-t-il.

— Je ne te promets rien, répond-elle.

Will et Myra, les deux premiers adversaires, se positionnent face à face dans l'arène. Pendant une seconde, ils sautillent sur place. Puis l'un projette un bras en avant, tandis que l'autre balance un coup de pied dans le vide. Au bout de la salle, Quatre bâille, adossé au mur.

J'inspecte le tableau en m'amusant à deviner l'issue de chaque combat. C'est vite fait. Puis je me ronge les ongles en pensant à Molly. Elle a battu Christina, ce qui veut dire qu'elle est bonne. Elle a un coup de poing puissant, mais elle est statique. Si je ne la laisse pas me toucher, elle ne peut pas me faire de mal.

Comme prévu, le combat suivant, qui oppose Al à Christina,

est rapide et sans douleur. Al s'effondre après avoir reçu quelques coups de poing dans la figure et ne se relève pas. Eric secoue la tête.

Edward et Peter sont plus longs. Ce sont les deux meilleurs, mais dans des styles différents. Edward frappe Peter à la mâchoire et je repense à ce qu'a dit Will : qu'il a pris des cours de close-combat depuis l'âge de dix ans. Et ça se voit. C'est le plus rapide et le plus malin des deux.

Le temps que les trois combats s'achèvent, je n'ai plus d'ongles et j'ai faim. J'avance vers l'arène, les yeux fixés devant moi. Ma colère est un peu retombée, mais je n'ai pas de mal à la ranimer. Il me suffit de repenser au froid que j'ai ressenti dans le dortoir et aux rires bruyants. « Regardez-la. Ce n'est qu'une gamine. »

Molly se tient en face de moi.

— C'est une marque de naissance qu'il y a sur ta fesse gauche ? me demande-t-elle, narquoise. C'est dingue ce que t'es blanche, Pète-sec.

Elle va attaquer la première. Elle le fait toujours.

Elle s'approche et met tout son élan dans un coup de poing. Au moment où son corps part en avant, je me baisse et je la frappe à l'estomac, juste au-dessus du nombril. Sans lui laisser le temps de me toucher, je me glisse de côté, les poings relevés, prête pour sa prochaine attaque.

Elle ne ricane plus. Elle me fonce dessus comme pour me renverser et je l'évite d'un bond. J'entends la voix de Quatre dans ma tête, qui me dit que mon arme la plus puissante est mon coude. Je n'ai plus qu'à trouver comment m'en servir.

Je pare le coup suivant avec l'avant-bras. Ça fait mal, mais je n'y pense pas. Elle serre les dents et lâche un grognement de frustration, plus bestial qu'humain. Elle essaie sans conviction de me balancer un coup de pied dans les côtes. J'esquive, et avant qu'elle ait retrouvé l'équilibre, je me jette sur elle en visant son visage avec mon coude. Elle recule juste à temps et je ne l'atteins qu'au menton.

Elle me laboure le thorax et je me dégage sur le côté en reprenant mon souffle. Il y a forcément une faille dans sa garde. Je cherche à la frapper au visage, mais ce n'est pas la bonne tactique. Je l'observe pendant quelques secondes. Elle tient ses poings trop haut ; ils lui protègent le nez et les joues, mais laissent son ventre et ses côtes exposés. Molly a le même défaut que moi.

Nos yeux se croisent l'espace d'une seconde.

Go.

Je lance un uppercut au-dessus de son nombril. Mon poing s'enfonce et je l'entends expulser l'air en un bloc compact. J'en profite pour lui faucher les jambes et elle tombe lourdement en faisant voler la poussière. Je prends mon élan pour lui balancer un coup de pied dans les côtes de toutes mes forces.

Mes parents seraient choqués de me voir m'acharner sur quelqu'un à terre.

Tant pis.

Elle se roule en boule pour se protéger et je frappe de nouveau au ventre. « Ce n'est qu'une gamine. » Je frappe encore, au visage. Le sang jaillit de son nez. « Regardez-la. » Un autre coup de pied l'atteint à la poitrine.

Je m'apprête à recommencer quand les mains de Quatre prennent mes bras en étau et m'écartent d'elle avec une force irrépressible. Je respire par la bouche en serrant les dents, sans quitter des yeux le visage ensanglanté de Molly, d'un rouge riche et profond qui n'est pas sans beauté.

Elle geint et j'entends un gargouillis dans sa gorge tandis qu'un filet de sang coule de sa bouche.

— C'est bon. Tu as gagné, marmonne Quatre.

J'essuie la sueur sur mon front. Il me fixe avec de grands yeux inquiets.

— Je crois que tu devrais sortir. Aller faire un tour.

— Je vais très bien. Très bien, répété-je pour m'en convaincre.

Je voudrais pouvoir dire que je me sens coupable de ce que j'ai fait.

Mais ce n'est pas vrai.

CHAPITRE QUINZE

LE JOUR DES VISITES. Je m'en suis souvenue à la seconde où j'ai ouvert les yeux. Mon cœur coule à pic, avant de remonter d'un cran quand je vois Molly traverser le dortoir d'un pas hésitant, le nez violet entre ses pansements. Une fois qu'elle est sortie, je cherche des yeux Peter et Drew. Ils ne sont pas là. Je me dépêche de me changer. Maintenant, en dehors d'eux, je me fiche que les autres me voient en sous-vêtements.

Tout le monde s'habille en silence. Même Christina ne sourit pas. On sait tous que, dans la Fosse, on risque de scruter chaque visage sans en trouver un seul qui soit venu pour nous.

Je fais mon lit au carré, comme mon père me l'a appris. Je suis en train de retirer un cheveu de mon oreiller quand Eric entre dans le dortoir.

— Votre attention ! demande-t-il en écartant une mèche brune de ses yeux. J'ai des consignes à vous donner pour aujourd'hui. Si par miracle, vos familles venaient vous voir.

Il nous passe en revue et ricane.

— ... ce dont je doute fort, inutile de vous montrer trop

démonstratifs. Cela ne ferait que rendre les choses plus difficiles, pour eux comme pour vous. Par ailleurs, ici, nous ne
prenons pas à la légère la devise « La faction avant les liens
du sang ». Des liens familiaux étroits laissent supposer qu'on
n'est pas entièrement à l'aise dans sa nouvelle faction, ce qui
serait indigne. Pigé ?

Pigé. J'ai perçu la menace sous le ton narquois. La seule partie sincère de son discours, c'est la fin : « On est des Audacieux
et on se comporte comme tels. »

Eric m'arrête au moment où je vais sortir.

— Je t'ai peut-être sous-estimée, Pète-sec, me déclare-t-il.
Tu t'en es bien tirée hier.

Je le dévisage. Pour la première fois depuis que j'ai battu
Molly, je me sens coupable. Si Eric me félicite, c'est que je n'ai
pas agi comme j'aurais dû.

— Merci, dis-je en me faufilant hors du dortoir.

Quand ma vision s'est accommodée à la pénombre du couloir, je distingue Will et Christina devant moi. Il rit ; elle a dû lui
raconter une blague. Je n'essaie pas de les rattraper. J'aurais le
sentiment d'interrompre quelque chose.

Je n'ai vu Al ni dans le dortoir. ni dans le couloir. Il doit déjà
être à la Fosse.

Je me lisse les cheveux et je les attache en chignon. Je véri-
fie ma tenue. Suis-je assez couverte ? On voit ma clavicule et
mon pantalon est serré. Ça ne va pas leur plaire.

Et alors ? Je suis une Audacieuse, maintenant. C'est comme
ça que ma faction s'habille. Je m'arrête au bout du couloir.

La Fosse est remplie de familles qui se tiennent par petits
groupes, essentiellement des Audacieux dont les enfants sont
restés dans leur faction. Je continue à les trouver bizarres : un

novice aux cheveux violets, la mère avec un piercing à l'arcade sourcilière, le père avec un bras tatoué ; toute la petite famille au complet. Je réprime un sourire en repérant Drew et Molly dans un coin. Leurs familles ne sont pas venues.

Mais celle de Peter est là. Il est entouré par un homme de grande taille aux sourcils en broussaille et une petite femme rousse à l'air soumis. Il ne ressemble à aucun des deux. Ses parents portent chacun un pantalon noir et une chemise blanche, l'uniforme des Sincères, et son père parle si fort que je peux presque entendre ce qu'il dit de là où je suis. Savent-ils quel genre de personne est leur fils ?

Mais bon... quel genre de personne suis-je, moi ?

Will est à l'autre bout de la pièce avec une femme en robe bleue. Elle ne paraît pas assez âgée pour être sa mère, mais elle a les même cheveux d'or que lui et le même pli entre les sourcils. Il a dit un jour qu'il avait une sœur ; c'est peut-être elle.

À côté de lui, Christina serre dans ses bras une femme à la peau sombre en tenue noire et blanche des Sincères. Derrière elle se tient une adolescente, Sincère elle aussi. Sa petite sœur.

À quoi bon me mettre à chercher mes parents dans la foule ? Autant retourner au dortoir.

Puis je la vois. Ma mère se tient seule près de la rambarde, les mains croisées devant elle. Elle n'a jamais eu l'air aussi peu à sa place, avec son pantalon gris et sa veste grise boutonnée jusqu'au menton, son chignon tout simple et son visage serein. Je m'avance vers elle, et les larmes me montent brusquement aux yeux. Elle est venue. Elle est venue pour moi.

J'accélère. Elle me voit et l'espace d'une seconde, ne réagit pas, comme si elle ne me reconnaissait pas. Puis son regard s'illumine et elle m'ouvre ses bras. Elle sent le savon et la lessive.

— Beatrice, murmure-t-elle, en passant une main dans mes cheveux.

« Ne pleure pas », me dis-je. Je reste serrée contre elle le temps de ravaler mes larmes, puis je m'écarte pour la contempler. Je souris sans ouvrir la bouche, comme elle. Elle me touche la joue.

— Mais regarde-toi ! s'exclame-t-elle. Tu t'es remplumée ! Dis-moi comment ça va.

Elle a mis un bras autour de mes épaules.

— Toi d'abord.

Les vieilles habitudes ont refait surface. Je suis censée la laisser parler en premier. Je ne dois pas maintenir la conversation centrée sur moi trop longtemps. Je dois m'assurer qu'elle n'a besoin de rien.

— Aujourd'hui, c'est spécial, me réplique-t-elle. Je suis venue pour te voir. Alors parlons surtout de toi, d'accord ? C'est mon cadeau pour toi.

Ma mère et sa générosité. Elle ne devrait pas me faire de cadeau, pas après que je les ai quittés, mon père et elle. Nous entamons une petite marche, je suis heureuse de la sentir près de moi. Je n'avais pas réalisé à quel point ces dix derniers jours avaient été dépourvus d'affection. Chez moi, on ne se touchait pas souvent, et j'ai rarement vu mes parents faire plus que se tenir la main pendant le dîner. Mais c'était toujours plus que ça, plus qu'ici.

— Juste une question, dis-je en sentant le sang battre sur ma tempe. Où est papa ? Il est allé voir Caleb ?

— Ah. Ton père a dû se rendre à son travail.

Je baisse le nez.

— S'il n'a pas voulu venir, tu peux me le dire.

Ses yeux se promènent sur mon visage.

— Ton père se montre égoïste, ces derniers temps. Ça ne veut pas dire qu'il ne t'aime pas, je t'assure.

Je la fixe, stupéfaite. Mon père, égoïste ? Le plus étonnant est que ce soit elle qui le qualifie ainsi. Même si elle est en colère contre lui, elle ne le montrera pas. Mais pour le traiter d'égoïste, elle doit vraiment lui en vouloir.

— Et Caleb ? demandé-je. Tu vas le voir après ?

— J'aimerais bien, mais les Érudits ont interdit les visites d'Altruistes dans leur secteur. Si j'essayais, je me ferais rembarrer.

— Quoi ? C'est horrible ! Pourquoi font-ils une chose pareille ?

— Il y a de plus en plus de tensions entre les deux factions, m'explique-t-elle. Je le déplore, mais on ne peut pas y faire grand-chose.

J'imagine Caleb au milieu des novices Érudits, cherchant le visage de ma mère dans la foule, et je ressens un pincement au cœur. Même si je lui en veux encore de m'avoir caché son secret, je n'ai pas envie qu'il ait de la peine.

— C'est horrible, répété-je.

En me tournant vers le gouffre, je vois Quatre tout seul, appuyé à la rambarde. Même quand ils ne sont plus novices, les Audacieux profitent de cette journée pour se retrouver en famille. Soit la sienne n'aime pas les retrouvailles, soit il vient d'une autre faction. Je me demande bien laquelle.

— C'est l'un de mes instructeurs.

Je me penche vers elle pour lui murmurer :

— Il est plutôt intimidant.

— Il est beau, me souffle-t-elle.

J'approuve d'un hochement de tête, sans réfléchir. Elle rit

en ôtant son bras de mes épaules. Je voudrais qu'on s'éloigne de lui, mais au moment où je vais l'entraîner ailleurs, il tourne la tête.

Il écarquille les yeux à la vue de ma mère. Elle s'approche et lui tend une main.

— Bonjour. Je m'appelle Natalie. Je suis la mère de Beatrice.

Je n'ai jamais vu ma mère serrer la main de quelqu'un. Quatre glisse sa paume dans la sienne avec raideur et la secoue deux fois. Ils ont l'air aussi empruntés l'un que l'autre. Si ce geste lui est aussi peu naturel, alors non, Quatre n'est pas né Audacieux.

— Quatre, se présente-t-il. Ravi de vous rencontrer.

— Quatre... reprend-elle avec un sourire. C'est un surnom ?

— Oui.

Il ne développe pas. Au fait, quel est son vrai nom ?

— Votre fille s'en sort bien. Je supervise son entraînement.

Depuis quand la « supervision » implique-t-elle de viser les gens avec des couteaux et de les harceler à chaque occasion ?

— Je me réjouis de l'apprendre, répond ma mère. Je sais plus ou moins comment se passe l'initiation chez les Audacieux et j'étais un peu inquiète.

Il me dévisage, ses yeux se posant sur mon nez, ma bouche, mon menton.

— Vous n'avez pas à vous inquiéter.

Je sens la chaleur me monter aux joues et je prie pour que ça ne se voie pas.

Est-il juste en train de la rassurer parce que c'est ma mère, ou trouve-t-il vraiment que j'ai des aptitudes ? Et qu'est-ce que c'était que ce regard ?

Elle penche la tête sur le côté et reprend :

— Votre visage me rappelle quelque chose, Quatre.

— Je ne vois vraiment pas pourquoi, réplique-t-il avec froideur. J'évite autant que possible de fréquenter les Altruistes.

Ma mère rit. Elle a un rire léger, mi-son, mi-air.

— Vous n'êtes pas le seul, ces derniers temps. Je ne le prends pas personnellement.

Il paraît se détendre un peu.

— Bon, je vous laisse à vos retrouvailles.

On le regarde partir. Le rugissement de la rivière m'emplit les oreilles. Il a peut-être grandi chez les Érudits, ce qui expliquerait qu'il déteste les Altruistes. Ou bien il croit les articles que les Érudits diffusent sur nous – sur *eux*, rectifié-je. Mais c'était gentil de prétendre que je m'en sors bien alors qu'il ne doit pas en penser un mot.

— Il est toujours comme ça ? me demande-t-elle.

— Pire.

— Tu t'es fait des amis ?

— Quelques-uns.

Je cherche des yeux Will et Christina et leurs familles. Je croise le regard de Christina, et elle me fait signe en souriant. Ma mère et moi traversons la Fosse pour la rejoindre.

En chemin, une petite femme ronde vêtue d'une chemise rayée noire et blanche me touche le bras. Je tressaille, réprimant l'envie d'écarter sa main.

— Excusez-moi, me dit-elle. Vous connaissez mon fils, Albert ?

— Albert ? Oh... vous voulez parler d'Al ? Oui, je le connais.

— Vous savez où on peut le trouver ?

Elle fait signe à un homme derrière elle, grand et épais comme un roc. Le père d'Al, clairement.

— Désolée, je ne l'ai pas vu ce matin. Vous devriez peut-être chercher là-haut ?

Je montre la verrière au-dessus de nous.

— Oh là là, gémit la mère d'Al en s'éventant. J'aimerais mieux éviter de tenter cette ascension. J'ai déjà failli avoir une crise de panique en descendant. Pourquoi n'y a-t-il pas de barrières de protection le long de ces passages ? Vous êtes donc tous fous ?

J'ébauche un sourire. Il y a quelques semaines, j'aurais trouvé cette remarque blessante, mais j'ai trop fréquenté les Sincères ces derniers temps pour être encore surprise par leur manque de tact.

— Fous, non, rectifié-je. Audacieux. Si je le vois, je lui dirai que vous le cherchez.

Je m'aperçois que ma mère a le même sourire que moi. Elle semble plus à l'aise que la plupart des parents de trans- ferts – le nez en l'air, elle observe les murs de la Fosse, le pla- fond, le gouffre. Ce n'est pas de la curiosité, bien sûr. En tant qu'Altruiste, la curiosité lui est étrangère.

Je la présente à Will et à Christina, laquelle à son **tour** me présente sa mère et sa sœur. Mais Cara, la sœur aînée de Will, me toise avec un profond mépris en évitant soigneusement de me tendre la main et fusille ma mère du regard.

— Je ne peux pas croire que tu fréquentes ces gens-là, Will, déclare-t-elle.

Ma mère plisse les lèvres, mais bien entendu, elle ne dit rien.

— Cara, la reprend Will, les sourcils froncés. Pas la peine d'être impolie.

— Et quoi encore ? rétorque-t-elle. Tu sais ce qu'elle est ? (Elle désigne ma mère.) La *femme* d'un membre du conseil, voilà ce qu'elle est. Elle dirige l'Office « bénévole » censé aider les sans-faction. Vous croyez qu'on ne sait pas que vous gardez les produits pour les distribuer au sein de votre faction alors qu'on passe des mois sans aliments frais ? À manger pour les sans-faction, mon œil !

— Je suis désolée, intervient posément ma mère. Je pense que vous faites erreur.

— Ben voyons ! riposte Cara. D'ailleurs, il suffit de voir vos airs innocents. Une faction de braves gens pleins de bons sentiments, sans un gramme d'égoïsme. C'est cela.

— Ne parle pas à ma mère comme ça ! lancé-je, les joues en feu et les poings serrés. Encore un mot sur ce ton et je t'en colle une.

— Arrête, Tris, intervient Will. Tu ne vas pas frapper ma sœur.

— Ah non ? Tu crois ça ? fais-je en haussant les sourcils.

— Non, en effet, conclut ma mère en me touchant l'épaule. Viens, Beatrice. On ne va pas déranger la sœur de ton ami.

Elle a parlé d'une voix douce, mais elle m'entraîne en me serrant le bras si fort que je retiens un cri de douleur. Elle m'emmène en direction de la cafétéria. Juste avant, elle tourne à gauche à angle droit, dans un couloir sombre que je n'ai encore jamais exploré.

— Maman... comment fais-tu pour connaître ton chemin ?

Elle s'arrête devant une porte fermée à clé et se dresse sur la pointe des pieds pour examiner la fixation de la lampe bleue qui pend au plafond. Au bout de quelques secondes, elle hoche la tête et se tourne vers moi. Je n'y comprends plus rien.

— J'ai dit pas de questions sur moi, déclare-t-elle. Et je suis sérieuse. Sincèrement, comment vas-tu, Beatrice ? Comment se passent les combats ? Quel est ton classement ?

— Mon classement ? Tu sais qu'on se bat ? Tu sais qu'on est classés ?

— Ces informations n'ont rien de secret.

J'ignore s'il est facile ou pas de trouver des renseignements sur les procédures d'initiation des différentes factions, mais je doute que ce soit si simple que ça. Lentement, je lui annonce :

— Je suis dans les derniers, maman.

— Tant mieux. Personne ne s'intéresse de trop près aux derniers. Écoute, ceci est très important, Beatrice. Qu'a donné ton test d'aptitudes ?

L'avertissement de Tori résonne dans ma tête. « Tu ne devras jamais en parler à personne. » Je suis censée lui répondre que mon test indiquait les Altruistes ; c'est ce que Tori a noté dans mon dossier.

Je plonge les yeux dans ceux de ma mère, vert clair et bordés d'un épais rideau de cils noirs. À part quelques rides autour de la bouche, elle ne fait pas son âge. Ses rides se creusent quand elle fredonne. Elle avait l'habitude de fredonner en faisant la vaisselle.

C'est ma mère.

Je peux lui faire confiance.

— Il n'était pas concluant, avoué-je à voix basse.

Elle soupire.

— C'est ce que je pensais. Beaucoup d'enfants élevés chez les Altruistes obtiennent ce genre de résultats. On ne sait pas pourquoi. Mais tu dois être très prudente pendant la deuxième étape de l'initiation. Fonds-toi dans la masse. Évite d'attirer l'attention sur toi. Tu comprends ?

— Qu'est-ce qui se passe, maman ?

— Peu importe la faction que tu as choisie, dit-elle en me caressant les joues. Je suis ta mère et je veux te protéger.

— Est-ce que c'est parce que je suis une...

Elle m'interrompt en posant vivement une main sur ma bouche.

— Ne prononce pas ce mot, siffle-t-elle. Jamais.

Ainsi, Tori avait raison. C'est dangereux d'être un Divergent. Sauf que je ne sais toujours pas pourquoi, ni même ce que cela signifie au juste.

— Pourquoi ?

Elle secoue la tête.

— Je ne peux pas t'en parler.

Elle regarde derrière elle, vers la lueur lointaine de la Fosse. J'entends des cris, des conversations, le frottement des semelles par terre. L'odeur de la cafétéria flotte jusqu'à mes narines, une odeur douceâtre de levure et de pain qui sort du four. Ma mère se tourne de nouveau vers moi, les traits tendus.

— Je veux que tu fasses une chose, reprend-elle. Je ne peux pas aller voir ton frère, mais toi si, quand l'initiation sera terminée. Alors, je veux que tu ailles le trouver et que tu lui demandes de faire des recherches sur le sérum de simulation. D'accord ? Tu peux faire ça pour moi ?

— Pas tant que tu ne m'auras pas expliqué pourquoi, maman ! Si je dois aller passer la journée dans le secteur des Érudits, ça mérite une explication !

Elle m'embrasse et coince derrière mon oreille une meche de cheveux échappée de mon chignon.

— Je suis désolée, chérie, je ne peux pas. Il vaut mieux que je m'en aille, maintenant. Tu feras meilleur effet si on n'a pas l'air d'être trop attachées l'une à l'autre.

— Je me fiche de l'effet que je fais, rétorqué-je.

— Tu as tort. À mon avis, ils t'ont déjà mise sous surveillance.

Elle s'en va, et je suis trop sonnée pour la suivre. Elle se retourne au bout du couloir et me lance :

— Prends une part de gâteau pour moi, d'accord ? Celui au chocolat. Il est délicieux.

Elle m'adresse un drôle de sourire en coin avant d'ajouter :

— Tu sais que je t'aime.

Je reste seule dans la lumière bleue du couloir et tout se met en place dans ma tête.

Elle est déjà venue. Elle se souvient de ce couloir. Elle connaît les procédures d'initiation.

Ma mère était une Audacieuse.

CHAPITRE SEIZE

APRÈS LE DÉPART DE MA MÈRE, pendant que tous les autres restent avec leurs familles, je regagne le dortoir, où je trouve Al. Assis sur son lit, il regarde fixement le mur, à l'endroit où est habituellement accroché le tableau noir. Quatre l'a enlevé hier pour calculer notre classement dans l'étape un.

— Tu es là ! m'exclamé-je. Tes parents te cherchaient. Tu les as vus ?

Il secoue la tête.

Je m'assois à côté de lui. Il porte un short noir. Sa jambe est deux fois plus épaisse que la mienne, même maintenant que j'ai pris du muscle. Son genou est couvert d'un bleu violacé barré d'une cicatrice.

— Tu ne voulais pas les voir ?

— Je ne voulais pas qu'ils me demandent comment je m'en sors. Il aurait fallu que je réponde, et ils s'en seraient rendu compte si j'avais menti.

— Bah...

Je cherche ce que je pourrais lui dire.

— ... tu ne t'en sors pas si mal, si ?

Il a un petit rire sec.

— J'ai perdu tous mes combats depuis celui avec Will. Je ne m'en sors pas si bien que ça.

— Mais c'est ton choix. Tu n'aurais pas pu leur expliquer ?

— Mon père a toujours rêvé que je vienne ici. Bon, ils disaient qu'ils voulaient que je reste chez les Sincères parce que c'est ce qu'ils sont censés dire. Mais ils ont toujours admiré les Audacieux, tous les deux. Si je leur expliquais, ils ne comprendraient pas.

— Oh, fais-je en pianotant des doigts sur mon genou.

Puis je le regarde.

— C'est pour ça que tu as choisi les Audacieux ? À cause de tes parents ?

Il secoue la tête.

— Non. Je crois que c'est parce que... je trouve ça important de protéger les gens. De les défendre. Comme tu l'as fait pour moi.

Il me sourit.

— C'est la première mission des Audacieux, non ? poursuit-il. C'est ça, le vrai courage. Pas de faire du mal aux autres gratuitement.

Je repense à ce que m'a dit Quatre, comme quoi l'esprit d'équipe était autrefois une priorité pour les Audacieux. À quoi ressemblaient-ils à cette époque-là ? Qu'aurais-je appris si j'avais été ici au temps de ma mère ? Je n'aurais peut-être pas cassé le nez de Molly. Ni menacé la sœur de Will.

Je me sens coupable, tout à coup.

— Ça se passera sans doute mieux après l'initiation, soufflé-je.

— Sauf si je suis classé dernier, réplique Al. On devrait le savoir ce soir.

On reste assis comme ça un petit moment. On est mieux ici, dans le silence, que dans la Fosse à regarder les autres rigoler avec leurs familles.

Mon père disait que, parfois, le meilleur moyen d'aider quelqu'un est de rester auprès de lui. Ça me réconforte de faire quelque chose qui le rendrait fier de moi ; comme si ça compensait tous mes actes dont il aurait honte.

+ + +

— Tu sais que j'ai plus de courage quand tu es là ? me dit Al. Ça me donne l'impression que je pourrais trouver ma place ici, comme tu réussis à le faire.

Je m'apprête à répondre quand il glisse un bras autour de mes épaules. Je me raidis aussitôt.

J'aurais préféré me tromper sur ses sentiments à mon égard ; mais j'avais raison.

Je me penche en avant, les mains crispées sur les genoux, et il laisse retomber son bras.

— Tris, je... commence-t-il d'une voix étranglée.

Je lui jette un coup d'œil à la dérobée. Il est écarlate, mais il ne pleure pas. Il a juste l'air gêné. Il s'éclaircit la gorge et tente de se donner une contenance.

— Excuse-moi, poursuit-il. Je voulais juste, heu... désolé.

Je pourrais lui expliquer que ça n'a rien à voir avec lui. Que mes parents se prenaient rarement la main, même à la maison, et que je n'ai pas l'habitude des marques d'affection, parce qu'on m'a appris à les considérer comme des choses sérieuses.

Si je lui disais ça, ça ferait peut-être disparaître cet air blessé que je perçois sous son embarras.

Mais en réalité, ça a *aussi* à voir avec lui. Je le considère comme un ami et rien de plus.

Je prends une grande inspiration et je me force à sourire en expirant.

— Désolé de quoi ? fais-je en essayant de paraître détachée.

J'essuie mon jean, même s'il n'y a rien à enlever dessus, et je me lève.

— Il faut que j'y aille.

Il hoche la tête sans me regarder.

— Ça va aller ? demandé-je. Enfin... avec tes parents. Pas pour...

Je ne finis pas. Je ne sais même pas ce que j'allais dire.

— Oh. Ouais.

Il hoche de nouveau la tête, un peu trop énergiquement.

— À plus, Tris.

J'essaie de ne pas sortir d'un pas trop rapide. Quand la porte se referme derrière moi, je porte la main à mon front et je souris. Gêne mise à part, c'est sympa quand quelqu'un s'intéresse à vous.

╬ ╬ ╬

Ce soir-là, comme il nous serait trop pénible de discuter de nos familles, tout le monde ne parle que d'une chose : notre classement respectif à l'issue de la première étape. Dès que quelqu'un aborde le sujet près de moi, je fixe un point sur le mur en faisant mine de ne pas l'entendre.

Je ne peux pas être aussi mal classée qu'au début, surtout

après avoir battu Molly. Mais ce ne sera peut-être pas suffisant pour que je finisse l'initiation dans les dix premiers, d'autant qu'on doit compter avec les natifs.

Au dîner, je m'assois avec Christina, Will et Al à une table dans un coin. Manque de chance, Peter, Drew et Molly sont à la table voisine. Quand la conversation s'éteint entre nous, j'entends chacune de leurs paroles. Ô surprise, ils spéculent sur le classement.

— Tu n'avais pas le droit d'avoir un animal domestique ? s'insurge Christina en donnant un coup sur la table. Mais pourquoi ?

— Parce que ça n'est pas rationnel, réplique Will avec pragmatisme. Quel sens ça a d'héberger et de nourrir un animal qui ne fait qu'abîmer le mobilier et empuantir ta maison, tout ça pour mourir au final ?

Mes yeux croisent ceux d'Al, comme toujours quand Will et Christina commencent à se chamailler. Mais cette fois, nos regards se détournent aussitôt. J'espère que cette gêne ne va pas durer. J'aimerais bien retrouver mon ami.

— Le *sens*, c'est... (La voix de Christina s'adoucit et elle penche la tête sur le côté.) Ben... c'est sympa. J'ai eu un bouledogue qui s'appelait Chunker. Un jour, on avait laissé un poulet rôti à refroidir sur la table de la cuisine, et pendant que ma mère était aux toilettes, il l'a fait tomber et il a tout mangé, la peau, la carcasse, tout ! Qu'est-ce qu'on a rigolé !

— Là, tu m'as convaincu, commente Will. Vivre avec un animal qui engloutit mon repas et saccage ma cuisine, j'en rêve ! Pourquoi tu n'en adopterais pas un, si ça te manque tellement ?

Le sourire de Christina s'évanouit. Elle fait rouler sa pomme de terre du bout de sa fourchette.

— Parce que. Les chiens, c'est un peu fichu pour moi. Depuis...
vous voyez, quoi, depuis le test d'aptitudes.

On s'échange tous des petits coups d'œil et mon cœur fait
un bond dans ma poitrine. On sait qu'on n'est pas censés parler
du test, même maintenant que notre choix est fait. Mais pour
eux, ce n'est qu'une règle, sans caractère vital. Pour moi, il s'agit
d'une question de sécurité. Elle m'évite d'avoir à mentir à mes
amis sur mes résultats. Dès que je pense au mot « Divergent »,
j'entends l'avertissement de Tori ; et maintenant, celui de ma
mère. « N'en parle à personne. Danger. »

— Tu veux dire... parce que tu as tué le chien ? demande Will.

J'avais presque oublié. Ceux qui ont une aptitude pour les
Audacieux ont choisi le couteau et poignardé le chien pendant
la simulation. Pas étonnant que Christina ne veuille plus en
avoir un. Je rabats mes manches sur mes mains et je me triture les doigts.

— Ouais, répond-elle. Vous aussi, vous avez eu à le faire, non ?

Elle regarde Al, puis moi. Elle plisse les yeux et me dit :

— *Toi*, non.

— Hmm ?

— Tu nous caches quelque chose. Tu te trémousses.

— Quoi ?

— Chez les Sincères, on apprend à interpréter le langage
corporel, m'explique Al avec un coup de coude. (Ça y est. Là,
je le retrouve.) On sait quand quelqu'un ment ou nous cache
quelque chose.

— Oh, fais-je en me grattant la nuque. Ben...

— Tu vois ? Tu recommences !

J'ai l'impression que mon cœur a bondi dans ma gorge.
Comment puis-je les embrouiller sur mes résultats s'ils voient

quand je mens ? Je vais devoir contrôler mon langage corporel. Je croise les mains sur mes genoux. C'est peut-être ça qu'on fait quand on est sincère ?

Au moins, je n'ai pas besoin de les baratiner pour le chien.

— Non, je n'ai pas tué le chien.

— Comment t'as fait pour atterrir chez les Audacieux sans te servir du couteau ? me demande Will, perplexe.

Je le regarde droit dans les yeux et je réponds calmement :

— Le test a donné Altruiste.

Ce n'est qu'un demi-mensonge. Puisque c'est ce que Tori a mis dans son rapport, c'est ce qui doit figurer dans l'ordinateur. Quiconque a accès aux résultats peut le constater. Je continue de le fixer quelques secondes. Détourner les yeux paraîtrait louche. Puis je pique ma fourchette dans un bout de viande en haussant les épaules. Pourvu qu'ils m'aient crue. Il faut qu'ils me croient.

— Et tu as quand même choisi les Audacieux ? s'étonne Christina. Pourquoi ?

— Je te l'ai dit, répliqué-je avec un petit sourire. Pour la bouffe.

Elle se marre.

— Dites, les gars, vous saviez que Tris n'avait jamais vu un hamburger avant d'arriver ici ?

Elle se lance dans le récit de notre premier jour et je me détends, mais je sens encore un poids sur ma poitrine. Je ne devrais pas être obligée de mentir à mes amis. Ça dresse une barrière de plus entre nous, comme s'il n'y en avait pas déjà assez. Christina qui s'est emparée du drapeau. Moi qui ai rejeté Al.

Après le dîner, on file au dortoir découvrir les résultats, et je me retiens pour ne pas courir. Autant régler la question tout de suite. À la porte, Drew me pousse pour passer et mon épaule racle le mur, mais je ne m'arrête pas.

Je suis trop petite pour voir derrière les autres, alors je cherche un espace entre les têtes Quatre, une craie à la main, a posé le tableau par terre contre ses jambes, face tournée vers lui.

— Pour ceux qui viennent juste d'arriver, je réexplique comment le classement est déterminé, annonce-t-il. Après la première série de combats, vous avez été classés selon votre niveau de compétence. Le nombre de points que vous avez obtenus dépend de votre niveau et de celui de la personne que vous avez battue. Vous gagnez des points supplémentaires si vous vous améliorez ou si vous battez quelqu'un de plus fort que vous. Je ne récompense pas ceux qui démolissent les plus faibles. C'est de la lâcheté.

Il me semble que son regard fait une pause sur Peter, mais si brièvement que je n'en jurerais pas.

— Quelqu'un de bien classé perd des points s'il se fait battre par quelqu'un de plus faible.

Molly lâche un son déplaisant, entre le ricanement et le grognement.

— La deuxième étape compte davantage que la première, poursuit Quatre, parce qu'elle met l'accent sur votre capacité à vaincre la lâcheté. Cela dit, vous aurez beaucoup de mal à vous retrouver bien classés à l'issue de l'initiation si vous terminez l'étape un avec de mauvais résultats.

Je me dandine d'un pied sur l'autre pour apercevoir Quatre. Quand j'y arrive enfin, je croise son regard et je détourne aussitôt les yeux. J'ai dû attirer son attention en bougeant.

— Les résultats éliminatoires vous seront donnés demain, reprend-il. On ne fait pas de différence entre les transfers et les natifs. Quatre d'entre vous peuvent se retrouver sans faction et aucun parmi eux, ou l'inverse, n'importe quelle combinaison intermédiaire. En attendant, voici votre classement.

Il suspend le tableau à son crochet et s'écarte pour nous laisser lire.

1. Edward
2. Peter
3. Will
4. Christina
5. Molly
6. Tris

Sixième ? Je ne peux pas être sixième. Ça doit être ma victoire sur Molly qui m'a fait gagner plus de points que prévu. Et sa défaite contre moi semble lui en avoir fait perdre.

Mes yeux glissent jusqu'au bas du tableau.

7. Drew
8. Al
9. Myra

Ouf, Al n'est pas tout dernier. Mais à moins que les natifs aient totalement raté l'étape un, il se retrouve sans faction.

Je jette un coup d'œil vers Christina. Elle regarde le tableau la tête penchée sur le côté, les sourcils froncés. Elle n'est pas la seule. Le silence dans la salle est inconfortable, comme en équilibre instable. C'est Molly qui le brise.

— Quoi ? fait-elle en désignant Christina. Je l'ai battue ! Je l'ai battue en *quelques minutes* et elle est *devant* moi ?

— Ouais, réplique Christina en croisant les bras avec un petit sourire satisfait. Et alors ?

— Si vous voulez vous assurer une bonne position, un petit conseil : évitez de perdre contre des adversaires mal placés, dit Quatre en coupant court aux grognements et aux protestations.

Il fourre la craie dans sa poche et passe à côté de moi sans un regard. Ses paroles m'ont un peu piquée, sachant que c'est moi, l'adversaire mal placé auquel il a fait allusion.

Apparemment, Molly ne l'a pas oublié non plus.

— Toi, me jette-t-elle, les yeux rétrécis par la colère. Tu me le paieras !

Je m'attends à ce qu'elle me saute à la gorge ou me frappe, mais elle se contente de tourner les talons et de sortir du dortoir, ce qui est pire. Si elle avait explosé, elle aurait passé sa rage rapidement, en quelques coups. Alors qu'en partant, elle ne fait que remettre sa vengeance. Je vais devoir me tenir sur mes gardes.

Peter n'a pas fait de commentaires. C'est surprenant, compte tenu de sa tendance à râler dès qu'il est désavantagé. Il va s'asseoir sur son lit et défait ses lacets. Ça me met encore plus mal à l'aise. Je ne peux pas croire qu'il se satisfasse de la deuxième place. Pas Peter.

Christina frappe dans la main de Will, qui me donne une tape dans le dos. Sa paume est plus grande que mon omoplate.

— Numéro six, dis donc ! me lance-t-il avec un grand sourire.

— Rien ne garantit que ça suffira...

— Mais si, tu verras ! Ça se fête !

— Bon, on y va ? propose Christina en prenant mon bras d'un côte et celui d'Al de l'autre. T'en fais pas, Al. On ne sait pas comment les natifs s'en sont sortis. Rien n'est joué.

— Moi, je vais me coucher, marmonne-t-il en se dégageant.

Une fois dans le couloir, c'est plus facile d'oublier Al, la vengeance de Molly et le calme inquiétant de Peter, et de faire semblant que ce qui nous sépare n'existe pas. Mais dans un coin de ma tête, je sais que je suis en compétition avec Will et Christina. Si je veux arriver dans les dix premiers, je devrai d'abord les battre.

Espérons que je n'aurai pas à les trahir pour ça.

+ + +

Cette nuit-là, j'ai du mal à m'endormir. Au début, le dortoir me paraissait bruyant, avec tous ces soupirs et ces respirations. Maintenant, je le trouve trop silencieux. Dans le silence, je pense à ma famille. Heureusement que c'est généralement la cacophonie dans la Fosse.

Si ma mère est née Audacieuse, pourquoi a-t-elle choisi les Altruistes ? À cause de la paix, de la routine, de la bienveillance de cette vie-là – toutes ces choses qui me manquent quand je me laisse aller à y penser ?

Je me demande si des gens ici l'ont connue quand elle était jeune et pourraient me dire à quoi elle ressemblait. Mais ils refuseraient sans doute de m'en parler. On encourage les transferts à oublier leur famille et leur passé pour faciliter leur attachement à leur nouvelle faction, selon le fameux principe de « La faction avant les liens du sang ».

J'enfonce le visage dans mon oreiller. Ma mère voudrait que je demande à Caleb de faire des recherches sur le sérum de simulation. Pourquoi ? Parce que je suis une Divergente ? Parce que je suis en danger ? Ou y a-t-il autre chose ? Je soupire. J'avais des milliers de questions et elle est partie avant que j'aie pu lui en poser une seule. Maintenant, elles tourbillonnent dans mon crâne, et j'ai l'impression que je ne pourrai jamais m'endormir avant d'avoir les réponses.

J'entends des bruits de pas dans le dortoir et je soulève la tête. Mes yeux ne sont pas accoutumés au noir et je ne vois rien, comme si j'avais encore les paupières fermées. J'entends d'autres bruits de pas, une chaussure qui crisse. Un coup sourd.

Et soudain, une plainte à glacer le sang, qui me fait dresser les cheveux sur la tête. Je repousse mes couvertures et je me lève, pieds nus sur les dalles de pierre. Je n'y vois pas assez pour trouver la source de ce cri mais je distingue une masse sombre par terre, à quelques lits du mien. Une nouvelle plainte me vrille les oreilles.

— Allumez la lumière ! lance quelqu'un.

Je marche vers le bruit, sans voir où je vais, lentement pour ne pas me cogner. Je me sens dans une sorte de transe. Un cri pareil évoque nécessairement du sang, de la chair à vif, de la souffrance brute ; il vient du fond des tripes et explose dans tout le corps.

La lumière s'allume.

Edward est allongé par terre à côté de son lit, les mains pressées sur la figure. Il y a une auréole de sang autour de sa tête, et le manche d'un couteau dépasse entre ses doigts. Je reconnais un couteau à beurre de la cafétéria. La lame est plantée dans son œil.

À ses pieds, Myra hurle, imitée par quelqu'un d'autre. Une voix rauque appelle à l'aide. Par terre, Edward continue à se tordre et à gémir. Je m'agenouille près de lui dans la mare de sang et je pose les mains sur ses épaules.

— Ne bouge pas, lui dis-je.

Je reste calme, même si je n'entends rien ; ma tête est comme remplie d'eau. Edward recommence à s'agiter et je répète, plus fort et plus fermement :

— Ne bouge pas. Respire.

— Mon œil ! hurle-t-il.

Une odeur âcre s'élève dans le dortoir. Quelqu'un a vomi.

— Enlève-le ! crie-t-il. Enlève-le, enlève-moi ça, enlève-le !

Je secoue la tête, avant de me rendre compte qu'il ne me voit pas. Un rire enfle dans mon ventre. Un rire hystérique. Je dois me contrôler si je veux pouvoir l'aider. Je dois m'oublier.

— Non, lui dis-je. Il faut que ce soit un médecin qui l'enlève. Tu m'entends ? Laisse faire le médecin. Respire.

— Ça fait mal, gémit-il.

— Je sais.

Au lieu de ma voix, c'est celle de ma mère que j'entends. Je la revois accroupie devant moi sur le trottoir alors que je viens de m'écorcher le genou, essuyant les larmes sur mes joues. J'ai cinq ans.

— Ça va aller.

J'essaie de parler d'un ton assuré, comme si ce n'était pas des mots en l'air. En fait, je ne sais pas si ça va aller. Je crains bien que non.

L'infirmière arrive et me demande de reculer. J'ai les mains et les genoux couverts de sang. En regardant autour de moi, je ne constate que deux absences.

Celle de Drew.

Et celle de Peter.

+++

Une fois qu'ils ont emmené Edward, je vais me laver et me changer dans la salle de bains. Christina m'accompagne et reste près de la porte, sans parler, et je préfère ça. Il n'y a pas grand-chose à dire.

Je frotte les lignes de mes mains et me récure les ongles pour faire partir le sang. Je mets le pantalon que j'ai apporté et je jette l'autre à la poubelle. Je prends toutes les serviettes en papier que je peux porter. Il faut bien que quelqu'un nettoie dans le dortoir, et comme il y a des chances pour que je n'arrive plus jamais à m'endormir, autant que ce soit moi.

Au moment où je pose la main sur la poignée de la porte, Christina me chuchote :

— Tu sais qui a fait le coup, pas vrai ?

— Ouais.

— Tu crois qu'on doit le signaler ?

— Tu penses vraiment que les leaders Audacieux feraient quelque chose ? Après t'avoir suspendue au-dessus du gouffre ? Après nous avoir forcés à nous cogner dessus comme des brutes ?

Elle ne trouve rien à répondre. Ensuite, je passe une demi-heure à nettoyer le carrelage du sang d'Edward. Christina va jeter les serviettes sales et m'en apporte d'autres. Myra est partie ; elle a dû suivre Edward à l'hôpital.

Personne ne dort beaucoup cette nuit-là.

✦ ✦ ✦

— Ça fait bizarre de dire ça, déclare Will, mais j'aurais préféré qu'on n'ait pas de jour de congé.

Je suis d'accord avec lui. Ça nous occuperait l'esprit d'avoir quelque chose à faire.

Je n'ai pas souvent été seule avec Will, mais Al et Christina font la sieste dans le dortoir, et il n'avait pas plus envie que moi de s'y éterniser. Je l'ai compris sans qu'il ait besoin de s'expliquer. On marche au hasard. Il n'y a nulle part où aller.

Je me cure les ongles. Je me suis lavé soigneusement les mains, mais j'ai toujours l'impression qu'elles sont tachées.

— On pourrait rendre visite à Edward, suggère Will. Mais qu'est-ce qu'on lui dirait ? « Je ne te connaissais pas très bien, mais je suis désolé qu'on t'ait enfoncé un couteau dans l'œil ? »

Ce n'est pas drôle. Mais le rire sort tout seul de ma gorge, et je n'ai pas la force de l'arrêter. Will me dévisage d'un air choqué, avant de se mettre à rire à son tour. Quelquefois, rire et pleurer sont les seules options qui restent, et, je ne sais pas pourquoi, à cet instant, rire me paraît plus adapté.

— Excuse-moi, fis-je. Tout ça est tellement absurde.

Ce n'est pas pour Edward que j'ai envie de pleurer ; en tout cas, pas comme on pleure pour un ami ou quelqu'un qu'on aime. J'ai envie de pleurer parce qu'il est arrivé une chose horrible, que j'en ai été témoin et que je n'ai rien pu faire. Aucun de ceux qui voudraient punir Peter n'en a l'autorité, et aucun de ceux qui ont l'autorité ne songerait à le faire. Les Audacieux ont des règles sur ce genre d'agression, mais avec des gens comme Eric aux commandes, je soupçonne qu'elles ne sont jamais appliquées.

Je reprends, en ayant retrouvé tout mon sérieux :

— Le plus absurde, c'est que dans n'importe quelle autre faction, l'acte courageux serait de raconter ce qui s'est passé. Mais ici... chez les Audacieux... ça ne ferait que nous nuire.

— Tu as déjà lu les manifestes des factions ? me demande Will.

Ces manifestes ont été rédigés après la formation des

factions. On nous en a parlé au lycée mais je ne les ai jamais lus.

— Toi oui ? fais-je, dubitative.

Puis je me rappelle que Will est capable de mémoriser le plan de la ville pour le plaisir, et je réponds à sa place :

— Oui, évidemment.

— L'une des phrases dont je me souviens dans le manifeste des Audacieux dit : « Nous croyons aux actes de courage ordinaire, au courage qui pousse une personne à prendre la défense d'une autre. »

Il soupire.

Il n'a pas besoin de poursuivre. Les Audacieux ont peut-être été créés avec de bonnes intentions, de bons idéaux, de bons objectifs. Mais ils les ont perdus de vue. Et je me rends compte qu'il en va de même pour les Érudits. Autrefois, ils cultivaient la connaissance et l'intelligence pour les mettre au service du bien. Aujourd'hui, leur objectif est d'en tirer du pouvoir. Je me demande si les autres factions ont le même problème. Je n'y avais jamais réfléchi.

Pourtant, malgré la perversion du système que j'observe ici, je ne pourrais pas partir. Et pas seulement parce que l'idée de vivre sans faction, coupé de la société, semble être un sort pire que la mort ; aussi parce que, dans les courts instants que j'ai adorés ici, j'ai découvert une faction qui valait la peine d'être sauvée. On a peut-être une chance de retrouver le courage et l'honneur.

— On va a la cafétéria ? me propose Will. Manger un gâteau ?

Je souris.

— OK.

Tandis qu'on se dirige vers la Fosse, je me répète la citation de Will pour ne pas l'oublier :

« Je crois aux actes de courage ordinaire, au courage qui pousse une personne à prendre la défense d'une autre. »

C'est une belle pensée.

A mon retour dans le dortoir, je trouve le lit d'Edward dépouillé de ses draps, ses tiroirs ouverts et vidés. Pareil pour le lit de Myra à l'autre bout de la salle.

Quand je demande à Christina ce qu'ils sont devenus, elle me répond qu'ils ont abandonné.

— Myra aussi ?

— Elle a dit qu'elle ne voulait pas rester ici sans lui. De toute façon, elle se serait fait éliminer.

— Au moins, ils n'ont pas éliminé Al, remarqué-je.

En fait, c'est le départ d'Edward qui l'a sauvé. Les Audacieux ont décidé de lui donner une chance jusqu'à l'étape suivante

— Qui d'autre s'est fait éjecter ?

— Deux natifs. Je ne sais plus comment ils s'appellent.

Je hoche la tête en regardant le tableau. Quelqu'un a rayé les noms d'Edward et de Myra et changé les numéros en face de tous les autres. Cette fois, Peter est en tête. Will est deuxième. Je suis cinquième. On a démarré l'étape à neuf.

On n'est plus que sept.

CHAPITRE DIX-SEPT

IL EST MIDI. L'heure du déjeuner.

Je suis assise par terre dans un couloir inconnu où je suis venue me réfugier loin du dortoir. Peut-être qu'en apportant mon matelas ici, je n'aurais plus jamais besoin d'y retourner. C'est sûrement l'effet de mon imagination, mais j'y sens encore l'odeur du sang, bien que j'aie récuré le carrelage à m'en écorcher les mains et que quelqu'un l'ait lavé à l'eau de Javel ce matin.

Je me masse les tempes. Récurer le carrelage alors que personne d'autre ne voulait s'y coller, c'est typiquement une chose que ma mère aurait faite. À défaut de pouvoir la voir, je peux au moins agir comme elle, de temps en temps.

J'entends des pas qui se rapprochent sur les dalles de pierre. Je baisse les yeux sur mes chaussures. J'ai changé mes baskets grises pour des noires il y a huit jours, mais les grises sont enfouies au fond d'un tiroir. Je ne peux pas me décider à les jeter, même si je sais que c'est idiot de s'attacher à des chaussures ; comme si elles pouvaient me ramener chez moi..

— Tris ?

Je relève la tête.

Uriah s'arrête devant moi et fait signe aux novices natifs qui l'accompagnent de continuer sans lui. Un bref échange de regards, puis ils poursuivent leur chemin.

— Ça va ? me demande-t-il.

— La nuit a été difficile.

— Je sais. Je suis au courant pour le novice, Edward c'est ça ?

Il suit les autres des yeux jusqu'à ce qu'ils aient disparu au bout du couloir et me sourit.

— Ça te dit de sortir d'ici ?

— Quoi ? Pour aller où ?

— À un petit rite d'initiation. Viens, il faut qu'on se grouille.

Je pèse rapidement mes options : rester dans mon couloir, ou quitter l'enceinte.

Je me lève et on part en petites foulées pour rattraper les autres.

— Normalement, ils n'acceptent que les novices qui ont déjà un frère ou une sœur chez les Audacieux, me précise Uriah. Mais avec un peu de chance, ils ne vont pas faire attention à toi. Essaie d'avoir l'air naturel.

— Et on fait quoi, au juste ?

— Un truc dangereux.

Une étincelle de joie Audacieuse – c'est le seul mot qui me vient à l'esprit pour décrire ce genre de lueur – s'allume dans ses pupilles. Mais au lieu de m'en défier, comme je l'aurais fait il y a quelques semaines, je me laisse contaminer. La chape de plomb qui pesait sur ma poitrine fait place à de l'excitation. On ralentit en arrivant au niveau des autres.

— Qu'est-ce qu'elle fait là, la Pète-sec ? jette un garçon qui porte un anneau entre les narines.

— Lâche-la un peu, Gabe, rétorque Uriah. Elle était là quand le gars s'est pris un couteau dans l'œil.

Gabe se désintéresse de moi. Les autres ne font pas de commentaires, bien que certains me lancent des petits regards scrutateurs. Les natifs se comportent comme une meute de chiens : si je fais un faux-pas, ils m'excluront. Pour l'instant, ils me tolèrent.

On emprunte un nouveau couloir, au bout duquel nous attend un groupe d'Audacieux, des membres à part entière, à peine plus âgés que nous. Ils sont trop nombreux pour avoir tous de la famille parmi les novices natifs, mais je repère des ressemblances entre plusieurs visages.

— On y va, dit l'un d'eux.

Il s'engouffre dans un passage sombre et tout le monde lui emboîte le pas. Je m'enfonce dans le noir en collant aux semelles d'Uriah. Mon pied bute sur une marche. Je me rattrape et je commence à monter.

— L'escalier de service, me souffle Uriah. En principe, il est verrouillé.

Je hoche la tête, même s'il ne peut pas me voir. En haut, une porte ouverte laisse entrer la lumière du jour. On sort de terre à quelques centaines de mètres de la tour de verre qui recouvre la Fosse, près de la voie ferrée.

J'ai l'impression d'avoir déjà fait ça des milliers de fois. J'entends le signal du train. Je sens le sol vibrer. Je vois les phares de la locomotive. Je fais craquer mes doigts et je sautille sur place, en appui sur mes orteils.

Tout le groupe se met à courir le long du train et se jette dedans par vagues, membres et novices confondus. Uriah monte avant moi, et ceux qui sont derrière me poussent.

Je n'ai pas droit à l'erreur. Je bondis sur le côté en agrippant la poignée du wagon et me hisse à l'intérieur. Uriah me rattrape par le bras.

On s'assoit le dos contre une paroi tandis que le train reprend de la vitesse.

Je crie pour couvrir le vent :

— Où est-ce qu'on va ?

Uriah hausse les épaules.

— Zeke ne m'a pas dit.

— Zeke ?

— Mon frère.

Il me désigne un garçon assis dans l'embrasure de la portière, les jambes pendant à l'extérieur. Il est petit et menu, sans autre point commun avec Uriah que sa couleur de peau.

— Ils ne le précisent jamais, nous crie une fille assise à ma gauche. Ça gâcherait la surprise ! Moi, c'est Shauna.

Je lui serre la main, mais pas assez fermement, et je la lâche trop tôt. Je crois que je n'améliorerai jamais ma poignée de main. Je trouve ça trop bizarre de prendre la main d'un inconnu

— Je...

— Je sais qui tu es, me coupe-t-elle. Tu es la Pète-sec. Quatre m'a parlé de toi.

Je sens le rouge me monter aux joues.

— Ah oui ? Qu'est-ce qu'il a dit ?

Elle me jette un coup d'œil narquois.

— Il a dit que tu étais une Pète-sec. Pourquoi ? Ça t'intéresse ?

— Si mon instructeur parle de moi, j'aime autant savoir ce qu'il raconte, répliqué-je en essayant de prendre un ton détaché.

Espérons que je sais mentir.

— Il n'est pas là, si ?

— Non, il ne vient jamais à ces trucs-là. Il a dû s'en lasser. En même temps il n'y a pas grand-chose qui l'effraie.

Il ne vient pas. Quelque chose en moi se dégonfle comme une baudruche. Je feins l'indifférence. Quatre n'est pas un lâche, mais je sais qu'il a peur d'au moins une chose : il a le vertige. Quel que soit le programme, s'il a préféré l'éviter, ça doit impliquer de se trouver en hauteur. Elle l'ignore sans doute, pour parler de lui avec autant de vénération dans la voix.

— Tu le connais bien ? questionné-je.

Je suis trop curieuse. C'est un de mes défauts.

— Tout le monde le connaît. On a suivi l'initiation ensemble. Comme j'étais nulle au combat, il m'entraînait tous les soirs. quand les autres dormaient.

Shauna se gratte la nuque, l'air soudain sérieux, avant d'ajouter :

— C'est un mec super.

Elle se lève pour aller rejoindre les membres assis dans l'embrasure. Déjà, elle a retrouvé son insouciance, mais ce qu'elle m'a dit continue à me travailler. D'une part, la notion d'un Quatre « super » me laisse perplexe, et d'autre part, allez savoir pourquoi, je mettrais bien mon poing dans la figure de cette Shauna.

— C'est parti ! lance-t-elle.

Le train conserve sa vitesse, ce qui n'empêche pas Shauna de se jeter du wagon. Derrière elle, les autres membres forment un flot de gens vêtus de noir et couverts de piercings. Je me tiens devant l'ouverture avec Uriah. Le train va bien plus vite que toutes les fois où j'ai sauté, mais je ne vais pas me dégonfler maintenant, en public. Alors je saute et j'atterris lourdement, en trébuchant sur quelques pas avant de retrouver l'équilibre.

Je cours au milieu des novices pour suivre les membres. Personne n'a l'air de me considérer comme une intruse.

Je marche en regardant autour de moi. Derrière nous, la Ruche dessine une grande masse noire qui se détache sur les nuages. Ici, les immeubles sont sombres et silencieux. On doit être quelque part au nord du pont, dans la zone abandonnée de la ville.

On tourne à l'angle d'une rue pour déboucher dans Michigan Avenue, où on s'étale en éventail. Au sud du pont, l'avenue est pleine de monde et d'animation. Mais ici, c'est le désert.

Dès que je lève les yeux sur les immeubles, je comprends où on va : le Hancock Center, la plus haute tour au nord du pont, une sorte de pilier noir aux poutrelles entrecroisées.

Mais pour y faire quoi ? L'escalader ?

À mesure qu'on s'en approche, les membres se mettent à courir. J'accélère avec Uriah pour les rattraper. Ils s'engouffrent au coude à coude par les portes battantes de l'entrée. Le verre de l'une d'elles est brisé, ne laissant que le chambranle. Je passe au travers sans prendre la peine de le pousser et me retrouve dans un grand hall sinistre, au milieu des morceaux de verre.

Je m'attends à ce qu'on prenne l'escalier, mais le groupe s'arrête devant la rangée d'ascenseurs.

— Les ascenseurs marchent ? demandé-je à mi-voix à Uriah.

— Évidemment, répond Zeke. Tu me crois assez idiot pour venir ici sans être passé avant brancher le groupe électrogène ?

— Ben ouais, pourquoi ? lui rétorque Uriah.

Zeke le fusille du regard, le bloque en passant un bras autour de son cou et lui frotte le crâne avec son poing. Il a beau être plus petit en taille que son frère, il doit être plus puissant. Ou en tout cas plus rapide. Uriah le frappe à la taille et il le libère.

Je souris devant la tête ébouriffée d'Uriah. Puis les portes des ascenseurs s'ouvrent et on s'y entasse, les membres dans un, les novices dans un autre. Une fille au crâne rasé entre en me marchant sur les pieds, sans s'excuser. Je me frotte les orteils en grimaçant, avec l'envie de lui balancer un coup de pied dans le tibia. Uriah se recoiffe en se regardant dans le miroir.

— Quel étage ? demande la fille au crâne rasé.

— Cent, dis-je.

— Comment tu saurais ça, toi ? me toise-t-elle.

— C'est bon, Lynn, intervient Uriah. Pas la peine d'être désagréable.

— On est dans un immeuble abandonné de cent étages avec des Audacieux, répliqué-je. Toi, tu devrais le savoir.

Sans répondre, elle enfonce le pouce sur la dernière touche.

L'ascenseur monte à une telle vitesse que mon estomac s'enfonce jusque dans mes talons et que mes oreilles se bouchent. On passe le vingtième étage, le trentième ; Uriah a enfin réussi à se recoiffer. Cinquante, soixante ; mes fourmis dans les pieds ont disparu. Quatre-vingt-dix-huit, quatre-vingt-dix-neuf, et l'ascenseur s'arrête au centième étage. Je me réjouis qu'on n'ait pas eu besoin de prendre l'escalier.

— Je ne vois pas comment on va grimper sur le toit à partir d'ic...

Uriah n'achève pas sa phrase.

La porte de l'ascenseur s'ouvre et un violent courant d'air me projette en arrière en balayant mes cheveux devant mon visage. Il y a un trou béant dans la toiture, juste au-dessus de nos têtes. Zeke cale une échelle en aluminium contre l'ouverture et commence à grimper. Elle grince et tangue sous ses pieds, mais il continue en sifflotant. Une fois en haut, il se retourne et tient l'échelle pour le suivant.

Je me demande brièvement s'il ne s'agit pas d'une mission suicide déguisée en jeu. Je ne m'étais pas posé cette question depuis la cérémonie du Choix.

Je monte derrière Uriah, ce qui me rappelle mon ascension de la grande roue, avec Quatre juste derrière moi. Je me souviens de son geste pour m'empêcher de tomber, de la sensation de ses doigts sur mes hanches, et il s'en faut de peu pour que je rate un barreau. « Idiote. »

Je finis de grimper en me traitant de tous les noms et je débouche sur le toit du Hancock Center.

Le vent souffle si fort qu'il accapare toutes mes sensations. Je dois m'appuyer à Uriah pour garder l'équilibre. Au début, je ne vois que l'étendue brune et stérile du marais qui s'étire jusqu'à l'horizon. De l'autre côté, c'est la ville, qui, par certains aspects, n'est pas très différente : sans vie, avec des limites qui me sont inconnues.

Uriah me montre quelque chose du doigt. Fixé à un des poteaux qui se trouvent sur le toit, il y a un câble métallique épais comme mon poignet et, à côté, une pile de harnais en grosse toile noire, assez grands pour porter quelqu'un. Zeke en prend un qu'il suspend à une poulie fixée au câble.

Je suis le câble des yeux : il passe au-dessus d'un groupe d'immeubles et longe l'ancienne route côtière du lac, mais je n'en vois pas le bout. Une chose est claire, en tout cas : si je continue, je le saurai.

Bien ; on va se laisser glisser le long d'un câble à plus de trois cents mètres de haut.

— Bon Dieu, souffle Uriah.

Je ne peux que hocher la tête.

Shauna est la première à s'installer dans son harnais. Elle s'allonge à plat ventre dessus et se tortille jusqu'à ce que presque tout son corps soit soutenu par la toile. Zeke glisse des courroies par-dessus ses épaules, autour de ses reins et de ses cuisses. Puis il tire le harnais jusqu'au bord du toit et compte jusqu'à cinq. Shauna lève les pouces pour lui signifier qu'elle est prête et il la pousse dans le vide.

Lynn retient son souffle en la regardant plonger presque à pic, la tête la première. Je m'avance pour mieux voir. Aussi longtemps que j'arrive à la suivre des yeux, Shauna reste bien stable dans son harnais. Puis elle n'est plus qu'un petit point noir au-dessus de la route qui longe le marais.

Les membres lèvent le poing avec des cris d'excitation. Ils sont tous alignés au bord du toit et certains jouent des coudes pour mieux voir. Je suis la première novice de la queue, juste devant Uriah. Il n'y a que sept personnes entre moi et le câble.

Pourtant, dans un coin de ma tête, une petite voix s'impatiente : *Il va falloir attendre le passage de* sept *personnes ?* J'éprouve un curieux mélange de hâte et de terreur.

Le suivant, un garçon aux cheveux jusqu'aux épaules, se couche dans le harnais sur le dos et non sur le ventre. Quand Zeke le pousse le long du câble, il ouvre les bras en croix.

Aucun des membres ne semble avoir la moindre appréhension. Ils ont l'air d'avoir fait ça des centaines de fois, ce qui est peut-être le cas. Cependant, en me retournant, je m'aperçois que tous les novices sont pâles ou tendus, même s'ils bavardent avec excitation. Que se passe-t-il entre l'initiation et le statut de membre pour que la panique se change en exaltation ? Ou devient-on simplement plus habile à cacher sa peur ?

Plus que trois personnes devant moi. Un membre s'installe dans le harnais les pieds devant et croise les bras sur sa poitrine.

Plus que deux. Un grand type baraqué sautille à pieds joints comme un gamin avant de monter dans le harnais, et disparaît avec un hululement qui fait rire la fille devant moi.

Plus qu'une. Elle s'allonge à plat ventre dans le harnais, tête la première et garde les bras tendus devant elle tandis que Zeke attache ses courroies.

Puis c'est mon tour.

Je frémis en voyant Zeke accrocher le harnais suivant au câble. J'essaie de m'y installer, mais je n'y arrive pas : mes mains tremblent trop.

— Ça va bien se passer, me chuchote-t-il à l'oreille.

Il me tient le bras et m'aide à me caler à plat ventre

Je sens les sangles se resserrer autour de mon bassin, et Zeke me pousse jusqu'au bord du toit. Mon regard descend le long des tours aux poutrelles métalliques et aux fenêtres noires, jusqu'en bas, jusqu'au trottoir défoncé. Je suis dingue de faire ça. Et tout aussi dingue de savourer la sensation de mon cœur qui cogne contre mon sternum et de la sueur qui coule dans le creux de ma main.

— Prête, Pète-sec ? me demande Zeke avec un petit sourire narquois. J'avoue que tu m'impressionnes. Tu devrais être en train de pleurer ou de hurler de peur.

— Je te l'avais dit, intervient Uriah, c'est une Audacieuse pure et dure. Allez, grouille-toi un peu !

— Mollo, petit frère, ou je pourrais oublier d'attacher tes courroies comme il faut. Et là... *splatch* !

— Ouais, ouais, fait Uriah, et là, maman te bouffe tout cru.

De l'entendre parler de leur mère, de leurs liens familiaux intacts, l'espace d'une seconde, ça me donne un coup au cœur.

— Encore faudrait-il qu'elle l'apprenne, ricane Zeke en tirant sur la poulie fixée au câble.

Ça tient ; une chance, parce que sinon, c'est la mort assurée. Il me regarde :

— Un, deux, trois, part...

Il lâche le harnais avant de finir sa phrase, et je l'ai déjà oublié. J'ai oublié Uriah, sa famille et tout ce qui pourrait mal tourner et me précipiter sur le béton. J'entends le glissement du métal sur le câble et je sens la force du vent, si intense qu'il me tire des larmes des yeux tandis que je fonce vers le sol.

J'ai l'impression d'être libérée de la matière, de la gravité. Devant moi, le marais paraît immense et ses parcelles brunes s'étendent à l'infini, même à cette hauteur. Le courant d'air est si froid et si rapide qu'il me gifle. Je prends de la vitesse et un cri de jubilation monte en moi, bloqué par l'air qui m'emplit la bouche.

Maintenue par les sangles, j'écarte les bras et je m'imagine que je vole. Je plonge vers la route craquelée et rapiécée qui longe le marais. Je m'amuse à me le représenter à l'époque où c'était un lac : une immensité de métal liquide reflétant la couleur du ciel.

Mon cœur cogne trop fort, je n'arrive plus à respirer et je ne peux pas crier , mais en même temps, je sens chaque fibre de mon corps, chaque veine, chaque cellule, chaque os et chaque nerf, en alerte, comme chargés d'électricité. Je suis de l'adrénaline pure.

En dessous de moi, la terre grandit, prend du relief. Je commence à distinguer des gens minuscules sur le trottoir. Si j'étais un être humain normalement constitué, je hurlerais de terreur. Mais quand j'ouvre la bouche, c'est pour émettre un croassement de joie. Je crie de nouveau, plus fort, et les silhouettes en bas me répondent en levant le poing, mais elles sont si loin que je les entends à peine.

Le sol se brouille et tout se mélange, le gris, le blanc et le noir, le verre, le béton et l'acier. Des volutes d'air douces comme des cheveux s'enroulent autour de mes doigts et repoussent mes bras vers le haut. J'essaie de les ramener sur ma poitrine, mais la pression est trop forte. Le sol s'approche à une vitesse folle.

Pendant une bonne minute, sans ralentir, je plane à l'horizontale, comme un oiseau.

Quand je m'arrête, je glisse les doigts dans mes cheveux emmêlés par le vent. Je suis suspendue à six mètres au-dessus du sol, mais cette hauteur me paraît maintenant ridicule. Je passe une main derrière mon dos pour détacher les courroies qui me retiennent. Je finis par y arriver, malgré mon tremblement. Un groupe de membres se tient en dessous de moi, les bras entrecroisés pour me réceptionner.

Il me reste encore à leur faire confiance pour qu'ils me rattrapent. Je dois accepter que ces gens sont ma famille et que je suis la leur. Et ça demande plus de courage que de se laisser glisser le long d'un câble.

Je me dégage du harnais en me tortillant et je lâche prise. J'atterris durement sur leurs bras, dont je sens les os s'enfoncer dans mon dos. Des mains se referment sur moi, me redressent et me posent à terre. Je vois des sourires, j'entends des rires.

— Alors, ça t'a fait quoi ? s'enquiert Shauna en me tapant sur l'épaule.

Tous me dévisagent. Ils ont l'air aussi sonnés que moi, les

cheveux en bataille, les yeux luisant d'adrénaline. Je vois pour-quoi mon père disait que les Audacieux étaient une bande de fous. Il ne comprenait pas – comment l'aurait-il pu ? – le genre de camaraderie qui ne se crée qu'entre ceux qui ont risqué leur vie ensemble.

— On recommence quand ? dis-je, avec un sourire si large qu'il découvre mes dents.

Ils rient, et je ris. Je repense à la fois où j'ai monté l'escalier avec les Altruistes, tous identiques, tous en rythme. Ce n'est pas comparable. Ici, on est tous différents. Mais d'une certaine manière, on ne fait qu'un.

Je lève les yeux vers le sommet du Hancock Center, trop loin et trop haut pour qu'on puisse distinguer les gens sur le toit.

— Regardez ! Voilà le suivant ! s'écrie quelqu'un en pointant son doigt par-dessus mon épaule.

En me retournant, je repère une petite masse sombre qui glisse le long du câble. Quelques secondes plus tard, j'entends un hurlement à glacer le sang.

— Je vous parie qu'il va pleurer.

— Uriah ? Tu rigoles. Zeke lui casserait la figure.

— Il bat des bras comme un moulin !

— Il crie comme un chat qu'on égorge, ajouté-je.

Tout le monde rit. Je m'en veux un peu de me moquer d'Uriah alors qu'il ne peut pas m'entendre, mais j'aurais dit la même chose devant lui. Enfin, j'espère.

Lorsqu'il s'arrête enfin, je suis les membres qui vont à sa rencontre. On forme un cercle et on se tient les bras pour ne pas laisser d'espace entre nous. Shauna me prend par le coude. J'attrape un autre bras, sans savoir à qui il appartient – il y a trop de mains emmêlées – et je la regarde.

— Je crois qu'on ne peut plus t'appeler « Pète-sec », Tris, m'annonce-t-elle.

+ + +

Quand j'entre dans la cafétéria ce soir-là avec le groupe du Hancock Center, je sens encore l'odeur du vent. À cet instant je me sens une des leurs. Puis Shauna me fait un signe d'au revoir, le groupe se disperse et je me dirige vers la table de Christina, Al et Will, qui me fixent bouche bée.

Je n'ai pas pensé à eux en acceptant l'invitation d'Uriah. Dans un sens, c'est assez agréable de voir leurs airs stupéfaits. Mais il ne faudrait pas qu'ils m'en veuillent.

— Où t'étais ? s'exclame Christina. Qu'est-ce que tu faisais avec eux ?

— Uriah, tu sais, le natif qui était avec nous quand on a pris le drapeau ? Il partait avec des membres et il leur a demandé si je pouvais venir. Ils n'étaient pas trop pour. Il y a même une fille, Lynn, qui ne s'est pas gênée pour me marcher sur les pieds...

— En tout cas, maintenant, ils ont l'air de t'avoir acceptée, observe Will à mi-voix.

Je ne peux pas le nier.

— Ouais, éludé-je. Mais je suis contente d'être revenue.

Pourvu qu'ils ne voient pas que je mens... Je crains bien que si. J'ai surpris mon reflet dans une fenêtre sur le chemin de l'enceinte : les cheveux en bataille, les joues et les yeux brillants. Tout à fait la tête de quelqu'un qui vient de vivre une expérience forte.

— Eh bien, tu as raté un grand moment, lance Al d'un ton excité. Christina a failli démolir un Érudit. Il était là en train de demander aux gens leur opinion sur les dirigeants Altruistes, et Christina lui a signalé qu'il avait certainement mieux à faire.

Heureusement qu'il y a toujours Al pour détendre l'atmosphère.

— Ce en quoi elle avait parfaitement raison, commente Will. Sauf qu'il l'a envoyée bouler. Grave erreur.

— Monumentale, confirmé-je avec conviction.

Si je souris assez, je pourrai peut-être leur faire oublier leur jalousie, ou leur sentiment de trahison ; en tout cas, cette chose qui bouillonne au fond des yeux de Christina.

— Ouais, enchérit-elle, pendant que tu t'amusais, je faisais le sale boulot de défendre ton ancienne faction, en luttant contre les conflits inter-factions...

— Allez, ose prétendre que tu n'as pas aimé ça, la provoque Will avec un coup de coude. Si tu ne racontes pas toute l'histoire, je vais le faire. Le gars était...

Will se lance dans son récit et j'écoute en hochant la tête, mais je revois sans cesse le sol depuis le toit du Hancock Center, et l'image du marais rempli d'eau, restauré dans toute son ancienne gloire. Derrière Will, les membres se balancent des morceaux de nourriture avec leur fourchette

C'est la première fois que j'éprouve réellement le désir de devenir une des leurs.

Ce qui implique de réussir la prochaine étape de l'initiation.

CHAPITRE DIX-HUIT

AUTANT QUE JE PUISSE EN JUGER, la deuxième étape consiste à attendre en groupe dans un couloir sombre devant une porte fermée, en se demandant ce qui se passe derrière.

Uriah est assis par terre en face de moi, entre Lynn et Marlene Désormais, il n'y a plus de séparation entre les natifs et les transferts. C'est ce que nous a dit Quatre avant de disparaître derrière la porte.

— Alors, fait Lynn en grattant le carrelage du bout de sa chaussure. Lequel d'entre vous est arrivé premier au classement ?

Sa question est accueillie par un silence, puis Peter s'éclaircit la gorge.

— C'est moi.

— Je parie que je te battrais, réplique-t-elle en triturant l'anneau de son piercing au sourcil. Je parie que n'importe lequel d'entre nous te battrait, transfert.

Je me retiens de rire. Si j'étais toujours Altruiste, sa remarque me semblerait grossière et déplacée, mais chez les Audacieux, ce genre de défi est courant. Je m'y attends presque, maintenant.

— Je n'en serais pas si sûr, à ta place, rétorque Peter avec une étincelle dans les yeux. Et chez vous, qui est arrivé le premier ?

— Uriah, répond-elle. Et moi, j'en suis sûre. Tu sais combien d'années on a passées à se préparer à ça ?

Si elle cherche à nous intimider, c'est réussi. Je trouve qu'il commence à faire froid dans ce couloir.

Avant que Peter ait le temps de riposter, Quatre ouvre la porte et appelle Lynn. Elle se dirige vers lui, la lumière bleue au bout du couloir dessinant un halo autour de son crâne rasé.

— Alors comme ça, c'est toi le premier, lance Will à Uriah.

— Ouais. Et alors ?

— Ça te paraît normal qu'on soit censés rattraper en quelques semaines ce que vous apprenez depuis que vous êtes nés ? lui demande Will en plissant les yeux.

— On ne peut pas dire ça. D'accord, l'étape un porte sur les compétences techniques, mais on ne peut pas se préparer à l'étape deux. C'est ce qu'on m'a expliqué, en tout cas.

Personne ne répond. On reste assis en silence pendant vingt minutes, que je regarde défiler une par une sur ma montre. La porte s'ouvre de nouveau et Quatre appelle le suivant.

— Peter !

Chaque minute m'use les nerfs comme du papier de verre. Le nombre de novices diminue peu à peu jusqu'à ce qu'il ne reste plus qu'Uriah, Drew et moi. La jambe de Drew tressaute convulsivement, les doigts d'Uriah tambourinent sur son genou et je m'efforce de rester immobile. De la pièce au bout du couloir ne nous parviennent que des marmonnements, et je soupçonne que c'est encore un de ces petits jeux qu'ils aiment tant nous imposer : nous terrifier sans raison. Ils ne manquent jamais une occasion.

La porte se rouvre et Quatre me fait signe.

— Tris.

Je me lève, le dos endolori d'être restée tout ce temps appuyée contre le mur. Drew tente de me faire un croche-pied au passage, mais je saute par-dessus sa cheville à la dernière seconde.

Quatre pose une main sur mon épaule pour me faire entrer dans la salle et referme la porte.

Quand je découvre ce qu'il y a à l'intérieur, j'ai un mouvement de recul et mes épaules heurtent sa poitrine.

La pièce est équipée d'un fauteuil inclinable en métal, semblable à celui du test d'aptitudes, d'une machine que j'ai déjà vue aussi, et d'un ordinateur sur un bureau dans un coin. Il n'y a pas de miroirs et quasiment pas de lumière.

— Assieds-toi, m'intime Quatre.

Il referme les mains sur mes bras pour me faire avancer.

— C'est quoi, comme simulation ? demandé-je.

Je n'ai pas réussi à parler aussi calmement que je l'aurais voulu.

— Tu connais l'expression « affronter ses peurs » ? Ici, on l'applique au pied de la lettre. La simulation va t'apprendre à maîtriser tes émotions dans le cadre d'une situation génératrice de peur.

Je porte une main tremblante à mon front. Par définition, les simulations ne sont pas réelles ; elles ne constituent donc pas une vraie menace ; je n'ai pas de raison de paniquer. Mais ma réaction est viscérale. Je dois faire appel à toute ma volonté pour marcher jusqu'au fauteuil et m'y asseoir une nouvelle fois, en calant ma nuque sur l'appuie-tête. La froideur du métal transperce mes vêtements.

— Ça t'arrive de faire passer les tests d'aptitudes ? demandé-je. Il a l'air qualifié pour.

— Non, réplique-t-il platement. On y croise trop de Pète-sec. Je préfère les éviter.

Quelle raison peut-on avoir d'éviter les Altruistes ? Les Audacieux ou les Sincères, peut-être, parce que le courage et l'honnêteté font parfois faire de drôles de choses aux gens. Mais les Altruistes ?

— Pourquoi ?

— Tu t'attends vraiment à une réponse ?

— À quoi ça sert de balancer ce genre de trucs si tu ne veux pas t'expliquer ensuite ?

Ses doigts effleurent mon cou et tout mon corps se contracte. Un geste d'affection ? Non, bien sûr... il doit dégager mes cheveux de ma nuque. Il tapote quelque chose et je renverse la tête en arrière pour voir ce que c'est. Il a le pouce sur le piston d'une seringue remplie d'un liquide orange.

— Une piqûre ?

J'ai la bouche sèche. Les aiguilles ne me dérangent pas d'habitude, mais celle-ci est énorme.

— Ici, on utilise une version plus sophistiquée de la simulation, m'explique-t-il, avec un autre sérum et sans fils ni électrodes.

— Comment ça peut marcher sans fils ?

— Enfin, moi, j'ai des fils, pour suivre ce qui se passe. Toi, tu as juste un transmetteur miniature contenu dans le sérum qui envoie les données à l'ordinateur.

Il fait pivoter ma tête sur le côté et enfonce doucement l'aiguille à la base de mon cou. Une douleur sourde s'étend dans ma gorge. Je grimace, en essayant de me concentrer sur son visage tranquille.

— Le sérum va faire effet dans soixante secondes, reprend-il. Cette simulation ne fonctionne pas comme celle du test d'aptitudes. Outre le fait que le sérum contient un transmetteur, il stimule le complexe amygdalien, la zone du cerveau qui traite les émotions négatives comme la peur ; et il induit une hallucination. L'activité électrique du cerveau est ensuite transmise à l'ordinateur qui traduit ton hallucination par une image que je peux observer à l'écran. Ensuite, je ferai parvenir cet enregistrement aux administrateurs Audacieux. L'hallucination se poursuit jusqu'à ce que tu te calmes. Autrement dit, jusqu'à ce que tes battements de cœur ralentissent et que tu contrôles ta respiration.

J'essaie de suivre ce qu'il me dit, mais mes pensées s'éparpillent. Je ressens les signes classiques de la peur : les paumes moites, le cœur qui bat à toute vitesse, un poids sur ma poitrine. la bouche sèche, une boule dans la gorge, du mal à respirer. Il prend ma tête entre ses mains et se penche sur moi.

— Sois courageuse, murmure-t-il. C'est toujours la première fois la plus dure.

Ses yeux sont la dernière image que je vois.

+ + +

Je suis dans un champ d'herbe sèche qui m'arrive à la poitrine. L'air sent la fumée et me brûle les narines. Au-dessus de moi, le ciel d'un jaune acide me remplit d'angoisse et me donne envie de fuir.

J'entends un bruissement, comme les pages d'un livre tournées par le vent, alors qu'il n'y a pas un souffle. L'air est immobile, ni chaud ni froid, sans autre perturbation que ce bruissement ; pas du tout comme de l'air. Pourtant, je respire normalement. Une ombre passe au-dessus de moi.

Je sens un poids se poser sur mon épaule et des griffes s'agripper à ma peau, et j'agite le bras pour m'en débarrasser. Quelque chose de lisse et de léger me chatouille le cou. Une plume. Je tourne la tête. Un corbeau gros comme mon avant-bras me fixe d'un œil rond.

Je le frappe mais il ne bronche pas, et se contente d'enfoncer un peu plus ses griffes dans mon épaule. Je pousse un cri, plus de frustration que de douleur, et je frappe encore, des deux mains cette fois. Il reste en place, résolu, l'œil braqué sur moi, ses plumes luisant dans la lumière jaune. Le tonnerre gronde et j'entends le crépitement de la pluie par terre, sans qu'il tombe une goutte d'eau.

Le ciel s'assombrit, comme si un nuage masquait le soleil. En tenant la tête le plus loin possible de l'oiseau, je lève les yeux. Une nuée de corbeaux emplissant l'air de leurs cris plonge vers le sol en un bloc compact, une armée de centaines de petits yeux noirs brillants, de griffes tendues en avant et de becs grands ouverts qui fond sur moi.

Je veux m'enfuir mais mes pieds restent cloués au sol et refusent de bouger, comme le corbeau sur mon épaule. Les oiseaux m'entourent, me frappent les oreilles de leurs ailes, me piquent les épaules de leurs becs, s'agrippent à mes vête-ments ; et je hurle. Je hurle en agitant les bras jusqu'à ce que les larmes me montent aux yeux. Mes mains repoussent des corps, mais en vain ; ils sont trop nombreux, et je suis toute seule. Ils me picorent les doigts et se pressent contre moi, leurs plumes battent contre ma nuque, leurs pattes s'accrochent à mes cheveux.

Je me tords et je glisse par terre en me couvrant la tête de mes bras. Ils m'assaillent avec des croassements de colère. Je sens quelque chose se tortiller dans l'herbe : un corbeau essaie de s'introduire sous mon bras. J'ouvre les yeux et il attaque mon nez à coups de bec. Du sang coule dans l'herbe et je me mets à pleurer en le frappant du plat de la main. Un deuxième se glisse sous mon autre bras et ses serres se plantent sur le devant de mon tee-shirt.

Je hurle. Je pleure. Je gémis.

— À l'aide ! À l'aide !

Les battements d'ailes redoublent, rugissant dans mes oreilles. Ils sont partout, et je ne peux plus penser ni respirer. J'ouvre la bouche et elle se remplit de plumes, ma gorge, mes poumons se remplissent de plumes, qui remplacent mon sang par un poids de plomb.

— À l'aide...

Je crie, je sanglote, incapable de penser. Je vais mourir... je vais mourir.

Ma peau me brûle, je saigne, et les cris des oiseaux me percent les tympans, mais je ne meurs pas. Et je me rappelle que tout ça n'est pas réel ; mais ça *semble* réel, tellement réel ! « Sois courageuse », me murmure Quatre dans ma mémoire. Je lui crie en avalant et en recrachant des plumes :

— À l'aide !

Mais il n'y a pas d'aide. Je suis toute seule.

« L'hallucination se poursuit jusqu'à ce que tu te calmes », reprend sa voix. Je tousse, les yeux embués de larmes. À nouveau, un corbeau s'est faufilé sous mon bras et je sens le bout de son bec pointu qui se glisse entre mes lèvres et tape contre mes dents. L'oiseau pousse sa tête dans ma bouche et je mords d'un coup sec. Un goût horrible m'envahit la langue. Je crache et serre la mâchoire pour me protéger, mais déjà un quatrième corbeau me pique les pieds, un cinquième m'assène des coups de bec dans les côtes.

Calme-toi. Je ne peux pas. Je ne peux pas. Ma tête me lance.

Respire. Je crispe les lèvres en inspirant par le nez. Ça fait des heures que je suis seule dans ce champ. Des jours. J'expire par le nez. Mon cœur tambourine dans ma poitrine. Il faut que je le fasse ralentir. Je prends une longue inspiration, le visage baigné de larmes.

Un nouveau sanglot me secoue. Je me force à m'étendre par terre dans l'herbe piquante. J'allonge un bras et je respire. Les corbeaux se pressent contre mes flancs, s'insinuent sous moi, et je les laisse faire. Je les laisse battre des ailes, croasser, donner leurs coups de becs et pousser **et** je détends mes muscles un par un, me résignant à devenir une carcasse qu'ils picorent.

La douleur me submerge.

J'ouvre les yeux et me voilà assise dans le fauteuil métallique.

Je hurle, je me frappe les bras, la tête, les jambes pour chasser les oiseaux, mais ils sont partis, même si je sens toujours leurs plumes dans ma nuque et leurs serres sur mes épaules et ma peau qui brûle. Avec un geignement, je ramène les genoux contre ma poitrine pour y enfouir le visage.

Une main me touche l'épaule. Je projette mon poing, qui percute une masse solide mais élastique.

— Ne me touche pas, bredouillé-je dans un sanglot.

— C'est fini, me dit la voix de Quatre.

Sa main se pose gauchement sur mes cheveux ; je me rappelle que mon père me caressait la tête quand il me souhaitait bonne nuit, que ma mère me touchait les cheveux quand elle me les coupait. Je me frotte les bras pour chasser les plumes, même si je sais qu'il n'y en a pas.

— Tris.

Je me balance d'avant en arrière dans le fauteuil métallique.

— Tris, je vais te ramener au dortoir, OK ?

— Non !

Je me redresse et je le fusille du regard. Son image est floue à travers mes larmes.

— Je ne veux pas qu'ils me voient... Pas comme ça..

— Oh, on se calme... grogne-t-il en roulant des yeux. Je te fais passer par la porte de derrière, ça te va ?

— Je n'ai pas besoin que tu...

Je secoue la tête. Je tremble comme une feuille. Et je me sens si faible que je ne suis pas sûre de pouvoir me lever, mais il faut que j'essaie. Je ne peux pas être la seule qui ait besoin d'être raccompagnée au dortoir. Même s'ils ne me voient pas, les autres sauront, ils parleront...

— Ne sois pas ridicule, marmonne-t-il.

Il m'attrape par le bras et me hisse hors du fauteuil. Je m'essuie les joues du plat de la main et le laisse m'entraîner vers la porte derrière l'ordinateur.

On parcourt le couloir en silence. Au bout de quelques mètres, je dégage violemment mon bras et je m'arrête.

— Pourquoi tu m'as fait ça ? demandé-je. À quoi ça t'avance ? On ne m'avait pas prévenue qu'en choisissant les Audacieux, je signais pour des semaines de torture !

— Tu croyais que surmonter la lâcheté, ce serait facile ? répond-il calmement.

— Ce n'est pas ça, surmonter sa lâcheté ! La lâcheté, ça

concerne les choix qu'on fait dans la vraie vie, et dans la vraie vie, je ne me fais pas bouffer par des corbeaux !

J'enfouis mon visage dans mes mains et je me remets à pleurer.

Il attend en silence. Enfin, je m'arrête et je sèche mes larmes.

— Je veux rentrer chez moi, dis-je d'une petite voix.

Comme si c'était possible. J'ai le choix entre ici et les taudis des sans-faction.

Il me regarde sans compassion. Il me regarde, point. Ses yeux paraissent noirs dans la pénombre et sa bouche est crispée.

— Être en mesure de penser quand on est terrifié, c'est une leçon que tout le monde doit apprendre, même ta famille de Pète-sec, déclare-t-il. C'est ça qu'on tente de t'inculquer. Si tu n'y arrives pas, tu ne pourras pas rester ici, parce qu'on ne voudra pas de toi.

— *J'essaie* ! affirmé-je d'une voix tremblante. Mais je n'ai pas pu. Je ne peux pas.

Il soupire.

— Combien de temps crois-tu que tu as passé dans cette hallucination, Tris ?

— Je ne sais pas. Une demi-heure ?

— Trois minutes. Tu as mis trois fois moins de temps que les autres novices. C'est tout sauf nul.

Trois minutes ?

Il ébauche un sourire.

— Tu verras, demain, tu seras meilleure.

— Demain ?

Il pose une main sur mon dos et me guide vers le dortoir. Un instant, la pression légère de ses doigts me fait oublier les oiseaux.

— C'était quoi, ta première hallucination ? demandé-je en lui jetant un coup d'œil.

— Ce n'était pas « quoi », mais « qui ». Ça n'a pas d'importance.

— Et tu as surmonté cette peur-là ?

— Toujours pas.

On a atteint la porte du dortoir et il s'adosse au mur en glissant ses mains dans ses poches.

— Je n'y arriverai peut-être jamais, ajoute-t-il.

— Alors elles ne s'en vont pas ?

— Quelquefois, si. Et quelquefois, elles sont remplacées par d'autres.

Il passe les pouces dans sa ceinture

— Mais le but n'est pas de se débarrasser de toutes ses peurs. C'est une illusion. Le but est de les contrôler, d'apprendre à ne plus les subir. C'est ça qui est important.

Je hoche la tête. Avant, je croyais que les Audacieux ne connaissaient pas la peur. C'est l'impression qu'ils donnent, en tout cas. En réalité, ils ont peut-être simplement appris à la contrôler.

— Cela dit, nos vraies peurs sont rarement telles qu'elles apparaissent dans les simulations, reprend-il.

— Comment ça ?

— Tu as vraiment la trouille des corbeaux ? me demande-t-il avec un demi-sourire. Quand tu en vois un, tu te sauves en hurlant ?

Son sourire réchauffe son regard, suffisamment pour que j'oublie, à cet instant, qu'il est mon instructeur Juste un garçon qui me parle tranquillement en me raccompagnant à ma porte.

— Non. Tu as raison.

J'ai envie de me rapprocher de lui, juste pour voir ce que ça fait. Juste parce que j'ai envie.

Stupide, commente une petite voix intérieure.

Je m'appuie contre le mur à côté de lui, en penchant la tête pour le regarder. Comme sur la grande roue, je sais précisément quelle distance nous sépare. Vingt centimètres. Je me penche. Moins de vingt centimètres. L'air se réchauffe, comme si Quatre irradiait une énergie que je ne pouvais percevoir que dans ce rayon-là.

— Alors de quoi j'ai peur, en vrai ?

— Je ne sais pas. Il n'y a que toi qui puisses le découvrir.

Je cherche. Je pense à des dizaines de choses qui m'angoissent, mais je ne pourrais pas déterminer laquelle est la bonne, ni même certifier que c'est une de celles-là.

— Je n'imaginais pas que ce serait si difficile de devenir une Audacieuse, dis-je.

Aussitôt, je m'étonne d'avoir lâché ça ; de l'avoir avoué. Je me mords la joue en l'observant du coin de l'œil ; j'aurais peut-être dû me taire ?

— Il paraît que ça n'a pas toujours été comme ça, réplique-t-il. Je veux dire, d'être un Audacieux.

Apparemment, mon aveu ne l'a pas perturbé.

— Qu'est-ce qui a changé ?

— Les leaders. Les règles de comportement chez les Audacieux sont établies par ceux qui contrôlent la formation. Il y a six ans, Max et les autres leaders ont modifié les méthodes pour les rendre plus compétitives, plus brutales, soi-disant pour mettre à l'épreuve la force des gens. Et ça a changé l'ensemble des priorités des Audacieux. Devine qui est le nouveau protégé des leaders.

Il me paraît évident que c'est Eric. On l'a formé à devenir brutal, et aujourd'hui, il forme les autres à son image.

Je regarde Quatre. Ça n'a pas marché sur lui.

— Eric est arrivé à quelle place dans le classement ?

— Deuxième.

Je traite l'information.

— Donc il n'aurait pas dû être désigné leader. Il n'était qu'un deuxième choix. C'est toi qui aurais dû l'être.

— Qu'est-ce qui te fait penser ça ?

— Son attitude le premier soir au dîner. Il se comportait comme quelqu'un de jaloux, alors même qu'il a eu ce qu'il voulait.

Il ne me contredit pas. Donc, j'ai raison. J'ai envie de lui demander pourquoi il n'a pas accepté la position qu'on lui offrait ; pourquoi il est si réticent à jouer un rôle de leader alors qu'il semble fait pour ça. Mais je sais comment il réagit aux questions personnelles.

Je renifle, je m'essuie les yeux une dernière fois et je remets mes cheveux en ordre.

— Ça se voit que j'ai pleuré ? demandé-je.

— Voyons...

Il se penche en plissant les yeux, comme pour m'examiner. Un petit sourire soulève les coins de sa bouche. Il s'approche encore, au point qu'on respirerait le même air si je n'avais pas oublié comment on respire.

— Non, Tris, tranche-t-il.

Et il ajoute, redevenu sérieux :

— Tu as l'air d'une dure à cuire.

CHAPITRE DIX-NEUF

QUAND J'ENTRE DANS LE DORTOIR, presque tous les novices, transferts et natifs confondus, sont regroupés au milieu de la salle autour de Peter. Il tient une feuille de papier entre les mains.

— « L'exode massif des enfants de leaders Altruistes ne peut être ignoré ni considéré comme une coïncidence », lit-il. « Les récents transferts de Beatrice et Caleb Prior, les enfants d'Andrew Prior, soulèvent des interrogations sur les valeurs et les enseignements des Altruistes. »

Un frisson glacé me parcourt le dos. Christina, qui se tient en bordure du groupe, me repère et me jette un coup d'œil inquiet. Je reste figée. Mon père. Voilà que les Érudits s'en prennent à mon père.

« Comment expliquer autrement que les enfants d'une personnalité aussi importante se détournent du mode de vie qu'il a tracé pour eux ? » poursuit Peter. « Molly Atwood, une novice Audacieuse native, suggère qu'une enfance perturbée et de mauvais traitements pourraient en être la cause. « Je l'ai entendu crier une fois dans son sommeil », nous confie Molly. « Elle demandait à son père d'arrêter de faire quelque chose. Je ne sais pas de quoi elle parlait, mais ça lui donne des cauchemars. »

L'Érudit qu'a agressé Christina... C'était un journaliste. La voilà, la vengeance de Molly. Elle a dû se faire interviewer par ce type.

Elle sourit. Je lui rendrais peut-être service en lui cassant ses dents de travers.

— Pardon ? m'exclamé-je.

Ma voix est sortie rauque et étranglée et je dois me racler la gorge avant de répéter :

— Pardon ?

Peter interrompt sa lecture et quelques novices se retournent. Certains, comme Christina, me regardent d'un air désolé. Mais la plupart échangent des coups d'œil entendus. Peter me nargue avec un sourire jusqu'aux oreilles.

— Donne-moi ça, ordonné-je en tendant la main, les joues en feu.

— Je n'ai pas fini de lire, réplique-t-il d'un ton moqueur.

Ses yeux se posent de nouveau sur l'article.

« Cependant, peut-être le problème vient-il, non d'un individu dépourvu de valeurs morales, mais des idéaux corrompus de toute une faction. Dans ce cas, nous avons laissé la ville aux mains d'un groupe de tyrans incapables de nous mener à la prospérité. »

Je lui fonce dessus pour lui arracher la feuille, mais il la brandit très haut au-dessus de sa tête, hors de ma portée. Je ne sauterai pas pour l'attraper. Je lève le pied et lui écrase les orteils de tout mon poids. Il serre les dents pour étouffer une plainte.

Puis je me jette sur Molly et je la prends à la gorge. Mais avant que j'aie pu lui faire mal, deux mains froides se referment autour de ma taille.

— C'est de mon *père* que tu parles ! hurlé-je en hoquetant. Mon *père*, espèce de lâche !

Will me sépare de Molly en me soulevant du sol. Je me débats. Il faut que je m'empare de la feuille avant que quelqu'un lise un mot de plus. Il faut que je la brûle ; il faut que je la détruise.

Will me fait sortir du dortoir ; je sens ses ongles qui s'enfoncent dans ma peau.

Une fois la porte refermée derrière nous, il me pose par terre et je le repousse violemment.

— Quoi ? Tu crois que je ne saurais pas me défendre contre ces pourris de Sincères ?

— Non, me répond-il en me barrant la porte. Je voulais surtout t'empêcher de déclencher une émeute dans le dortoir. Calme-toi.

Je ris jaune.

— Me calmer ? Me *calmer* ? C'est de ma famille qu'ils parlent, de ma faction !

— Rectification : de ton *ancienne* faction. Et comme tu ne peux pas les empêcher de parler, ce serait plus malin de les ignorer.

Il a les yeux cernés, l'air épuisé.

— Tu n'as vraiment rien écouté ? m'emporté-je. Ta stupide ex-faction ne se contente plus d'insulter les Altruistes. Ils appellent à un renversement de tout le gouvernement !

Je ne sens plus la chaleur sur mes joues et ma respiration s'est apaisée.

— Mais non, me répond Will avec un petit rire. Ils sont

ennuyeux et arrogants, c'est pour ça que je suis parti ; mais ce ne sont pas des révolutionnaires. Ils réclament juste qu'on leur donne davantage la parole et ils reprochent aux Altruistes de ne pas les écouter.

— Ils se fichent qu'on les écoute ; ils veulent surtout qu'on soit du même avis qu'eux, rétorqué-je. Ce n'est pas normal de harceler les gens pour les forcer à être d'accord avec toi. Je n'arrive pas à croire que mon frère les ait choisis.

— Hé, ils ne sont pas si méchants que ça, riposte Will, piqué.

Je hoche la tête, mais je ne le crois pas. Je ne peux pas imaginer que quelqu'un sorte indemne de chez les Érudits, bien que Will ne s'en soit pas si mal tiré.

La porte s'ouvre sur Al et Christina.

— À mon tour de me faire tatouer, déclare-t-elle. Vous venez avec nous ?

Je me recoiffe. Impossible de retourner dans le dortoir. Même si Will me laissait faire, je serais en infériorité numérique. Je suis bien obligée de les suivre, en tâchant d'oublier ce qui se passe en dehors de l'enceinte des Audacieux. J'ai déjà assez de soucis sans devoir m'inquiéter au sujet de ma famille.

✛ ✛ ✛

Devant moi, Al porte Christina sur son dos. Elle couine quand il se met à courir dans la foule. Les gens s'écartent pour le laisser passer ; quand ils en ont la place.

Mon épaule me brûle encore. Christina m'a persuadée de m'y faire tatouer le sceau des Audacieux, comme elle. C'est un cercle avec une flamme au milieu. Après l'absence de réaction de ma mère devant les choucas sur ma clavicule, j'ai perdu une bonne partie de mes réserves sur les tatouages. Ça fait partie du quotidien ici, ça entre dans mon initiation au même titre qu'apprendre à me battre.

Je marche avec Will derrière Al et Christina.

— Ça me scie que tu te sois fait faire un nouveau tatouage, me dit-il.

— Pourquoi ? Parce que je suis une Pète-sec ?

— Non, parce que tu es quelqu'un de... raisonnable.

Il sourit. Il a des dents blanches et bien alignées.

— Alors, c'était quoi, ta peur, aujourd'hui, Tris ?

— Trop de corbeaux. Et toi ?

Il se marre.

— Trop d'acide.

Je ne lui demande pas ce que ça signifie.

— C'est vraiment fascinant, la façon dont ça fonctionne, reprend-il. Au fond, c'est un duel entre le thalamus, qui produit la peur, et le lobe frontal, qui prend les décisions. Toute la simulation se déroule dans ta tête. Même si tu as l'impression que c'est quelqu'un d'autre qui t'inflige ça, en fait c'est toi qui te le fais à toi-même et...

Il s'arrête.

— Désolé. Je parle comme un Érudit. Mauvaise habitude.

— Pas grave ; c'était intéressant.

Al manque de lâcher Christina et elle se rattrape à la première chose qui lui tombe sous la main, à savoir son nez. Il fait une grimace et resserre sa prise sur ses jambes. En apparence, Al a l'air heureux, mais il y a quelque chose de lourd jusque dans ses sourires. Il m'inquiète.

Je repère Quatre près du gouffre au milieu d'un groupe. Il rit tellement qu'il doit se retenir à la barrière. À en juger par la bouteille qu'il tient à la main et par son visage empourpré, il est ivre, ou bien parti pour. À force de le voir comme quelqu'un de rigide, comme un soldat, j'avais oublié qu'il n'avait que dix-huit ans.

— Ho ho, fait Will. Alerte instructeur.

— Au moins, ça n'est pas Eric, remarqué-je. Ou il trouverait le moyen de nous faire jouer les trompe-la-mort.

— Ouais, n'empêche que Quatre est flippant. Tu te souviens quand il a collé un pistolet sur la tempe de Peter ? J'ai cru que Peter allait se pisser dessus.

— Il l'avait cherché, répliqué-je fermement.

Will ne discute pas. Il l'aurait peut-être fait il y a quelques semaines, mais on sait tous maintenant de quoi Peter est capable.

— Tris ! m'appelle Quatre.

J'échange un regard mi-surpris, mi-inquiet avec Will. Quatre s'écarte de la rambarde et s'approche. Devant nous, Al arrête de courir et Christina se laisse glisser de son dos. Je ne peux pas leur reprocher de se poser des questions. On est plusieurs, et il ne s'est adressé qu'à moi.

— Tu as quelque chose de changé.

Sa diction, d'ordinaire articulée, est un peu encombrée.

— Toi aussi.

Et c'est vrai. Il a l'air plus détendu, plus jeune.

Je lui demande :

— Qu'est-ce que tu fais ?

— Je flirte avec la mort, répond-il en se marrant. Je bois près du gouffre. Peut-être pas l'idée du siècle.

— Effectivement.

— Je ne savais pas que tu avais un tatouage, dit-il en regardant ma clavicule.

Il boit au goulot. Son haleine est chargée et acide. Comme celle du sans-faction que j'ai croisé. Je ne suis pas sûre que ça me plaise de le voir ainsi. C'est dérangeant.

— Hm. Les *corbeaux*, ajoute-t-il.

Il jette un coup d'œil sur ses amis, qui continuent sans lui, contrairement aux miens.

— Je te proposerais bien de venir avec nous, mais tu n'es pas censée me voir comme ça.

J'ai envie de lui demander pourquoi il me le proposerait, mais je suppose que ça a un rapport avec la bouteille qu'il tient à la main.

— Comme ça comment ? Soûl ?

— Ouais... enfin, non. (Sa voix s'adoucit.) En vrai, je dirais.

— Je ferai comme si je n'avais rien vu.

— C'est sympa.

Il se penche pour me déclarer :

— Ça te va bien, ton nouveau look, Tris.

Prise de court, je sens mon cœur bondir dans ma poitrine. C'est d'autant plus idiot que, vu le regard flou qu'il pose sur moi, il ne sait même pas ce qu'il dit.

Je ris.

— Rends-moi service, tiens-toi à l'écart de cette rambarde, d'accord ?

— Promis, me lance-t-il avec un clin d'œil.

C'est plus fort que moi, je souris. Will s'éclaircit la gorge, mais je n'ai pas envie de partir, alors même que Quatre s'en va rejoindre ses amis.

Brusquement, Al me fonce dessus tel un rocher dévalant une pente, me soulève et me jette sur son épaule. Je rougis et je crie.

— Allez, la petite, dit-il. C'est l'heure du dîner.

Tandis qu'il m'emporte calée sur son dos, je prends appui sur mon coude et je fais un signe d'au revoir à Quatre.

— J'ai pensé qu'il fallait te sortir de là, m'explique Al en me reposant par terre. Qu'est-ce qu'il te voulait ?

Il a beau prendre un ton détaché, il ne réussit pas à supprimer la pointe d'amertume dans sa voix.

— Oui, je crois qu'on attend tous la réponse à cette question, intervient Christina d'un ton chantant. Qu'est-ce qu'il t'a raconté ?

Je secoue la tête.

— Rien. Il avait bu. Il ne savait même plus ce qu'il disait. (Je me racle la gorge.) C'est pour ça que je souriais. C'était... marrant de le voir comme ça.

— Mais oui, intervint Will. Ça ne pourrait pas être parce que...

Je lui balance un coup de coude dans les côtes sans le laisser finir. Il se tenait assez près pour entendre la remarque de Quatre sur mon nouveau look. Pas la peine qu'il aille le raconter à tout le monde, encore moins à Al. Je n'ai pas envie de le déprimer davantage.

Chez moi, je passais des soirées calmes et agréables avec ma famille. Ma mère tricotait des écharpes pour les gamins du quartier. Mon père aidait Caleb à faire ses devoirs. Il y avait du feu dans la cheminée et la paix dans mon cœur, puisque je faisais exactement ce que j'avais à faire, et tout était tranquille.

Je n'avais jamais été portée par une armoire à glace, je n'avais jamais eu de fou rire à table, ni écouté la rumeur de cent personnes qui parlent en même temps. La paix a quelque chose de contenu ; ici, c'est la liberté.

CHAPITRE VINGT

JE RESPIRE PAR LE NEZ. J'inspire, j'expire. J'inspire.

— Ce n'est qu'une simulation, Tris, me rappelle doucement Quatre.

Il a tort. La dernière a débordé sur ma vie, comme empiètent parfois l'un sur l'autre l'état de veille et le sommeil. Je suis assaillie de cauchemars où je retrouve non seulement les corbeaux, mais les sensations que j'ai éprouvées au cours de la simulation : la terreur et l'impuissance.

J'ai de brusques crises de panique sous la douche, au petit-déjeuner, en chemin pour venir ici. Je me ronge les ongles jusqu'au sang. Et visiblement, je ne suis pas la seule dans cet état.

Mais j'acquiesce, avant de fermer les yeux.

+++

Je suis dans le noir. Les dernières choses dont je me souvienne, ce sont le fauteuil métallique et l'aiguille dans mon cou. Cette fois, il n'y a pas de champ ; pas de corbeaux. L'appréhension accélère mon rythme cardiaque. Quels monstres vont surgir de l'obscurité et me voler ma raison ? Combien de temps vais-je devoir les attendre ?

Un globe bleu s'allume à quelques pas de moi, puis un autre, illuminant les lieux. Je suis dans la Fosse à côté du gouffre et tous les novices se tiennent autour de moi, les bras croisés, le visage impassible. Je cherche Christina des yeux et la trouve au milieu du groupe. Personne ne bouge. Leur immobilité me noue la gorge.

Je distingue quelque chose devant moi : mon propre reflet, ténu. Je tends la main pour le toucher et mes doigts rencontrent du verre, frais et lisse. Je lève la tête. Il y a une vitre au-dessus de moi ; je suis dans une cage de verre. J'appuie sur le plafond pour essayer de le soulever. Il ne bouge pas. Je suis prisonnière.

Mon cœur s'accélère. Je ne veux pas être enfermée. Quelqu'un tape sur la vitre. Quatre. Il me montre mes pieds en riant.

Il y a quelques secondes, ils étaient au sec, mais d'un seul coup, je me retrouve dans deux centimètres d'eau et mes chaussettes sont trempées. Je m'accroupis pour chercher d'où vient l'eau, mais elle semble arriver de nulle part. Je me tourne vers Quatre, qui hausse les épaules et regagne le groupe des novices.

L'eau monte rapidement. Déjà, elle me recouvre les chevilles. Je cogne du poing contre la vitre.

— Hé ! Laissez-moi sortir !

L'eau, fraîche et douce, atteint mes mollets nus. Je cogne plus fort.

— Sortez-moi de là !

Je regarde fixement Christina. Appuyée sur Peter, elle murmure à son oreille et ils rient tous les deux.

L'eau recouvre mes cuisses. Je frappe la vitre à deux mains.

Je n'essaie plus d'attirer leur attention, mais de briser le verre. Je cogne de toutes mes forces, frénétiquement. Je recule et je donne un coup d'épaule dans la paroi, une fois, deux fois, trois fois, quatre fois. Je continue jusqu'à me faire mal, je hurle, j'appelle au secours en voyant l'eau qui gagne ma taille, ma cage thoracique, ma poitrine.

Je crie :

— Au secours ! S'il vous plaît ! S'il vous plaît, aidez-moi !

Je frappe du plat de la main, encore et encore. Je vais mourir dans ce caisson. Je passe mes mains tremblantes dans mes cheveux. Je vois Will au milieu des novices et quelque chose clignote dans un coin de ma tête. Une chose qu'il a dite. *Allez, réfléchis.* J'arrête de cogner contre la vitre. Je dois prendre le temps de respirer : d'ici quelques secondes, je vais avoir besoin d'un maximum d'air.

Mon corps s'élève, en apesanteur dans l'eau. Bientôt, mon crâne touche le plafond. Quand l'eau m'arrive au menton, je renverse la tête en arrière. Je suffoque. Je colle mon visage contre la paroi en inspirant le plus d'air possible. Puis l'eau me recouvre entièrement.

Ne panique pas. Rien à faire, mon cœur s'emballe et mes pensées se dispersent. Je me débats dans l'eau en frappant les parois. Je donne des coups de pieds de toutes mes forces, mais l'eau ralentit mon élan. *La simulation se passe dans ta tête.*

Je veux hurler et ma bouche se remplit d'eau. Si c'est dans ma tête, c'est moi qui ai le contrôle. Les yeux me piquent. Les novices me fixent d'un air passif. Ils se moquent totalement de ce qui m'arrive.

Je pousse contre la paroi et j'entends un bruit, un craquement. Quand je retire ma main, il y a une fissure dans le verre.

Je recommence et une autre fissure apparaît, plus longue que ma paume, dessinant de fins bras d'étoile de mer. La poitrine me brûle comme si je venais d'avaler du feu. Je me fais mal aux orteils en donnant des coups de pieds dans la vitre, et j'entends comme un long grondement sourd.

La vitre se brise en mille morceaux et la pression de l'eau sur mon dos me pousse en avant. Je respire à nouveau.

J'ouvre grand la bouche et je m'assois. Je suis dans un fauteuil. J'avale ma salive en agitant les mains. Quatre est à ma droite, mais au lieu de m'aider, il reste là à me regarder.

— Quoi ?

— Comment as-tu fais ça ?

— Quoi ?

— Brisé le verre ?

— J'en sais rien.

Enfin, il me tend une main. Je tourne mes jambes sur le côté et quand je me lève, je me sens stable. Calme.

Quatre soupire, me prend par le coude et me fait sortir de la salle. D'un pas vif, il m'entraîne dans le couloir en me tirant autant qu'il me guide, jusqu'à ce que je m'arrête en dégageant mon bras. Il me fixe en silence. Il ne dira rien si je ne lui tire pas les vers du nez.

— Qu'est-ce qu'il y a ? demandé-je.

— Tu es une Divergente.

Je le dévisage, traversée par des décharges de peur. Il sait. Comment a-t-il compris ? J'ai dû laisser échapper quelque chose, dire une bêtise.

Je ferais mieux d'avoir l'air détaché. Je m'adosse au mur et je lui demande :

— C'est quoi, un Divergent ?

— Ne fais pas l'idiote. J'ai déjà eu des doutes la dernière fois, mais là, c'est clair. Tu as manipulé la simulation ; tu es une Divergente. Je vais effacer l'enregistrement, mais si tu ne tiens pas à finir au fond du gouffre, tu as intérêt à le cacher pendant les exercices. Maintenant, si tu veux bien m'excuser...

Il retourne dans la salle et claque la porte derrière lui. J'ai manipulé la simulation ; j'ai brisé le verre. J'ignorais que c'était un acte de Divergence.

Mais lui, comment le sait-il ?

Je me redresse et je repars. Il me faut des réponses et je sais où les trouver.

+ + +

Je vais droit au studio de tatouage où travaille Tori. C'est le milieu de l'après-midi et la Fosse est quasi déserte. Ils sont presque tous au travail ou en cours. Il y a trois personnes quand j'arrive : un client, son tatoueur en train de lui dessiner un lion sur le bras, et Tori, qui trie des papiers sur le comptoir. Elle lève la tête à mon arrivée.

— Salut, Tris.

Elle jette un coup d'œil vers son collègue, trop concentré sur son ouvrage pour faire attention à nous.

— Allons derrière, me propose-t-elle.

Je la suis derrière le rideau qui sépare les deux pièces. Là, il y a quelques chaises, des aiguilles, de l'encre, des blocs-notes et des illustrations encadrées. Tori tire le rideau et on s'assoit côte à côte. Je tape du pied en rythme, histoire de me donner une contenance.

— Alors ? me demande-t-elle. Comment ça va, les simulations ?

— Très bien, fais-je en hochant la tête plusieurs fois. Même un peu trop bien, paraît-il.

— Ah.

— Je voudrais que tu m'aides à comprendre, dis-je en baissant la voix. Qu'est-ce que ça signifie, être un...

J'hésite. Je ne devrais pas prononcer ce mot.

— Enfin, bon sang, qu'est-ce que je suis ? Et quel rapport avec les simulations ?

Tori change instantanément d'attitude. Elle s'adosse à sa chaise en croisant les bras, sur la réserve.

— Entre autres choses, tu... tu es quelqu'un qui sait, au cours d'une simulation, que son expérience n'est pas réelle. Et qui peut donc manipuler la simulation, voire l'arrêter. Et aussi... (Elle se penche en avant et me fixe dans les yeux.) quelqu'un qui, chez les Audacieux... a une certaine propension à mourir.

Un poids s'abat sur ma poitrine, comme si chacune de ses paroles pesait une tonne. La tension monte en moi au point que je ne pourrai bientôt plus la contenir. J'ai besoin de pleurer, de crier, ou de...

Je lâche un petit rire rauque qui s'éteint presque aussitôt, et je murmure :

— En gros, tu me dis que je vais mourir ?

— Pas forcément. Pour l'instant, les leaders Audacieux ne sont pas au courant pour toi. J'ai tout de suite supprimé les résultats de ton test de l'ordinateur et je t'ai classée manuellement chez les Altruistes. Mais tu ne dois pas te leurrer : s'ils apprennent ce que tu es, ils te *tueront*.

Je la dévisage. Elle n'a pas l'air d'une folle. Elle me semble équilibrée, un peu speed peut-être, mais elle ne m'a jamais fait l'effet d'être instable. Pourtant, elle doit l'être. Depuis ma naissance, il n'y a pas eu un seul meurtre dans la ville. Et même si des individus en sont peut-être capables, les leaders d'une faction ne commettraient jamais un tel acte.

— Tu es paranoïaque, dis-je. Les leaders Audacieux ne me tueront pas. Le meurtre n'existe pas. Plus maintenant. C'est bien le but de tout ça... du système des factions.

— Ah, c'est ce que tu crois ?

Elle se penche de nouveau vers moi, les mains sur les genoux, et me regarde bien en face, les traits soudain tirés par une sorte de rage froide.

— Ils ont bien eu mon frère, pourquoi pas toi, hein ? Qu'est-ce qui te rend si spéciale ?

— Ton frère ?

— Ouais. Mon frère. On venait des Érudits, sauf que son test n'était pas concluant. Le dernier jour des simulations, on a retrouvé son corps dans le gouffre. Ils ont dit que c'était un suicide. Alors qu'il s'en sortait bien à l'entraînement, qu'il avait une petite copine, qu'il était heureux.

Elle secoue la tête.

— Tu as un frère, non ? Tu ne crois pas que tu le saurais s'il était suicidaire ?

J'essaie d'imaginer Caleb en train de se suicider. Rien que l'idée me paraît absurde. Même s'il était malheureux, ce n'est pas une option qu'il envisagerait.

Elle a remonté ses manches et je vois le dessin d'une rivière sur son bras droit. Est-ce qu'elle se l'est fait tatouer après la mort de son frère ? Cette rivière, est-ce aussi le symbole d'une peur qu'elle a surmontée ?

Elle baisse la voix.

— Dans la deuxième étape de l'entraînement, Georgie est

devenu vraiment bon, vraiment rapide. Il disait que les simulations ne lui faisaient même pas peur... que c'était comme un jeu pour lui. Alors les instructeurs ont commencé à s'intéresser à son cas. Quand c'était son tour, ils venaient tous assister à ses simulations. Ils n'arrêtaient pas de parler de lui en chuchotant. Et le dernier jour, un des leaders est venu voir par lui-même. Le lendemain, Georgie était mort.

Si j'arrive à maîtriser la force qui m'a permis de briser la paroi de verre, je pourrais être bonne dans les simulations : assez pour que tous les instructeurs le remarquent. Je pourrais. Mais, apparemment, je n'ai pas intérêt.

— Et c'est tout ? dis-je. Le problème, c'est juste qu'on contrôle les simulations ?

— À mon avis, non. Mais c'est tout ce que je sais.

— Combien de personnes sont au courant ? De la possibilité de manipuler les simulations ?

Je pense à Quatre.

— Deux types de personnes, me répond-elle. Ceux qui voudraient te voir morte et ceux qui l'ont expérimenté eux-mêmes ; ou indirectement, comme moi.

Quatre a promis d'effacer l'enregistrement où on me voit briser le verre. Il ne veut pas que je meure. Est-ce que ça signifie que c'est un Divergent ? Qu'un membre de sa famille l'était ? Un ami ? Une petite amie ?

Je chasse cette pensée. Je ne dois pas me laisser distraire par lui.

— Je ne vois pas en quoi ça dérangerait les leaders Audacieux que je puisse manipuler les simulations, déclaré-je lentement.

— Si je le savais, je te le dirais.

Elle serre les lèvres et poursuit :

— Je sais juste que la capacité d'influencer la simulation n'est pas ce qui les intéresse en soi. Elle n'est qu'un symptôme. C'est ce qu'il y a dessous qui les inquiète.

Tori me prend les mains.

— Réfléchis, conclut-elle. Ces gens t'ont appris à te servir d'une arme. Ils t'ont appris à te battre. Tu crois qu'ils ne seraient pas capables de te faire du mal ? Ou de te tuer ?

Elle me relâche et se lève.

— Il faut que tu y ailles ou Bud va se poser des questions. Fais attention à toi, Tris.

CHAPITRE VINGT ET UN

LA PORTE DE LA FOSSE se referme derrière moi et je me retrouve seule. Je n'ai pas pris ce tunnel depuis le jour de la cérémonie du Choix. Je me revois l'emprunter d'un pas incertain, guettant la lumière. Je n'en ai plus besoin, maintenant, pour marcher d'un pas sûr.

Il s'est passé quatre jours depuis que j'ai parlé à Tori. Entre-temps, les Érudits ont sorti deux articles. Le premier accuse les Altruistes de priver les autres factions des produits de luxe, comme les voitures et les aliments frais, pour imposer à tout le monde leurs propres valeurs et leur esprit de sacrifice. En le lisant, je me suis rappelé la sœur de Will, Cara, accusant ma mère de s'accaparer ces produits.

Le deuxième article souligne les inconvénients de choisir les membres du conseil au sein d'une seule et unique faction, et demande ce qui justifie de privilégier l'abnégation chez les représentants du gouvernement. Il prône un retour au système politique des élections démocratiques d'autrefois. Ça paraît logique, mais je soupçonne que sous couvert d'argumentation rationnelle, il s'agit d'un appel à la révolution.

J'arrive au bout du tunnel. Le filet est toujours là, suspendu au-dessus du vide, comme le jour de mon arrivée. Je monte les marches jusqu'à la plateforme sur laquelle Quatre m'a réceptionnée et je saisis la barre à laquelle est fixé le filet. À ce moment-là, je n'aurais jamais pu me soulever à la force des bras. Maintenant, je le fais presque sans y penser, et je me laisse rouler jusqu'au milieu du filet.

Au-dessus de moi se dressent les tours vides qui entourent la Fosse, sous un ciel, bleu foncé et sans étoiles. Il n'y a pas de lune.

Ces articles m'ont perturbée, mais j'ai des amis pour me remonter le moral, et c'est important. Quand le premier est paru, Christina a fait du charme à l'un des cuisiniers pour qu'il nous laisse préparer un gâteau. Après le deuxième, Uriah et Marlene m'ont appris un jeu de cartes qui nous a occupés près de deux heures dans la cafétéria.

Mais ce soir, j'ai besoin d'être seule. Et surtout, j'ai besoin de me rappeler pourquoi je suis venue ici, pourquoi je tenais à y rester au point de sauter du haut d'une tour, avant même de savoir ce que c'était qu'être une Audacieuse. J'enchevêtre mes doigts dans les trous du filet.

Je voulais être comme les Audacieux que je voyais au lycée. Je voulais pouvoir parler fort, être intrépide et libre comme eux. Mais ce n'étaient pas des membres ; ils ne faisaient que jouer à être des Audacieux, tout comme moi quand j'ai sauté du toit. Je ne savais pas ce que c'était que la peur.

Ces quatre derniers jours, j'ai affronté quatre nouvelles peurs. Dans la première simulation, j'étais attachée à un pieu et Peter allumait un feu sous mes pieds. Dans la deuxième.

je me noyais de nouveau, cette fois au milieu de l'océan, tandis que la tempête faisait rage autour de moi. Dans la troisième, ma famille se vidait de son sang sous mes yeux. Et dans la dernière, quelqu'un me visait à bout portant et me forçait à tirer sur mes parents. Je sais ce que c'est que la peur maintenant.

Je sens glisser sur moi le courant d'air ascendant et je ferme les paupières. Je me revois au bord du toit, en train de défaire les boutons de ma chemise grise d'Altruiste, de la rouler en boule et de la jeter sur Peter.

Je rouvre les yeux. Non ; je n'ai pas sauté de ce toit pour être comme les Audacieux. Je l'ai fait parce que j'étais *déjà* comme eux et que je voulais le leur montrer. Je voulais exprimer un aspect de moi que les Altruistes m'avaient toujours obligée à cacher.

J'étire les bras derrière ma tête et de nouveau, j'entortille les doigts dans le filet. Je tends les pointes de pieds au maximum. Le ciel de nuit est vide et silencieux et, pour la première fois depuis quatre jours, mon esprit aussi.

+ + +

Assise dans le fauteuil de la salle des simulations, je reprends mon souffle avec difficulté, le visage dans les mains. Aujourd'hui, la scène était la même qu'hier ; quelqu'un me visait à bout portant avec une arme et m'ordonnait de tirer sur ma famille.

Quand je me redresse, Quatre est là, qui m'observe.

— Je sais que ce n'est pas réel, dis-je.

— Tu n'as pas besoin de te justifier, répond-il. Tu aimes ta famille Tu ne veux pas leur tirer dessus. Ta réaction n'a rien d'anormal.

— La simulation est le seul moment où je peux les voir.

Quoi qu'il en dise, je me sens obligée d'expliquer pourquoi j'ai tant de mal à affronter cette peur-ci. Je me tords les mains. Je n'ai plus d'ongles ; je les ronge dans mon sommeil et je me réveille tous les matins les doigts écorchés.

— Ils me manquent. Ta famille... elle ne te manque jamais '

Quatre examine ses chaussures.

— Non, admet-il enfin. Mais c'est assez atypique.

Tellement atypique que j'oublie un instant l'horreur d'avoir pointé un pistolet sur la poitrine de Caleb. À quoi pouvait bien ressembler sa famille pour qu'elle ne compte plus pour lui ?

Une main sur la poignée de la porte, je m'arrête, je me retourne et sans rien dire, du regard, je lui pose la question : *Est-ce que tu es comme moi ? Est-ce que tu es un Divergent ?*

Le simple fait de penser ce mot me paraît dangereux. Les yeux de Quatre sont rivés sur les miens, et à mesure que les secondes passent, il perd son air sévère. J'entends mon cœur qui bat. Je le fixe depuis trop longtemps ; mais bon, lui aussi, et je sens qu'on essaie tous les deux d'exprimer quelque chose que l'autre ne peut pas entendre. Peut-être que ce n'est que mon imagination. Mon cœur bat de plus en plus fort, et ses yeux tranquilles m'engloutissent.

J'ouvre la porte et je file dans le couloir.

Ce n'est pas normal que je me laisse distraire par lui aussi facilement. Ni qu'il y ait encore de la place dans ma tête pour penser à autre chose qu'à l'initiation. Les simulations devraient me perturber davantage ; elles devraient me briser, comme elles brisent presque tous les novices. Drew ne dort plus ; il passe ses nuits roulé en boule, les yeux rivés sur le mur. Al crie dans ses cauchemars et pleure dans son oreiller. Mes mauvais rêves et mes ongles rongés ne sont rien en com paraison.

Les plaintes d'Al me réveillent à chaque fois. Alors je fixe les ressorts de la couchette au-dessus de ma tête, en me demandant ce qui cloche chez moi pour que je continue à me sentir forte quand tous les autres s'écroulent. Est-ce le fait d'être une Divergente qui me donne ce calme, ou y a-t-il autre chose ?

De retour dans le dortoir, je m'attends à trouver la même scène que la veille : des novices allongés sur leur lit, les yeux perdus dans le vague. Or, ils sont tous rassemblés au bout de la salle devant Eric. Il tient un tableau à la main, face dirigée vers lui. Je rejoins Will.

— Qu'est-ce qui se passe ? murmuré-je.

J'espère que ce n'est pas encore un article, parce que je ne suis pas sûre de pouvoir encaisser un nouvel assaut d'hostilité.

— Le classement de l'étape deux.

— Je croyais qu'il n'y avait pas d'éliminatoires après l'étape deux, sifflé-je entre mes dents.

— Il n'y en a pas. C'est juste un genre de bilan de progression. Je hoche la tête.

Je ne me sens pas très bien, comme si j'avais mangé quelque chose de pas frais.

Eric soulève le tableau et l'accroche au clou. Quand il s'écarte, le silence tombe. Je tends le cou pour lire.

Je suis dans la première case.

Des têtes se tournent vers moi. Mes yeux parcourent la liste. Christina et Will sont septième et neuvième. Peter est deuxième, mais en vérifiant le temps indiqué à côté de son nom, je constate qu'il y a une marge considérable entre nous.

Sa durée moyenne de simulation est de huit minutes ; la mienne, de deux minutes quarante-cinq secondes.

— Bien joué, Tris, me chuchote Will.

J'acquiesce, les yeux toujours rivés au tableau. Je devrais me réjouir d'être première, mais je sais ce que ça implique. Si Peter et ses copains me méprisaient avant, maintenant, ils vont me haïr. Maintenant, je suis à la place d'Edward. Ça pourrait être mon œil, la prochaine fois. Ou pire.

Je cherche le nom d'Al et le trouve dans la dernière case. Le groupe se disperse lentement, ne laissant plus que Peter, Will, Al et moi devant le tableau. Je voudrais consoler Al. Lui expliquer que si je m'en sors aussi bien, c'est seulement parce que mon cerveau ne fonctionne pas comme les autres.

Peter se retourne lentement, les membres raidis par la tension. Je me serais sentie moins menacée par un accès de colère que par le regard qu'il me jette, un regard de pure haine. Il passe devant moi en se dirigeant vers son lit mais, à la dernière seconde, fait volte-face et me projette contre le mur, les mains plaquées sur mes épaules.

— Je ne me laisserai pas battre par une Pète-sec, siffle-t-il, le visage si près du mien que je sens son haleine rance. Comment t'as fait ça, hein ? Comment t'as fait ?

Il me tire en avant et me repousse violemment contre la cloison. Le choc de l'impact se répercute le long de ma colonne vertébrale et je serre les dents pour ne pas crier. Will saisit Peter par le col et l'éloigne de moi.

— Laisse-la tranquille. Il n'y a que les lâches qui s'en prennent aux gamines.

— Une gamine ? ricane Peter en se dégageant. T'es aveugle

ou juste totalement débile ? Elle t'éjectera du classement, et des Audacieux par la même occasion. Et tu te retrouveras sans rien, tout ça parce qu'elle sait manipuler les gens, et toi le premier. Quand t'auras compris qu'elle est partie pour nous couler tous, préviens-moi.

Il sort du dortoir comme un fou, et Molly et Drew le suivent d'un air dégoûté.

— Merci, soufflé-je à Will.

— C'est vrai, ce qu'il dit ? me demande-t-il à voix basse. Tu essaies de nous manipuler ?

— Et comment je m'y prendrais ? grondé-je. Je fais juste du mieux que je peux, comme tout le monde.

— Je sais pas... fait-il avec un petit haussement d'épaule. En prenant des airs fragiles pour qu'on ait pitié de toi ? Et ensuite en jouant les dures pour nous embrouiller ?

— Vous embrouiller ? Je suis votre *amie*, Will. Je ne ferais jamais ça.

Il ne répond pas. Je ne l'ai pas convaincu, ou pas complètement.

— Ne sois pas idiot, Will, intervient Christina en sautant de sa couchette.

Elle me regarde sans une trace de compassion et ajoute :

— Elle ne joue pas.

Elle s'en va, sans fermer la porte. Will lui emboîte le pas.

Je me retrouve seule avec Al. La première et le dernier du classement.

Jamais il ne m'a paru petit, mais là, il l'est, recroquevillé tout au bord de son lit, les épaules rentrées, le corps tassé sur lui-même comme du papier froissé.

— Ça va, toi, Al ?

— Ouais, ouais.

Il est écarlate. Je détourne les yeux. Je lui ai posé la question machinalement ; n'importe qui serait capable de voir qu'Al ne va pas bien.

— Ce n'est pas fini, argumenté-je. Tu peux améliorer ton classement si tu...

Il lève les yeux vers moi et je n'achève pas ma phrase. Je ne sais même pas ce que j'allais dire. Il n'y a pas de stratégie qui vaille dans l'étape deux. Elle repose fondamentalement sur qui on est et sur le courage qu'on trouve au fond de soi.

— Tu vois ? observe-t-il. Ce n'est pas si simple.

— Je sais bien.

Il secoue la tête et son menton tremblote.

— Non, tu ne sais pas. Pour toi, c'est facile. Tout est facile.

— Ce n'est pas vrai.

— Mais si.

Il ferme les yeux.

— Tu ne m'aideras pas en prétendant le contraire, Tris. Je ne... je ne crois pas que tu puisses m'aider, de toute façon.

Je me sens maladroite et empêtrée, comme si je venais de passer sous une averse et que mes vêtements étaient alourdis par l'eau. Pense-t-il que personne ne peut l'aider ou parle-t-il de moi en particulier ? Dans les deux cas, ça me révolte. Je *veux* l'aider. Sauf que je ne peux pas.

— Je...

J'allais m'excuser ; mais de quoi ? D'être plus Audacieuse que lui ? De ne pas savoir quoi faire ?

— Écoute, Tris...

Les larmes qu'il retenait coulent sur ses joues.

— ... j'ai besoin d'être seul.

Je hoche la tête et je sors. Le laisser seul n'est pas une bonne idée, mais je n'ai pas la force de rester. J'entends la porte se refermer derrière moi et je m'éloigne dans le couloir.

Je dépasse la fontaine à eau et je m'enfonce dans les tunnels, qui me paraissaient sans fin à mon arrivée, mais où je m'oriente maintenant instinctivement. Ce n'est pourtant pas la première fois que je trahis les valeurs de ma famille depuis que je suis ici, mais c'est le sentiment que j'ai. Jusqu'ici j'ai toujours su ce que j'aurais dû faire, quitte à ne pas le faire. Cette fois, je ne sais pas. Serais-je devenue incapable d'identifier les besoins des gens ? Aurais-je perdu une part de moi-même ?

Je poursuis mon chemin.

✝ ✝ ✝

Je retrouve le couloir où je m'étais réfugiée le jour du départ d'Edward. Je n'ai pas envie d'être seule, mais je n'ai pas vraiment le choix. Assise par terre, les yeux fermés, je me concentre sur le contact froid de la pierre en respirant l'air renfermé des souterrains.

— Tris ! m'appelle une voix au bout du couloir.

Uriah arrive en courant. Derrière lui, j'aperçois Lynn et Marlene, une brioche à la main.

— Je pensais bien te trouver là, me déclare-t-il en s'accroupissant à côté de moi. Paraît que t'es première au classement.

— Et tu viens me féliciter ? répliqué-je d'un ton narquois. Ben merci.

— C'est normal que quelqu'un le fasse, et je me suis dit que tes copains ne seraient peut-être pas très généreux en compliments, vu qu'ils sont derrière toi. Arrête de bouder et viens avec nous. Je vais tirer sur une brioche posée sur la tête de Marlene.

L'idée est tellement idiote que je ne peux pas m'empêcher de rire

Je me lève et on va retrouver les filles. Lynn me regarde avec des petits yeux, mais Marlene m'adresse un grand sourire.

— Pourquoi tu n'es pas sortie faire la fête ? s'étonne-t-elle. Si tu continues comme ça, tu es pratiquement sûre d'avoir ta place dans les dix premiers.

— Elle est trop Audacieuse pour les autres transferts, lui répond Uriah.

— Et trop Altruiste pour faire la fête, remarque Lynn.

Je ne réagis pas.

— Pourquoi tu veux tirer sur une brioche posée sur la tête de Marlene ? demandé-je.

— Elle a parié que je ne visais pas assez bien pour toucher un petit objet à trente mètres, m'explique Uriah. Et j'ai parié qu'elle n'aurait pas le cran de se tenir sous la cible. Du coup, on a trouvé un arrangement.

La salle où on s'est entraînés au tir n'est pas loin de mon tunnel. On y est en moins d'une minute. Uriah allume la lumière. Rien n'a changé depuis la dernière fois : les cibles à un bout de la salle, une table avec des pistolets à l'autre bout.

— Ils les laissent traîner comme ça ?

— Ils ne sont pas chargés, dit Uriah en soulevant son tee-shirt.

Il a un pistolet glissé dans sa ceinture, surmontée d'un tatouage. J'essaie de déterminer ce qu'il représente mais, déjà, il a laissé retomber son tee-shirt.

— OK, dit-il à Marlene, va te placer devant la cible.

Celle-ci traverse la pièce d'une démarche sautillante.

— Sérieusement, tu ne vas pas lui tirer dessus ? m'exclamé-je.

— Ce n'est pas un vrai pistolet, me souffle Lynn. Il est chargé avec des balles en plastique. Au pire, ça va lui faire l'effet d'une piqûre, peut-être lui coller un bleu. Tu nous prends pour qui ?

Marlene prend position devant une des cibles et pose la brioche sur sa tête. Uriah ferme un œil et vise.

— Attends ! lui crie Marlene.

Elle arrache un bout de brioche, qu'elle enfourne dans sa bouche.

— Mmmprête ! lance-t-elle la bouche pleine en levant les pouces.

— J'imagine que tu es bien classée ? dis-je à Lynn.

Elle acquiesce.

— Uriah est deuxième. Je suis première. Marlene est quatrième.

— Tu me dépasses d'un cheveu, précise Uriah en visant.

Il appuie sur la détente. La brioche tombe de la tête de Marlene. Elle n'a pas cillé.

— On a gagné tous les deux ! s'écrie-t-elle.

— Ta vieille faction te manque ? me demande Lynn

— Des fois. C'était plus calme. Moins fatigant.

Marlene ramasse la brioche et mord dedans.

— Eh, c'est dégueu ! fait Uriah.

— L'initiation est censée nous réduire à ce qu'on est vraiment, reprend Lynn. En tout cas, d'après Eric.

— Et Quatre, lui, dit que ça sert à nous préparer.

— Ils n'ont pas vraiment la même vision des choses.

Quatre m'a dit en effet qu'Eric avait une conception discutable des valeurs de la faction, mais j'aimerais bien connaître la sienne. De temps en temps, j'ai des aperçus de l'autre aspect des Audacieux – leurs applaudissements quand j'ai sauté de la tour, leurs bras entremêlés qui m'ont rattrapée au bout du câble – mais ça ne suffit pas. Quatre a-t-il lu le manifeste ? Est-ce en cela qu'il croit ? Aux actes de courage ordinaire ?

La porte de la salle s'ouvre et Shauna, Zeke et Quatre entrent au moment où Uriah tire sur une nouvelle cible. La balle en plastique rebondit en plein dans le mille et roule par terre.

— Il me semblait bien avoir entendu du bruit ici, déclare Quatre.

— Surprise, c'est mon crétin de frère, commente Zeke. Hé les novices, vous n'avez pas le droit de venir ici tout seuls. Faites gaffe, si Quatre le dit à Eric, vous êtes morts.

Uriah regarde son frère avec une grimace et range son pistolet. Marlene traverse la pièce en mangeant sa brioche et Quatre s'écarte pour nous laisser sortir.

— Dis, tu ne vas pas nous balancer à Eric ? lui demande Lynn, sourcils froncés.

— Non, je ne vais pas vous balancer, soupire Quatre.

Quand je passe devant lui, il pose une main sur mon dos pour me pousser dehors, et je frissonne en sentant sa paume entre mes omoplates. Pourvu qu'il n'ait rien vu.

Les autres s'engagent dans le couloir, Lynn, Uriah et Zeke en se bousculant, Marlene en partageant sa brioche avec Shauna. Je m'apprête à les suivre.

— Attends une minute, me dit Quatre.

Je me tourne vers lui en me demandant à quelle facette de Quatre je vais avoir droit cette fois-ci : la sévère, ou celle qui grimpe sur la grande roue avec moi ? Il esquisse un sourire mais son regard reste tendu et inquiet.

— Tu as ta place ici, tu le sais, ça, me déclare-t-il. Tu as ta place chez nous. Ce sera bientôt fini. Alors accroche-toi, OK ?

Il se gratte la nuque et détourne les yeux, comme s'il était gêné d'avoir dit ça.

Je sens mon cœur battre jusque dans mes orteils. J'hésite entre commettre une bêtise ou me sauver, sans trop savoir ce qui serait le plus malin. Et je crois que je m'en fiche.

Je tends la main pour prendre la sienne, et il glisse ses doigts entre les miens. Je ne peux plus respirer.

On se regarde un bon moment en silence, puis je retire ma main et je pars en courant rattraper les autres. Maintenant, il pense peut-être que je suis stupide, ou bizarre. Mais peut-être aussi que ça valait le coup.

Je rentre au dortoir avant tout le monde. Je me dépêche de me mettre au lit pour faire semblant de dormir quand ils commencent à revenir. Je n'ai pas besoin d'eux, pas s'ils doivent réagir comme ça quand je m'en sors bien. Si je réussis l'initiation, je deviendrai une Audacieuse et je n'aurai plus à les voir.

Je n'ai pas besoin d'eux ; mais est-ce que je tiens à eux ? Chacun de mes tatouages est un rappel de leur amitié ; et presque chaque fois que j'ai ri dans cet endroit sombre, c'était avec eux. Je n'ai pas envie de les perdre. Pourtant, on dirait que c'est déjà fait.

Au bout d'une bonne demi-heure de ces pensées, je roule sur le dos et j'ouvre les yeux. Il fait noir maintenant dans le dortoir ; tout le monde est couché. « Probablement épuisés par cette rancœur accumulée contre moi », pensé-je en riant jaune. Ça ne suffit pas que je vienne de la faction la plus détestée, il faut en plus que je les rabaisse.

Je me lève pour aller chercher un verre d'eau, histoire de

bouger. Mes pieds nus adhèrent à chaque pas au dallage de pierre. Je frôle le mur avec la main pour marcher droit. Une ampoule diffuse une lueur bleue au-dessus de la fontaine à eau.

Je me penche pour boire en rejetant mes cheveux dans mon dos. Au moment où mes lèvres touchent l'eau, j'entends parler au bout du couloir. Je m'approche lentement, sans faire de bruit, en comptant sur l'obscurité pour ne pas me faire repérer.

— Jusqu'ici, il n'y a eu aucun signe, dit la voix d'Eric.

Des signes de quoi ?

— C'est normal, ça ne se remarque pas à ce stade, lui répond une femme.

C'est une voix froide et familière, mais familière comme dans un rêve, pas comme si je connaissais la personne dans la réalité.

— On ne peut rien discerner en entraînement de combat, poursuit-elle. En revanche, les simulations permettent de révéler le cas échéant la présence de rebelles Divergents. Il va falloir examiner les enregistrements plusieurs fois pour vérifier.

Le mot « Divergent » me glace le sang. Le dos toujours collé au mur, je tends le cou pour essayer de voir à qui appartient cette voix.

— N'oublie pas la première raison pour laquelle je t'ai fait nommer par Max, reprend-elle. Ta priorité est de les trouver. Toujours.

— Je ne l'oublie pas.

J'avance de quelques centimètres. Cette femme est donc celle qui tire les ficelles, c'est à elle qu'Eric doit sa position de leader ; c'est elle qui veut me voir morte. Je me penche pour l'apercevoir avant qu'ils tournent à l'angle du couloir.

Quelqu'un me saisit par derrière.

Je veux crier mais une main se plaque sur ma bouche. Elle sent le savon, et elle est assez grande pour me couvrir la moitié du visage. Je me débats, mais les bras me maintiennent avec force. Je mords un des doigts.

— Aïe ! lâche une voix âpre.

— La ferme, et garde la main sur sa bouche !

Cette voix-ci est aiguë et plus claire. Peter.

Un bandeau noir m'aveugle et une troisième paire de mains l'attache derrière ma tête. On me pousse en avant. J'ai du mal à respirer. Ils sont trois. La peur m'oppresse la poitrine. Je ne peux pas me battre seule contre trois.

— Je me demande de quoi ça a l'air, une Pète-sec qui supplie, ricane Peter. Allez, on se grouille.

J'essaie de me concentrer sur la main plaquée sur ma bouche. Je dois pouvoir en tirer un indice pour identifier la personne. Ça me donne un problème à résoudre. Et j'ai besoin d'un problème à résoudre tout de suite, ou je vais paniquer.

Sa main est chaude et moite. Je respire par le nez, la machoire crispée. Je connais cette odeur de savon. Sauge et citronnelle. C'est l'odeur qui flotte autour du lit d'Al. Un poids de plomb s'abat sur mon estomac

J'entends le fracas de l'eau qui s'écrase sur les rochers. On est près du gouffre – juste au-dessus, vu la puissance du bruit. Je serre les lèvres pour ne pas hurler. Si on est bien là où je crois, je sais ce qu'ils veulent me faire.

— Allez, soulève-la.

Je me débats en criant. Pourtant, je sais que ça ne sert à rien, que je ne pourrai pas me libérer et que d'ici, personne ne m'entendra.

Je survivrai jusqu'à demain. Je survivrai.

Les mains me bousculent, me hissent, et mon dos heurte quelque chose de dur et de froid. À en juger par sa largeur et sa courbure, c'est une barrière métallique. C'est LA barrière, celle qui surplombe le gouffre. Je respire en sifflant et l'écume du torrent me frôle la nuque. Les mains me forcent à m'arc-bouter contre le rail. Mes pieds ne touchent plus le sol, et seuls mes agresseurs me retiennent encore de basculer dans le vide.

Une main me pelote lourdement la poitrine.

— T'es sûre que t'as seize ans, Pète-sec ? On dirait que t'en n'as que douze.

L'un des deux autres se marre.

J'ai un goût de bile dans la bouche ; j'avale ma salive.

— Attendez ! Je crois que j'ai quand même trouvé quelque chose ! reprend la première voix.

Nouveaux rires. Je me mords la langue pour ne pas crier. La main m'écrase, maintenant.

Soudain Al me lâche, libérant ma bouche.

— Arrête ça, aboie-t-il.

Je reconnais sa voix grave, bien identifiable.

Aussitôt, je recommence à me débattre et me laisse glisser par terre. Cette fois, je mords violemment le premier bras que je trouve et j'entends un cri de douleur. J'enfonce mes dents et le goût du sang envahit ma bouche. Un objet dur me frappe au visage et un éclair incandescent explose dans ma tête. Ce serait de la douleur si l'adrénaline ne me courait pas dans les veines comme de l'acide.

Celui que j'ai mordu libère son bras et me jette par terre. Mon coude heurte la pierre. Je porte les mains à mon visage pour retirer le bandeau. Un coup de pied me percute les côtes, expulsant l'air de mes poumons. Je suffoque, je tousse en cherchant à tâtons le nœud du bandeau. Quelqu'un me saisit par les cheveux et me claque la tête contre une surface dure. Prise d'un vertige, je pousse un cri de douleur.

Alors, mes doigts tremblants glissent le long du bandeau, et je réussis finalement à le soulever. Je cligne des paupières. Tout est de travers et la scène oscille devant mes yeux. J'entends des pas qui se précipitent vers nous et d'autres, lourds, qui s'éloignent. Ceux d'Al. Je me relève en m'agrippant à la barrière.

Peter me soulève par-dessus la rambarde, une main sur ma gorge, le pouce enfoncé sous mon menton. Ses cheveux d'ordinaire lisses et brillants sont emmêlés et collés à son front. Son visage est blême et tendu, sa mâchoire contractée. Il me maintient suspendue au-dessus du gouffre. Des points noirs surgissent dans mon champ de vision, puis des points verts, bleus, roses, qui dansent sur sa figure. Il ne dit rien. J'essaie de lui donner des coups de pied mais mes jambes sont trop courtes. Je n'ai plus d'air.

J'entends un cri, et il me lâche.

Je tombe, les bras loin devant moi, et mes aisselles heurtent la barrière. Avec un gémissement, je replie les coudes dessus pour m'y accrocher. De l'écume jaillit sur mes chevilles. Le monde tangue et bascule autour de moi. Par terre, quelqu'un hurle de douleur ; c'est Drew. Il y a des coups de poing, des coups de pied. Des gémissements.

Je cligne plusieurs fois des paupières en essayant de me concentrer sur le seul visage que je vois. Il est déformé par la colère, mais il est toujours beau, et ses yeux toujours pensifs.

Je croasse :

— Quatre.

Je ferme les yeux.

Ses mains me hissent au-dessus de la rambarde. Il m'appuie contre lui, glisse un bras autour de mes épaules et l'autre sous mes genoux. Je laisse aller ma tête sur sa poitrine, et c'est le silence.

CHAPITRE VINGT-DEUX

LA PREMIÈRE CHOSE que je vois en rouvrant les yeux, ce sont les mots « Seul Dieu est à craindre » peints sur un mur blanc. J'entends de nouveau le bruit de l'eau qui court, mais c'est celle du robinet et non plus le bouillonnement du gouffre. Je mets plusieurs secondes à distinguer clairement les contours de l'endroit où je me trouve, la porte, une table, le plafond...

Je suis allongée sur une couverture en patchwork. Une douleur lancinante me vrille le crâne, les joues et les côtes. Si je bouge, ce sera pire. Je tourne la tête avec une grimace pour localiser le bruit de l'eau.

Dans la salle de bains, Quatre se lave les mains au lavabo. Du sang rougit l'eau en coulant de ses doigts. Il a une coupure à la commissure des lèvres, mais rien d'autre, apparemment. Il examine ses phalanges d'un air tranquille, ferme le robinet puis se sèche sur une serviette.

Je n'ai qu'un seul souvenir de mon arrivée dans cette pièce, une seule image : une boucle à l'encre noire qui s'achève à la base d'un cou, l'extrémité d'un tatouage ; et, associé à cette image, un bercement, qui signifie forcément qu'il m'a portée.

Il sort de la salle de bains et prend un pack de glace dans le réfrigérateur. Quand il s'approche, je décide de faire semblant de dormir, mais nos yeux se croisent et c'est trop tard.

— Tes mains, dis-je d'une voix rauque.

— Ne t'occupe pas de mes mains.

Il pose un genou sur le matelas et se penche sur moi pour glisser la glace sous ma tête. Je tends la main pour toucher la coupure qu'il a au bord de la lèvre, et suspends mon geste à mi-course en réalisant ce que j'allais faire.

Et puis... qu'est-ce que j'ai à perdre ? Je pose doucement les doigts sur sa bouche.

— Tris, murmure-t-il, mes doigts toujours sur ses lèvres. Je n'ai rien.

— Qu'est-ce que tu faisais là-bas ? demandé-je en laissant retomber ma main.

— Je rentrais de la salle de contrôle. J'ai entendu crier.

— Qu'est-ce que tu leur as fait ?

— J'ai déposé Drew à l'infirmerie il y a une demi-heure. Peter et Al se sont enfuis. Drew a prétendu qu'ils voulaient juste te faire peur. Je crois que c'est ce qu'il essayait de dire, en tout cas.

— Tu l'as amoché ?

— Il s'en remettra, répond-il d'un ton amer. On verra bien dans quel état.

Ce n'est pas très glorieux de vouloir du mal à d'autres par pure vengeance. Mais un sentiment brûlant de triomphe s'empare de moi à la pensée de Drew à l'infirmerie.

— Bien fait pour lui, commenté-je avec une colère froide en prenant le poignet de Quatre.

Je sens monter une rage sourde qui m'envahit. Soudain, j'ai

envie de frapper, de casser quelque chose, mais je n'ose pas bouger. Alors je me mets à pleurer.

Quatre s'accroupit près du lit et me regarde. Je ne lis pas de compassion dans ses yeux. Tant mieux, ça m'aurait déçue. Il libère son poignet et, à ma surprise, pose la main sur ma joue, son pouce effleurant ma pommette avec précaution.

— Je peux signaler ce qui s'est passé.

— Non. Je ne veux pas qu'ils croient que j'ai peur.

Il fait aller et venir son pouce distraitement sur ma pommette.

— J'étais sûr que tu dirais ça.

— Tu crois que ce serait une mauvaise idée que je m'assoie ? demandé-je.

— Je vais t'aider.

Il me prend l'épaule d'une main et me soutient la tête de l'autre pendant que je me redresse. La douleur m'assaille de toutes parts et je réprime une plainte.

Il me tend le pack de glace.

— Si tu as mal, tu peux l'exprimer, déclare-t-il. Il n'y a que moi ici.

Je me mords la lèvre. Mes larmes continuent de couler silencieusement, mais on fait l'un et l'autre comme si de rien n'était.

— À partir de maintenant, je te conseille de t'appuyer sur tes amis transferts pour ta protection, reprend-il.

— C'est ce que je croyais faire.

Je repense à la main d'Al sur ma bouche, et un sanglot me secoue tout entière. Je presse mon front contre ma main et je me balance lentement d'avant en arrière.

— Mais Al...

— Il voulait que tu restes la petite fille Altruiste fragile et discrète, m'explique doucement Quatre. Il s'en est pris à toi parce que ta force fait ressortir ses faiblesses. C'est aussi simple que ça.

J'aimerais bien le croire.

— Les autres seraient moins jaloux si tu leur montrais que tu es vulnérable. Même si c'est faux, précise-t-il.

— Tu veux dire que je dois faire *semblant* d'être vulnérable ? demandé-je en haussant un sourcil.

— Absolument.

Il me prend la glace en frôlant mes doigts et la maintient contre ma tête. Je baisse le bras, trop heureuse de pouvoir me détendre. Il se lève. Mes yeux se posent sur la couture de son tee-shirt.

À certains moments, je le vois comme n'importe quelle autre personne, et à d'autres, sa vue me remue l'estomac presque douloureusement.

— Telle que je te connais, reprend-il, demain matin, tu vas vouloir entrer au pas de charge à la cafétéria, histoire de prouver à ceux qui t'ont attaquée qu'ils n'ont pas réussi à t'atteindre. Alors que tu as tout intérêt à faire profil bas, sans chercher à cacher ce bleu sur ta joue.

L'idée me soulève le cœur.

— Je ne sais pas si je peux faire ça, dis-je d'une voix blanche en levant les yeux vers lui.

— Il va pourtant falloir.

— Tu ne comprends pas. Ils m'ont... ils m'ont touchée.

Tout son corps se raidit et sa main se crispe sur le pack de glace.

— Touchée ? répète-t-il avec un éclat froid dans le regard.

— Pas... pas comme tu crois.

Je n'avais pas prévu de parler de ça, ni que ce serait aussi gênant. Je m'éclaircis la gorge en détournant la tête avant de continuer :

— Mais presque.

Il reste silencieux si longtemps que je finis par me sentir obligée de dire quelque chose.

— Qu'est-ce qu'il y a ?

— Ça me coûte de dire ça, mais c'est important. Dans l'immédiat, tu dois faire passer ta sécurité en priorité, et tant pis pour le reste. Tu comprends ?

Son visage est grave, ses sourcils froncés forment une barre juste au-dessus de ses yeux.

Mon estomac se tord, en partie parce que je sais qu'il a raison même si ça ne me convient pas ; et en partie parce que je ressens une envie que je ne sais pas comment exprimer, celle d'annuler la distance physique entre nous.

Je hoche la tête.

— En revanche, fais-moi plaisir, ajoute-t-il. Dès que l'occasion se présente...

Il appuie une main sur ma joue, froide et forte, et me soulève le menton pour que je le regarde. Il a une lueur féroce dans les yeux, presque prédatrice.

— ... ne les rate pas.

Je ris d'un rire mal assuré.

— Quatre, tu sais que tu peux être effrayant ?

— Et s'il te plaît, ne m'appelle pas comme ça.

— Comment je dois t'appeler, alors ?

— Ne m'appelle pas.

Il retire sa main.

— Pour l'instant.

CHAPITRE VINGT-TROIS

JE NE RETOURNE PAS AU DORTOIR CETTE NUIT-LÀ. Dormir dans la même pièce que mes agresseurs juste pour faire la fière serait de la pure bêtise. Quatre dort par terre et moi dans son lit, sur la couverture. Je respire l'odeur de son oreiller, un mélange de lessive et de quelque chose de lourd, doux et distinctement masculin.

Sa respiration ralentit et je m'assois pour vérifier qu'il dort. Il est allongé sur le ventre, la tête posée sur un bras, les yeux fermés, la bouche entrouverte. Pour la première fois, il ne fait pas plus que ses dix-huit ans. Je me demande qui il est vraiment, quand il n'est pas un Audacieux, ni un instructeur, ni Quatre, quand il n'a aucun rôle à tenir.

Quelle que soit la réponse, il me plaît. C'est plus facile à admettre maintenant, dans le noir, après tout ce qui vient de se passer. Il n'est pas particulièrement gentil, ni même agréable. Mais il est intelligent, courageux et, même s'il vient de me sauver, il ne me traite pas comme une petite chose fragile. C'est tout ce que j'ai besoin de savoir.

Je m'endors en regardant les muscles de son dos se soulever et s'abaisser au rythme de sa respiration.

Je me réveille en ayant mal partout. Je m'assois, une main sur les côtes, et je vais me regarder dans le miroir accroché au mur. Il est trop haut pour moi, mais j'arrive à m'y voir en me haussant sur la pointe des pieds. Comme prévu, j'ai un bleu sombre sur la joue. Je déteste l'idée de débarquer à la cafétéria dans cet état, mais je n'ai pas oublié les conseils de Quatre. Je dois me faire des amis. Je dois m'appuyer sur mon apparence de vulnérabilité pour assurer ma protection.

Je me fais un chignon. La porte s'ouvre et Quatre entre, une serviette à la main, les cheveux humides. Il lève les bras pour les sécher et je tressaille en voyant apparaître une bande de peau nue au-dessus de sa ceinture. Je me force à reporter les yeux sur son visage d'un air détaché.

— Salut.

Ma voix est tendue. Raté.

Il touche mon bleu du bout des doigts.

— Pas trop mal ? demande-t-il. Comment va ta tête ?

— Très bien.

J'ai menti. Elle me lance. J'effleure ma bosse et la douleur se diffuse dans tout mon crâne. Je ne vais pas me plaindre ; je pourrais flotter dans la rivière.

Tous les muscles de mon corps se tendent quand il pose la main sur mon thorax, à l'endroit où j'ai reçu un coup de pied. Son geste est nonchalant, mais je reste tétanisée.

— Et tes côtes ? poursuit-il à mi-voix.

— Ça fait mal seulement quand je respire.

Il sourit.

— Ça, ça va être dur à éviter.

— C'est Peter qui serait content. Je suis sûre qu'il inviterait tout le monde pour fêter ça.

— J'irai seulement s'il y a du gâteau.

Je ris. La douleur m'arrache une grimace et je pose la main sur la sienne pour empêcher mes côtes de bouger. Il se dégage lentement en me frôlant du bout des doigts, et je me sens gagnée par un sentiment de détresse. Bientôt, ce moment sera passé, et je me retrouverai de nouveau aux prises avec les événements d'hier soir. Je voudrais juste rester ici avec lui.

Il m'encourage d'un petit signe de tête avant de me précéder dans le couloir, et on prend la direction de la cafétéria.

— Je vais entrer en premier, annonce-t-il quand on arrive devant la porte. À plus tard, Tris.

Il entre et je reste seule. Hier, il m'a dit que je devais faire semblant d'être faible. Mais il se trompait : je le suis déjà. Je n'ai pas besoin de faire semblant. Je m'adosse au mur et je passe une main sur mon front. Comme ça me fait mal de respirer à fond, je prends des petites inspirations rapides. Pas question de craquer. Ils m'ont attaquée pour m'affaiblir psychologiquement. Pour me protéger, je peux leur faire croire que ça a marché ; mais ça ne doit pas devenir une réalité.

Je me redresse et je pousse la porte sans plus réfléchir. Au bout de quelques pas, je me rappelle que je suis censée faire le dos rond et je ralentis. Je rase les murs, le nez baissé. Uriah, installé à une table voisine de celle de Will et Christina, lève la main pour me faire signe, puis la baisse en voyant ma tête.

Je m'assois à côté de Will.

Al n'est pas là. Je ne le vois nulle part.

Uriah abandonne son verre d'eau et le reste de son petit pain pour venir se glisser à côté de moi. Pendant quelques secondes, ils me dévisagent tous les trois.

— Qu'est-ce qui s'est passé ? me demande Will à mi-voix.

Derrière lui, je vois Peter qui mange une tartine en chuchotant quelque chose à Molly. Mes mains se crispent sur le bord de la table. Je veux qu'il en bave. Mais ce n'est pas le moment.

Drew n'est pas là. Donc, il est encore à l'infirmerie. Cette pensée me remplit d'un plaisir pervers.

— Peter, Drew... dis-je à mi-voix.

Je tends la main vers une tartine en me tenant les côtes. Ça fait mal. Je grimace ouvertement, en rentrant la tête dans les épaules.

J'avale ma salive, avant d'achever.

— Et... et Al aussi.

— C'est pas vrai ! murmure Christina, les yeux agrandis par le choc.

— Et toi, ça va ? s'inquiète Uriah.

Le regard de Peter croise le mien et je prends sur moi pour détourner les yeux. Ça me coûte de lui montrer que j'ai peur de lui, mais je n'ai pas le choix. Quatre avait raison. Je dois faire tout mon possible pour éviter de me faire attaquer de nouveau.

— Pas vraiment, avoué-je.

J'ai les yeux qui piquent, et contrairement à la grimace, ce n'est pas du chiqué. Je crois à la mise en garde de Tori, maintenant. Si Peter, Drew et Al étaient prêts à me jeter dans le gouffre par pure jalousie, qu'y a-t-il d'inconcevable à ce que les leaders Audacieux puissent commettre un meurtre ? Je me sens mal, tout à coup. Si je ne fais pas attention, je peux mourir. Je dois même me méfier des leaders de ma faction. Ma nouvelle famille.

— Mais tu n'es qu'... (Uriah se mord la lèvre.) C'est pas loyal ! Ils s'y sont mis à trois contre un !

— Et comme chacun sait, Peter est le champion de la loyauté, ricane Christina en secouant la tête. C'est pour ça qu'il a poignardé Edward dans l'œil pendant son sommeil. Mais Al ? Tu es sûre, Tris ?

Je fixe mon assiette. Je suis le prochain Edward. Mais contrairement à lui, je ne partirai pas.

— Ouais, confirmé-je. Je suis sûre.

— Je crois qu'il est au bout du rouleau, observe Will. Il est... je ne sais pas, il n'est plus le même depuis le début de la deuxième étape.

À ce moment-là, Drew entre dans la cafétéria d'un pas traînant. Je lâche ma tartine et je reste bouche bée.

Dire qu'il est « contusionné » serait un euphémisme. Son visage est gonflé et violacé. Il a une lèvre et une arcade sourcilière fendues. Il traverse la salle les yeux baissés. Je jette un coup d'œil à Quatre à l'autre bout de la salle. Il sourit d'un air satisfait et je dois me retenir pour ne pas en faire autant.

— C'est *toi* qui lui as fait ça ? siffle Will.

Je fais non de la tête.

— Il y a quelqu'un... je ne sais pas qui... précisé-je qui est arrivé juste avant que...

J'ai une boule dans la gorge. Le fait de formuler l'épisode le rend encore plus vrai, encore plus sordide.

— ... avant qu'ils me jettent dans le gouffre.

— Ils voulaient te *tuer* ? me demande Christina à voix basse.

— Ça se peut. Ou ils voulaient juste me faire peur. Si c'est le cas, ça a marché.

Christina me dévisage avec compassion. Will a l'air furieux.

— Il faut qu'on fasse quelque chose, déclare Uriah à mi-voix.

— Quoi, leur casser la gueule ? demande Christina avec un grand sourire. Je crois que c'est déjà fait.

— Non, objecte Will, ça, ils s'en remettront. Il faut qu'on les dégage du classement. Ça bousillerait leur avenir. Définitivement.

Quatre se lève et vient se placer au milieu de la salle. Les conversations cessent brusquement.

— Les transferts, on a quelque chose de nouveau au programme, aujourd'hui, annonce-t-il. Suivez-moi.

On se lève et Uriah plisse le front.

— Fais gaffe à toi, me glisse-t-il.

— T'en fais pas, lui répond Will, on sera là pour la protéger.

+ + +

Quatre nous entraîne hors de la cafétéria puis sur les chemins qui longent la Fosse. Will marche à ma gauche, Christina à ma droite.

— Je ne me suis jamais vraiment excusée, me dit-elle soudain. D'avoir pris le drapeau alors qu'il te revenait. Je ne comprends pas ce qui m'a pris.

Je ne sais pas si j'ai raison de lui pardonner – de leur pardonner, après ce qu'ils m'ont dit quand le classement a été diffusé. Mais ma mère m'expliquerait que les gens ne sont pas parfaits et qu'il faut savoir faire preuve d'indulgence. Et Quatre m'a conseillé de m'appuyer sur mes amis.

Je ne sais pas à qui me fier, ni qui sont mes vrais amis. Uriah et Marlene qui m'ont soutenue même quand je paraissais forte, ou Christina et Will qui m'ont toujours protégée quand je paraissais faible ?

Les grands yeux bruns de Christina croisent les miens, et je hoche la tête en signe de compréhension.

— Oublie ça, dis-je.

J'éprouve toujours de la colère, mais je ne veux pas l'alimenter.

On grimpe, plus haut qu'on ne l'a jamais fait, jusqu'à ce que Will blêmisse dès qu'il regarde en bas. Je lui prends le bras comme si j'avais besoin de me tenir, alors qu'en réalité, c'est moi qui le soutiens. Il me remercie d'un sourire.

Quatre se retourne et fait quelques pas à reculons ; sur un chemin étroit et sans garde-fou. J'espère pour lui qu'il le connaît par cœur.

Il repère Drew, à la traîne dans les derniers, et lui lance :

— Drew, on suit le rythme !

Vu l'état de Drew, c'est assez méchant, mais j'ai du mal à réprimer un sourire. Jusqu'à ce que je voie le regard de Quatre se durcir en s'arrêtant sur mon bras passé sous celui de Will. Son expression me donne le frisson. Est-ce qu'il serait... jaloux ?

On approche du plafond de verre et je vois le soleil, pour la première fois depuis des jours. Quatre monte un escalier métallique qui mène à une ouverture. Les marches grincent sous ses pieds. Je contemple la Fosse et le gouffre tout en bas. Arrivés en haut des marches, on débouche sur le plafond de verre, ou plutôt sur ce qui devient le plancher, dans une salle cylindrique entièrement vitrée. Tout autour se dressent des immeubles à l'abandon à moitié effondrés, ce qui explique sans doute pourquoi je n'avais jamais remarqué l'enceinte des Audacieux auparavant. Et puis, on est loin du secteur Altruiste.

La salle est pleine de gens qui discutent par petits groupes.

Dans un coin, deux hommes se battent avec des bâtons et rient quand l'un des deux rate son coup et frappe dans le vide. Au-dessus de moi, deux cordes sont tendues d'un bout à l'autre de la pièce, l'une environ un mètre au-dessus de l'autre. Elles ont sûrement un rapport avec les acrobaties casse-cou pour lesquelles les Audacieux sont si célèbres.

Quatre nous fait franchir une autre porte. Derrière s'étend un vaste espace humide, avec des graffiti sur les murs et des tuyaux apparents. La salle est éclairée par des tubes au néon en plastique, qui doivent dater de Mathusalem.

— Cet endroit, déclare Quatre, les yeux éclaircis par la lumière du soleil, sert à un genre de simulation différent de celui que vous connaissez, et qu'on appelle le paysage des peurs. Il a été déconnecté pour aujourd'hui ; il vous apparaîtra sous un autre aspect la prochaine fois que vous y viendrez.

Derrière lui, le mot « Audacieux » est artistiquement tagué en rouge sur un mur en béton.

— Vos simulations nous ont permis d'amasser des données sur vos angoisses les plus profondes. Le paysage des peurs va puiser dans ces données et vous confronter à une série d'obstacles virtuels. Certains représentent des peurs que vous avez déjà affrontées en simulation. D'autres peuvent vous en révéler de nouvelles. La différence est qu'ici, vous saurez qu'il s'agit d'une simulation, et que vous resterez en pleine possession de vos moyens tout au long de l'expérience.

Ça signifie que dans le paysage des peurs, tout le monde se retrouve dans la situation d'un Divergent. Je ne sais pas si je dois me sentir soulagée parce que je ne risque pas de me faire repérer, ou m'inquiéter parce que je perds mon avantage.

Quatre continue :

— Le nombre de peurs que vous trouverez dans votre paysage dépend du nombre de peurs que vous avez vraiment.

Combien vais-je en avoir ? L'idée de devoir affronter de nouveau les corbeaux me donne la chair de poule.

— Comme je vous l'ai déjà expliqué, la troisième étape de l'initiation met l'accent sur la préparation mentale.

Je me souviens de la fois où il en a parlé. Le premier jour. Quand il a braqué un revolver sur la tempe de Peter. Il aurait dû appuyer sur la détente.

— Cette dernière étape exige de garder la tête froide. Elle demande de contrôler à la fois son corps et ses émotions, d'associer les capacités physiques acquises lors de l'étape un à la maîtrise émotionnelle apprise dans l'étape deux.

Un tube au néon se met à clignoter. Les yeux de Quatre cessent de se promener sur le groupe pour se poser sur moi.

— La semaine prochaine, vous devrez traverser votre paysage des peurs dans le délai le plus court possible devant un jury de leaders Audacieux. Ce sera votre dernière épreuve, qui déterminera votre classement dans l'étape trois. L'étape deux pesait davantage que la première et celle-ci est encore plus importante. C'est compris ?

Tout le monde hoche la tête. Même Drew, pour qui ça a l'air douloureux.

Si je me débrouille bien dans l'épreuve finale, j'aurai de bonnes chances de figurer parmi les dix premiers et de devenir membre. De devenir une Audacieuse. Cette seule pensée m'apporte un intense soulagement.

— Vous avez deux moyens de franchir un obstacle. Soit vous parvenez à vous calmer assez pour que la simulation enregistre un rythme cardiaque stable, soit vous arrivez à surmonter votre peur, ce qui fait basculer la simulation sur la peur suivante. Un moyen de surmonter la peur de se noyer est de nager sous l'eau, par exemple. Bref, je vous suggère de profiter de la semaine qui vient pour réfléchir à vos peurs et mettre au point des stratégies pour y faire face.

— Ce n'est pas juste, proteste Peter. Si quelqu'un a sept peurs et un autre vingt, ce n'est pas sa faute !

Quatre le fixe pendant quelques secondes et éclate de rire.

— Oh, tu veux qu'on parle de justice ?

Le groupe s'écarte pour le laisser passer tandis qu'il vient se camper devant Peter, les bras croisés.

— Je comprends que ça t'inquiète, Peter, poursuit-il d'un ton glacial. L'incident d'hier soir a fait la preuve que tu n'étais qu'un misérable lâche.

Peter le regarde sans réagir. Quatre reprend d'une voix sourde :

— Comme ça, maintenant, tout le monde est au courant que tu as peur d'une Altruiste poids plume.

Ses lèvres se retroussent dans un sourire.

Will se retient, mais les épaules de Christina sont secouées par le rire. Et tout au fond de moi, je souris aussi.

✛ ✛ ✛

Quand on rentre au dortoir ce soir-là, on tombe sur Al.

Will se tient derrière moi, les mains posées avec légèreté sur mes épaules, comme pour me rappeler qu'il est là. Christina se rapproche de moi.

Al a des cernes sous les yeux et le visage gonflé d'avoir pleuré. Ça me fait mal de le voir dans cet état. Je suis incapable de faire un geste. Son odeur de sauge et de citronnelle que je trouvais agréable avant me paraît désormais acide.

— Tris, me demande-t-il d'une voix brisée, je peux te parler ?

— Tu rigoles ? lâche Will dont les doigts se crispent sur mes épaules. Tu ne t'approches pas d'elle, plus jamais.

— Je ne te ferai pas de mal. Je ne voulais pas...

Il se couvre le visage de ses mains.

— Je veux seulement te demander pardon. Pardon, je... je ne sais pas ce qui cloche chez moi. Je... S'il te plaît, pardonne-moi, s'il te plaît...

Les joues baignées de larmes, il tend la main comme pour me toucher.

Quelque part en moi, il y a quelqu'un de clément et de généreux, une fille qui essaie de comprendre ce que subissent les autres, qui admet qu'ils commettent parfois des erreurs et que le désespoir puisse les conduire dans des lieux plus sombres qu'ils ne l'auraient jamais imaginé. Je jure qu'elle existe, et qu'elle souffre pour ce garçon qui me demande pardon.

Mais ce n'est pas moi.

— Ne m'approche pas, grondé-je d'un ton sourd.

Tout mon corps s'est raidi. Je ne suis pas en colère, je ne suis pas blessée ; je ne sens plus rien. Et je reprends à voix basse :

— Ne t'approche plus jamais de moi.

Nos regards se croisent. Le sien est sombre et égaré. Je ne ressens rien.

— Ou je te jure que je te tue. Espèce de lâche.

CHAPITRE VINGT-QUATRE

— TRIS.

Dans mon rêve, ma mère m'appelle. Elle me fait signe et je la rejoins à l'autre bout de la cuisine. Elle me montre une casserole sur le feu et je soulève le couvercle. Un corbeau me regarde fixement, les plumes de ses ailes collées aux bords du récipient, son corps rebondi couvert d'eau bouillante.

— Le dîner, commente ma mère.

— Tris !

J'ouvre les yeux et je vois Christina à côté de mon lit, les joues barbouillées de larmes et de mascara.

— C'est Al, m'annonce-t-elle. Viens.

D'autres novices sont réveillés. Christina m'attrape par la main et m'entraîne hors du dortoir. Je cours pieds nus sur les dalles de pierre en tâchant de chasser le brouillard de mon cerveau, les membres encore engourdis de sommeil. Il s'est passé quelque chose d'horrible. Je le sens dans chaque battement de mon cœur. *C'est Al.*

On traverse la Fosse en courant et Christina s'arrête non loin du gouffre, bloquée par un attroupement devant la rambarde. Les gens se tiennent tous un peu écartés les uns des autres, et on se glisse au premier rang.

Deux hommes penchés au-dessus du précipice hissent quelque chose à l'aide de cordes. Ils grognent sous l'effort, en s'inclinant d'avant en arrière pour les remonter en les reprenant un peu plus bas. Une masse énorme apparaît derrière la barrière et des Audacieux accourent pour les aider.

La masse tombe par terre avec un bruit sourd. Un bras pâle, gonflé d'eau, rebondit sur la pierre. Un corps. Christina se serre contre moi, agrippée à mon bras. Elle cache sa tête dans mon cou et pleure. Je n'arrive pas à regarder ailleurs. Des hommes retournent le corps et la tête bascule sur le côté.

Les yeux sont ouverts, vides et sombres. Des yeux de poupée. Le nez, saillant, a une arête étroite et un bout arrondi. Les lèvres sont bleues. Le visage, mi-cadavérique, mi-monstrueux, ne semble pas humain. Mes poumons me brûlent et sifflent quand j'inspire. *Al.*

— C'est un des novices, remarque quelqu'un derrière moi. Qu'est-ce qui s'est passé ?

— Même chose que tous les ans, répond un autre. Il s'est jeté dans le vide.

— Pas la peine d'être morbide. C'était peut-être un accident.

— On l'a retrouvé au milieu du gouffre. Tu crois qu'il a marché sur son lacet et... oups, qu'il a trébuché sur six mètres ?

Les mains de Christina me serrent toujours plus fort. Je devrais lui demander de me lâcher ; elle commence à me faire mal. Un Audacieux s'agenouille près d'Al et lui ferme les yeux. Pour lui donner l'air de dormir, sans doute. Absurde. Pourquoi les gens tiennent-ils tant à faire passer la mort pour du sommeil ? C'est faux ! C'est faux.

Quelque chose en moi s'écroule. Le poids sur ma poitrine m'empêche de respirer. Je suffoque. Je me laisse glisser par terre en entraînant Christina avec moi. La pierre est dure sous mes genoux. J'entends comme le souvenir d'un bruit... les sanglots d'Al, ses cris la nuit. J'aurais dû deviner. Je ne peux toujours pas respirer. Je presse mes mains sur ma poitrine et me balance d'avant en arrière pour alléger la tension.

Je cligne des paupières et je revois le haut de son crâne tandis qu'il me porte sur son dos jusqu'à la cafétéria. Je sens le rebond de ses pas. Il est grand, doux et maladroit. Il était. C'est ça, la mort : le passage du présent au passé.

Ma respiration est sifflante. On a apporté un grand sac noir pour y mettre le corps. Je vois bien qu'il sera trop petit. Al ne tiendra pas dans le sac ; quelle tragédie. Un rire hystérique monte dans ma gorge et m'échappe dans un gargouillis étranglé, qui se transforme en plainte quand je plaque une main sur ma bouche pour l'arrêter. Je libère mon bras de la poigne de Christina. Je pars en courant.

+ + +

— Tiens, bois ça.

Tori me tend une tasse fumante qui sent la menthe. Je la prends à deux mains et mes doigts picotent sous l'effet de la chaleur.

Elle s'assoit en face de moi. Pour ce qui est des enterrements, les Audacieux ne perdent pas de temps. Tori m'explique qu'ils tiennent à reconnaître la mort dès qu'elle se présente. Il n'y a personne dans le studio de tatouage mais la Fosse grouille de monde, dont une majorité de gens ivres. Ça ne devrait pas m'étonner.

Chez moi, les funérailles se déroulent dans la gravité. Toute la communauté se rassemble pour soutenir la famille du défunt. Personne ne reste sans rien faire ; mais les rires, les cris, les plaisanteries sont exclus. Et comme les Altruistes ne boivent pas, chacun reste sobre. Bien sûr, ici, c'est le contraire.

En fait, ce n'est pas que ça m'étonne ; ça me rend malade.

— Bois, me répète Tori. Je t'assure que tu te sentiras mieux.

— Je ne crois pas que du thé puisse régler le problème, dis-je lentement.

Mais je le sirote quand même. Ça me réchauffe la bouche et la gorge. La chaleur coule dans mon ventre. Je ne m'étais pas rendu compte avant que j'avais aussi froid.

— Je n'ai pas dit que tu te sentirais « bien », mais « mieux », précise Tori. Je pense que pour que ça aille vraiment, tu vas devoir attendre un peu.

Elle sourit, mais les coins de ses yeux ne se plissent pas comme ils font d'habitude.

Je me mords la lèvre.

— Combien de temps...

Je cherche la formulation qui convient et je reprend :

— Combien de temps il t'a fallu pour t'en remettre, après que ton frère...

Elle secoue la tête.

— Je ne sais pas. Certains jours, j'ai l'impression que ce n'est toujours pas ça. À d'autres moments, je me sens bien. Heureuse, même. Mais il m'a fallu plusieurs années pour ne plus être obsédée par l'idée de vengeance.

— Qu'est-ce qui a changé ça ?

Ses yeux se posent sans le voir sur le mur derrière moi. Ses doigts tambourinent sur sa cuisse.

— Je ne dirais pas que ça a changé, répond-elle enfin. Plutôt que je... j'attends que l'occasion se présente.

Elle s'arrache à ses pensées et consulte sa montre.

— C'est l'heure.

Je vide mon thé dans l'évier. En posant la tasse, je m'aperçois que je tremble. Pas bon. D'habitude, c'est le signe que je vais me mettre à pleurer, et je ne veux pas craquer devant tout le monde.

On quitte le studio en direction de la Fosse. La foule qui déambulait tout à l'heure s'est rassemblée près du gouffre, et l'air a de forts relents d'alcool. Devant moi, une femme perd l'équilibre, chancelle et se met à glousser en s'affalant sur son voisin. Tori me prend par le bras et m'entraîne plus loin.

Je retrouve Uriah, Will et Christina au milieu des autres novices. Christina a les yeux gonflés. Uriah me tend une flasque en argent, que je refuse d'un signe de tête.

— Surprise, surprise, fait Molly derrière moi en donnant un coup de coude à Peter. Pète-sec un jour, Pète-sec toujours.

Autant l'ignorer. Je me fous de ce qu'elle pense.

— J'ai lu un article intéressant aujourd'hui, me murmure-t-elle à l'oreille. Un truc sur ton père et sur la *vraie* raison pour laquelle tu as quitté ta faction.

De tous les problèmes que j'ai actuellement, les insultes de Molly ne me semblent pas être une priorité. Mais c'est le plus facile à régler.

Je me tourne brusquement et mon poing percute sa mâchoire. Le choc se diffuse dans mes articulations. Je n'ai pas le souvenir d'avoir serré le poing, ni même d'avoir décidé de frapper.

Elle se jette sur moi les bras tendus, mais ne va pas plus loin. Eric l'attrape par le col et la tire en arrière. Il nous dévisage l'une après l'autre et gronde :

— Ça suffit, vous deux.

Je me sens un peu frustrée. Une bagarre m'aurait changé les idées, surtout maintenant qu'Eric monte sur une caisse devant la rambarde. Je le regarde en croisant les bras pour me fortifier, curieuse d'entendre ce qu'il va trouver à dire.

Je ne me rappelle aucun cas de suicide chez nous, mais les Altruistes ont une position très claire sur le sujet : pour eux, c'est un acte d'égoïsme. Quelqu'un de vraiment altruiste ne pense pas assez à lui pour souhaiter mourir. Si cela se produisait, personne ne le dirait tout haut, mais c'est ce que chacun penserait.

— Silence, tout le monde ! lance Eric.

On entend résonner ce qui ressemble à un gong et le brouhaha se mue peu à peu en chuchotements.

— Merci, reprend-il. Comme vous le savez, nous sommes ici parce qu'Albert, un novice, a sauté dans le gouffre cette nuit.

Les murmures cessent à leur tour, et le seul bruit qui persiste est celui de l'eau qui bouillonne derrière lui.

— On ignore ce qui a motivé son acte, et il serait facile de pleurer sa perte. Mais nous n'avons pas choisi la voie de la facilité en devenant des Audacieux. Et la vérité...

Il sourit. Si je ne le connaissais pas, je pourrais le croire sincère.

— ... la vérité, c'est qu'Albert explore maintenant une contrée qui nous est inconnue. Il a sauté dans les eaux noires pour la rejoindre. Qui parmi nous aurait le courage de s'aventurer dans l'obscurité sans savoir ce qu'il va trouver au bout ? Albert ne comptait pas encore parmi nos membres, mais nous pouvons être sûrs qu'il comptait parmi les braves !

Un cri s'élève au milieu de la foule, suivi d'une acclamation. Les Audacieux se mettent à brailler sur tous les tons, du grave à l'aigu, du roulement de basse à la trille, dans un grondement semblable à celui du torrent. Christina prend la flasque des mains d'Uriah et boit une rasade. Will glisse un bras autour de ses épaules et la serre contre lui. Les voix bourdonnent dans mes oreilles.

— Rendons-lui hommage, et ne l'oublions jamais ! lance Eric.

Quelqu'un lui tend une bouteille en verre fumé qu'il brandit à bout de bras.

— À Albert le brave !

— À Albert ! répète la foule.

Des bras se lèvent autour de moi et les Audacieux entonnent :

— Al-bert, Al-bert, Al-bert !

Ils le répètent comme une litanie, jusqu'à ce que ça ne ressemble plus à un nom mais plutôt au cri primal d'une race ancienne.

Je me détourne de la barrière. Je ne peux pas supporter ce spectacle plus longtemps.

Je ne sais pas où je vais. Peu importe ; je veux juste partir de là. Je descends le long d'un tunnel sombre au bout duquel je trouve une fontaine à eau, baignée par la lueur bleue d'une ampoule.

Je secoue la tête. Brave ? La bravoure aurait été d'admettre sa faiblesse et de quitter les Audacieux, avec toute la honte que cela impliquait. C'est la fierté qui l'a tué, le poison qui ronge le cœur de tous les Audacieux. Le mien comme celui des autres.

— Tris.

Une secousse électrique me parcourt et je me retourne. Quatre est devant moi, juste au bord du cercle de lumière bleue, qui creuse des ombres sur ses orbites et sous ses pommettes et lui donne un aspect irréel.

— Qu'est-ce que tu fais là ? demandé-je. Tu ne devrais pas être en train de rendre un dernier hommage à Al ?

J'ai dit ça comme si je recrachais quelque chose de mauvais.

— Et toi ? me rétorque-t-il.

Il fait un pas vers moi et je distingue ses yeux. Ils ont l'air noirs sous cet éclairage.

— On ne peut pas rendre hommage à quelqu'un pour qui on n'avait pas de respect, répliqué-je.

Je m'en veux aussitôt et je rectifie :

— Ce n'est pas ce que je voulais dire.

— Oh...

Il n'a pas l'air de me croire.

Je sens la chaleur me monter aux joues.

— C'est n'importe quoi, dis-je. Al se jette du haut d'une falaise et Eric appelle ça un acte courageux ? Eric, qui t'a demandé de lancer des couteaux à la tête d'Al ?

J'ai un goût acide dans la bouche. Les sourires faux d'Eric, ses idéaux tordus me donnent la nausée. Je m'emporte :

— Il était surtout déprimé, oui. Et ce n'était qu'un lâche qui a failli me tuer. C'est ça, le genre de choses qu'on respecte ici ?

— Que veux-tu qu'ils fassent ? Qu'ils le condamnent ? Al est déjà mort. C'est un peu tard pour lui faire la leçon.

— Il ne s'agit pas de lui, riposté-je. Je te parle de tous ces gens qui sont là ! À qui on explique que se jeter dans le vide est un choix louable ! Franchement, pourquoi hésiter puisque ensuite tout le monde parle d'eux comme de héros ? Pourquoi hésiter puisque tout le monde se rappellera d'eux ? C'est... ah, je ne peux pas...

Je secoue la tête, le cœur battant, les joues en feu, essayant vainement de me maîtriser.

— Ça ne serait jamais arrivé chez les Altruistes ! dis-je, presque en criant. Rien de tout ça, jamais ! Cet endroit l'a perverti et abîmé, et je m'en fous si j'ai l'air d'une Pète-sec en disant ça, JE-M'EN-FOUS !

Les yeux de Quatre se posent sur le mur au-dessus de la fontaine.

— Fais attention, Tris, déclare-t-il.

— C'est tout ce que tu sais dire ? m'emporté-je. « Fais attention, Tris, fais attention... »

— Tu sais que tu es pire qu'une Sincère ?

Il m'attrape par le bras et m'éloigne de la fontaine. Il me fait mal, mais je n'ai pas assez de force pour me dégager.

Son visage est si proche du mien que je vois les taches de rousseur qui parsèment son nez.

— Écoute-moi bien, parce que je ne le répèterai pas deux fois.

Il abat ses mains sur mes épaules.

— Ils te surveillent. Toi, en particulier.

— Lâche-moi, protesté-je, d'une voix faible.

Il me libère brusquement, comme si mon contact le brûlait tout à coup, et s'écarte. Maintenant qu'il ne me touche plus, une partie du poids qui pesait sur ma poitrine s'est allégé. Je crains ses sautes d'humeur. Elles me montrent un fond d'instabilité chez lui, et l'instabilité est quelque chose de dangereux.

— Toi aussi, ils te surveillent ? demandé-je, si bas qu'il ne pourrait pas m'entendre s'il ne se tenait pas si près.

Il ne répond pas.

— Je n'arrête pas d'essayer de t'aider, mais tu ne veux rien entendre.

— Ben voyons. Parce que me poignarder l'oreille, me brutaliser et me hurler dessus plus que sur tous les autres, tu appelles ça m'aider !

— Te brutaliser ? réplique-t-il d'un ton cassant. Tu parles de la fois où j'ai lancé les couteaux ? Tout ce que j'essayais de faire, c'était te rappeler que si tu échouais, quelqu'un devrait prendre ta place.

Je me frotte la nuque en tâchant de me remémorer les détails de ce matin-là. Chaque fois qu'il a ouvert la bouche au cours de l'incident, il me répétait que si je renonçais, Al me remplacerait devant la cible. Je m'y perds.

— Pourquoi ? questionné-je.

— Parce que tu viens de la faction des Altruistes, et que tu n'as jamais autant de courage que quand tu agis pour les autres.

Tout à coup, je comprends. Il ne me poussait pas à laisser tomber. Il me rappelait ce qui m'interdisait de le faire : je devais protéger Al. Cette idée me rend malade, maintenant. Protéger Al. Mon ami. Mon agresseur.

Que je n'arrive pas à haïr autant que je le voudrais.

— À ta place, reprend Quatre, je laisserais croire que cet élan altruiste est en train de disparaître. Parce que si les mauvaises personnes s'en aperçoivent... disons que tu risques gros.

— Mais pourquoi ? Qu'est-ce qu'ils en ont à faire, de mes motivations ?

— Les motivations, c'est *tout* ce qui compte pour eux. Ils veulent nous faire croire que l'important, c'est ce qu'on fait, mais ce n'est pas vrai. Ils se moquent de nos actes. Ils veulent juste qu'on pense d'une certaine manière. Pour pouvoir nous cerner facilement. Pour être sûrs qu'on ne représente pas une menace.

Il pose une main sur le mur à côté de ma tête et prend appui dessus. Son tee-shirt se tend juste assez pour dessiner sa clavicule et le creux en haut de son biceps.

Je voudrais être plus grande. Pour qu'on puisse me décrire comme « svelte » au lieu de « menue ». Alors, il me verrait peut-être autrement que comme une petite sœur à protéger.

Je ne veux pas qu'il me considère comme une sœur.

— Je ne comprends pas, dis-je. Qu'est-ce que ça change, ce que je pense, tant que j'agis comme ça leur convient ?

— Pour le moment, tu agis comme ça leur convient. Mais que se passera-t-il le jour où ton cerveau calibré par les Altruistes te dira de faire une chose qui ne leur conviendra pas ?

Je n'ai pas la réponse, et je ne suis même pas certaine qu'il ait raison à propos de moi. Ai-je un cerveau d'Altruiste ou d'Audacieuse ?

Peut-être ni l'un ni l'autre. Peut-être que j'ai juste un cerveau de Divergente.

— Et tu ne t'es jamais dit que je n'avais pas besoin de ton aide ? demandé-je. Je ne suis pas une petite nature, je te signale. Je sais me débrouiller toute seule.

Il rejette ma remarque en secouant la tête.

— Tu penses que ma première impulsion est de te protéger. Parce que tu es petite, ou une fille, ou une Pète-sec. Mais ce n'est pas ça du tout.

Il relève ses yeux sombres vers les miens.

— Ma première impulsion est de te pousser à bout jusqu'à ce que ça casse, pour voir jusqu'où tu peux aller.

Il a claqué des doigts en prononçant le mot « casse » et la tension dans sa voix me met les nerfs à vif, au point que j'en oublie de respirer.

— Sauf que je n'y cède pas.

J'avale ma salive.

— Pourquoi... pourquoi c'est ta première impulsion ?

Il approche son visage du mien et prend mon menton entre ses doigts. Son contact m'envoie une légère décharge électrique. Sa main a une odeur métallique. À quand remonte la dernière fois où il a tenu un pistolet ou un couteau ?

— La peur ne te fait pas reculer, poursuit-il ; elle t'aiguillonne. Ça se voit. C'est fascinant.

Il me lâche mais ne s'écarte pas. Sa main glisse sur ma mâchoire, dans mon cou.

— Et quelquefois, j'ai envie de revoir ces moments-là. Ceux où tu t'enflammes.

J'ai les mains sur sa taille. Je ne l'ai pas décidé, mais je serais bien incapable de les enlever, maintenant. Je m'appuie contre lui en le prenant dans mes bras. Mes doigts effleurent les muscles de son dos.

Au bout d'un moment, il pose une main au creux de mes reins pour me serrer contre lui et me caresse les cheveux. Je me sens toute petite, mais ça ne me fait plus peur. Il ne me fait plus peur.

— Tu ne crois pas que je devrais être en train de pleurer ? chuchoté-je, la voix étouffée par son tee-shirt. Qu'il y a un truc qui cloche chez moi ?

Les simulations ont ouvert une faille si profonde chez Al qu'il n'a pas pu la réparer. Pourquoi pas chez moi ? Pourquoi ne suis-je pas comme lui ? Et pourquoi cette pensée me met-elle aussi mal à l'aise, comme si, moi aussi, je me tenais en équilibre au-dessus du vide ?

— Si tu crois que j'y connais quelque chose aux larmes... murmure-t-il.

Je referme les yeux. Il n'essaie pas de me rassurer et je n'attendais pas qu'il le fasse. Mais je me sens mieux là que parmi tous ces gens qui sont mes amis, ma faction. Je pose le front sur son épaule.

— Si je lui avais pardonné, tu crois qu'il serait encore vivant ?

— Je ne sais pas.

Il pose une main sur ma joue et je presse mon visage contre sa paume, sans rouvrir les yeux.

— J'ai le sentiment que c'est ma faute.

— Ce n'est pas ta faute, dit-il en collant son front contre le mien.

— Mais j'aurais dû lui pardonner.

— Peut-être. Peut-être qu'on aurait tous pu l'aider davantage. Mais tout ce qu'on peut faire, maintenant, c'est nous servir de cette culpabilité pour nous améliorer.

Je m'écarte en fronçant les sourcils. C'est une leçon qu'on apprend chez les Altruistes : exploiter sa culpabilité comme un outil et non une arme contre soi-même. Ce précepte sort tout droit des discours de mon père lors de nos réunions hebdomadaires.

— De quelle faction tu viens, Quatre ?

— Peu importe, répond-il. Maintenant, c'est ici que je suis. Et tu ferais bien de raisonner de la même façon.

Il me lance un regard ambivalent et pose ses lèvres sur mon front entre mes sourcils. Je ne comprends rien à ce qui se passe, mais je ne veux pas gâcher ce moment, et je me tais.

Il ne bouge pas ; et on reste comme ça longtemps, lui avec sa bouche sur mon front et moi les mains nouées autour de sa taille.

CHAPITRE VINGT-CINQ

JE ME TIENS AVEC WILL ET CHRISTINA contre la rambarde au-dessus du gouffre. Il est tard et presque tous les Audacieux sont partis se coucher. On s'est fait faire de nouveaux tatouages une demi-heure plus tôt. Je sens encore la piqûre de l'aiguille sur l'épaule droite.

Comme Tori était seule à la boutique, je n'ai pas eu de scrupules à demander le symbole Altruiste : deux mains paumes vers le ciel comme pour soutenir quelqu'un, entourées d'un cercle. Je sais que je prends un risque, surtout après tout ce qui s'est passé. Mais ce symbole fait partie de mon identité et ça me paraît important de le porter sur ma peau.

Je monte sur le premier barreau de la rambarde, les hanches appuyées contre celui du haut pour garder l'équilibre. C'est là que s'est tenu Al. Je regarde l'eau noire et les rochers déchiquetés tout en bas. L'eau frappe la paroi et rejaillit en projetant de l'écume sur mon visage. Est-ce qu'il a eu peur ? Ou était-il si déterminé à sauter que ça a été facile ?

Christina me tend un paquet de feuilles. J'ai obtenu un

exemplaire de tous les articles publiés par les Érudits ces six derniers mois. Les lancer dans le vide ne les fera pas disparaître, mais ça me soulagera peut-être.

La première feuille arbore une photo de Jeanine, la porte-parole des Érudits. Ses yeux perçants, non dénués de charme, semblent me fixer.

— Tu l'as déjà rencontrée ? demandé-je à Will.

Christina froisse la feuille et la jette dans l'eau.

— Jeanine ? Une fois, me répond-il.

Il déchire l'article suivant en petits morceaux qu'il laisse tomber dans le vide et qui s'éloignent en flottant dans la rivière. Il ne le fait pas avec la même joie mauvaise que Christina. J'ai l'impression qu'il ne participe que pour me montrer qu'il n'approuve pas la tactique de son ancienne faction. Quant à savoir s'il croit ce qu'ils racontent, ce n'est pas clair, et je n'ose pas lui poser la question.

— Avant d'être leader, elle travaillait avec ma sœur, explique-t-il. Ils essayaient de mettre au point un sérum à effet plus long pour les simulations. Jeanine est tellement brillante qu'elle n'a même pas besoin de parler pour que ça se voie. On dirait... un ordinateur avec une bouche et des jambes.

— Et..

Je serre les lèvres en balançant une feuille par-dessus la rambarde. Autant en avoir le cœur net.

— ... et toi, qu'est-ce que tu penses de sa position ?

Il hausse les épaules.

— Je ne sais pas. Ce n'est peut-être pas une mauvaise idée de mettre plusieurs factions au gouvernement. Et ça pourrait être sympa d'avoir plus de voitures et... de fruits frais et...

Je sens le feu me monter aux joues.

— Tu sais quand même que les soi-disant hangars secrets où on planquerait tout ça, c'est de l'intox ?

— Bien sûr que je le sais, répond-il. Je dis juste que le confort et la prospérité ne sont pas une priorité pour les Altruistes, et qu'ils le seraient peut-être plus si les autres factions étaient impliquées dans les décisions.

Je m'énerve.

— Parce que donner une voiture à un Érudit, c'est plus important que de nourrir les sans-faction ?

— Hé là ! fait Christina en effleurant l'épaule de Will. C'est censé être un défouloir, une session symbolique de destruction de documents, pas un débat politique.

Je ravale la suite de mon discours en baissant les yeux sur ma pile de feuilles. J'ai remarqué que Will et Christina avaient beaucoup de petits gestes de ce genre ces derniers temps. Je me demande s'ils en sont conscients.

— Mais tout ce qu'elle raconte sur ton père, ça me dégoûte, reprend Will. Je ne vois pas à quoi ça peut la mener de colporter des choses aussi horribles.

Moi si. En faisant croire que mon père et les autres leaders Altruistes sont indignes et corrompus, Jeanine gagnera du soutien pour lancer une révolution, si c'est bien son objectif. Mais je ne veux pas relancer le débat. Je me contente de hocher la tête avant de jeter le reste des feuilles dans le vide. Elles tombent en volant de-ci de-là jusqu'à toucher l'eau. Elles seront filtrées à la sortie du gouffre et détruites.

— Fini ! lance Christina en souriant. Allez, au dodo ! Je mettrais bien la main de Peter dans un bol d'eau cette nuit pour qu'il pisse au lit.

Au moment où je me retourne, je perçois un mouvement

sur la droite de la Fosse. Quelqu'un monte vers le plafond de verre et, à en juger par son pas fluide, comme si ses pieds touchaient à peine le sol, il s'agit de Quatre.

— Excellente initiative. Mais j'ai un truc à dire à Quatre, ajouté-je en désignant du doigt sa silhouette qui grimpe sur le chemin.

Christina suit mon geste des yeux.

— Tu es sûre que tu tiens à traîner seule ici la nuit ? s'inquiète-t-elle.

— Je ne serai pas seule, je serai avec Quatre.

Je me suis dévoilée.

Christina regarde Will, qui la regarde. Aucun des deux ne m'écoute vraiment.

— OK, me fait Christina d'un ton distrait. À plus, alors.

Ils s'éloignent ensemble en direction du dortoir, Will donnant des coups de coude à Christina et elle lui ébouriffant les cheveux. Je les suis des yeux un moment, avec le sentiment d'assister au début de quelque chose. Même si je ne sais pas trop quoi.

Je gagne à petites foulées le chemin qui gravit la paroi a droite de la Fosse et je commence à monter, en faisant le moins de bruit possible. Contrairement à Christina, je n'ai pas de mal à mentir. Je n'ai pas l'intention de parler à Quatre ; en tout cas, pas avant d'avoir découvert où il va, à cette heure-là, dans le bâtiment de verre qui se dresse au-dessus de nous.

Je cours à pas feutrés et j'arrive essoufflée dans la grande verrière. Quatre se tient à l'autre bout, devant la porte du paysage des peurs. Il tient une boîte noire dans une main et une seringue dans l'autre. Par les vitres, je vois les lumières de la ville disparaître une à une. Tout est censé s'éteindre à minuit.

— Au point où tu en es, tu n'as qu'à venir avec moi, me lance Quatre par-dessus son épaule.

Je me mords la lèvre.

— Dans ton paysage des peurs ?

— Oui.

Je lui demande en le rejoignant :

— C'est possible, ça ?

— Le sérum permet de se connecter au programme informatique, mais c'est le programme lui-même qui détermine le paysage dans lequel on va évoluer. Là, il est réglé sur le mien.

— Et tu me laisserais le voir ?

Il me répond à voix basse, sans relever les yeux :

— Qu'est-ce que je fais là, à ton avis ? Il y a des trucs que je voudrais te montrer.

Il désigne la seringue et je penche la tête sur le côté pour exposer mon cou. La piqûre provoque une douleur vive, mais je m'y suis habituée. Quand il a fini, il me tend la boîte noire, qui contient une autre seringue.

— Je n'ai jamais fait ça, dis-je en la prenant.

J'ai peur de lui faire mal.

Il m'indique un endroit sur son cou :

— Là.

Je me mets sur la pointe des pieds, et j'enfonce l'aiguille sous sa peau d'une main un peu tremblante. Il ne cille même pas.

Il ne m'a pas quittée des yeux. Il range les deux seringues dans la boîte qu'il dépose près de la porte. Il savait que je le suivrais. Ou il l'espérait. Les deux me vont.

Il me tend la main et j'y glisse la mienne. Ses doigts sont froids et rêches. Je devrais dire quelque chose, mais je suis trop sonnée pour trouver quoi. Il ouvre la porte et je le suis dans le noir. Je n'éprouve plus d'appréhension à entrer dans des lieux obscurs. Je me force à respirer en serrant la main de Quatre.

— On va voir si tu trouves pourquoi on m'a appelé Quatre, me dit-il.

J'entends la porte se refermer derrière nous, nous laissant dans le noir. Il fait froid ; je sens chaque particule d'air pénétrer dans mes poumons. Je me rapproche de Quatre jusqu'à ce que nos bras se touchent et que mon menton frôle son épaule.

— C'est quoi, ton vrai nom ? demandé-je.

— On va voir si tu trouves ça aussi.

Et la simulation nous emporte. Le sol n'est plus en ciment, mais grince comme du métal sous nos pieds. La lumière afflue de toutes parts et la ville surgit loin au-dessous de nous, les tours de verre, l'arc des voies ferrées. Cela fait très longtemps que je n'ai pas vu un ciel bleu ; devant cette immensité, un vertige me saisit et mon cœur saute un battement.

Puis le vent se lève, si violent que je dois m'appuyer sur Quatre pour rester debout. Il ôte sa main de la mienne pour glisser son bras autour de mes épaules. D'abord, je pense que c'est pour me protéger... mais non, son souffle est haché et il a besoin que je le stabilise. La bouche entrouverte, les dents serrées, il se force à contrôler chacune de ses respirations.

Les hauteurs me donnent un sentiment exaltant de liberté, mais j'imagine que si on est là, c'est qu'il s'agit d'un de ses pires cauchemars.

— On doit sauter, c'est ça ? crié-je, pour couvrir le bruit du vent.

Il me fait signe que oui.

— À trois, d'accord ?

Nouveau hochement de tête.

— Un... deux... trois !

Je me mets à courir en l'entraînant avec moi. Passé le premier pas, le reste est facile. On sprinte jusqu'au bord du toit, on saute et on tombe, vite, repoussés par la résistance de l'air. Le sol se rapproche à toute vitesse. Brusquement, la scène disparaît et je me retrouve par terre à quatre pattes, le sourire aux lèvres. J'ai adoré cette poussée d'adrénaline le jour de mon arrivée chez les Audacieux et je l'aime toujours autant.

À côté de moi, Quatre reprend haleine, une main sur la poitrine.

Je me relève et je lui tends la main.

Quelque chose de dur me heurte le dos. Je me cogne la tête contre Quatre. Des murs se dressent soudain autour de nous. L'espace qui les sépare est si étroit que pour y tenir, Quatre doit plaquer les bras le long du corps. Un plafond s'abat sur les murs, suffisamment haut pour que Quatre se tienne debout. Il se voûte avec un gémissement.

— L'enfermement, dis-je.

Il émet un bruit de gorge et je m'écarte pour le regarder. Je discerne à peine son visage dans le noir. Il y a tout juste assez d'air pour nous deux. Il grimace comme sous l'effet de la douleur.

— Hé, soufflé-je. Tout va bien ! Attends...

Je guide ses bras autour de moi pour nous ménager plus d'espace. Il s'agrippe à mon dos et colle sa tête contre la mienne. Son corps est tiède, mais tout est dur chez lui, il n'y a rien que des os et des muscles... Je me sens rougir. Et lui, sent-il que je suis bâtie comme une gamine ?

— C'est bien la première fois que je suis contente d'être petite, dis-je en riant.

En plaisantant, j'arriverai peut-être à le calmer. Et à me détendre par la même occasion.

— Mmhmm, fait-il d'un ton angoissé.

— On ne peut pas s'échapper. Alors, autant regarder la peur en face, non ?

Je n'attends pas de réponse.

— Ce que tu dois faire, c'est rétrécir l'espace. Aggraver les choses pour que ça finisse par s'arranger. D'accord ?

— Oui.

Un tout petit mot tendu, crispé.

— Bon, on va devoir s'accroupir. Prêt ?

Je lui prends la taille pour qu'il se baisse avec moi. Ses côtes se collent contre les miennes et les planches grincent les unes contre les autres tandis que le plafond descend en même temps que nous. Je me rends compte qu'on ne tiendra pas longtemps en maintenant autant d'espace entre nous et je me roule en boule pour lui tourner le dos, la colonne vertébrale plaquée à son torse. Il a une jambe repliée sous moi de sorte que je suis assise sur sa cheville, et son autre genou est replié juste à côté de ma tête. On n'est plus qu'un enchevêtrement de membres. Je sens son souffle saccadé contre mon oreille.

— Ah, lâche-t-il d'une voix rauque, c'est encore pire. C'est clair...

— Chut. Mets tes bras autour de moi.

Docilement, il les glisse autour de ma taille. Je souris au mur. Mais non, je ne savoure pas ce moment, pas du tout.

— La simulation mesure ton niveau de peur, chuchoté-je. Si tu arrives à ralentir ton rythme cardiaque, on passera à la simulation suivante. Essaie d'oublier qu'on est là.

Je ne fais que répéter ce qu'il nous a dit, mais ça l'aidera peut-être de l'entendre.

— Ah ouais ? Aussi simple que ça, hein ?

Je sens ses lèvres bouger contre mon oreille tandis qu'il parle et une sensation de chaleur m'envahit.

— Tu sais que la plupart des garçons se réjouiraient d'être enfermés avec une fille dans un endroit aussi restreint ?

Crétine. Je lève les yeux au ciel.

— Sauf les claustrophobes, Tris.

Il a vraiment l'air sur le point de craquer.

— D'accord, d'accord.

Je pose une main sur la sienne et je la guide jusqu'à mon cœur.

— Tu sens mon cœur qui bat ?

— Oui.

— Tu sens comme il est régulier ?

— Il est rapide.

— Ouais. Peut-être, mais ça n'a aucun rapport avec la boîte.

Je m'en mords les doigts avant d'avoir achevé ma phrase. Je viens d'avouer un truc. Espérons qu'il n'a pas relevé.

— Voilà ce qu'on va faire : chaque fois que tu me sens respirer, tu respires. Concentre-toi là-dessus.

— OK.

Je respire profondément et sa poitrine se soulève et s'abaisse en rythme. Au bout de quelques secondes, je lui suggère calmement :

— Et si tu me racontais d'où vient cette peur ? En parler, ça peut parfois aider à... débloquer les choses.

Je ne vois pas bien comment, mais ça paraît logique.

Il continue à respirer en rythme avec moi.

— Heu... OK. Celle-là, ça vient de mon enfance de rêve. Punitions. Le cagibi sur le palier.

Je serre les lèvres. Je repense à mes punitions : envoyée dans ma chambre sans manger, privée de ceci ou de cela, grondée. Mais jamais on ne m'aurait enfermée. C'est de la cruauté. J'en ai physiquement mal pour lui. Comme je ne sais pas quoi dire, j'essaie de rester sur le mode décontracté.

— Chez nous, ma mère rangeait nos manteaux d'hiver dans le cagibi, dis-je.

— Je n'ai... (Il avale une goulée d'air.) Je préférerais parler d'autre chose.

— D'accord. Alors... à mon tour. Demande-moi un truc.

— OK.

Il rit près de mon oreille, d'une voix mal assurée.

— Pourquoi ton cœur bat aussi vite, Tris ?

Je me maudis et je cherche une excuse qui n'ait rien à voir avec ses bras autour de moi.

— Ben, je te connais à peine...

Très insuffisant.

— Je te connais à peine et je me retrouve collée à toi dans une boîte. Qu'est-ce que tu crois ?

— Si on était dans ton paysage des peurs, je serais dedans ?

— Je n'ai pas peur de toi.

— Non, ça, c'est sûr. Ce n'était pas ma question.

Il rit de nouveau, et soudain, les murs s'écartent avec un craquement et s'écroulent, nous laissant au milieu d'un cercle de lumière. Quatre soupire et desserre son étreinte. Je me lève tant bien que mal et frotte mes vêtements, chassant une poussière fantôme. J'ai froid, tout à coup, de ne plus être collée contre lui.

Il se tient devant moi avec un sourire jusqu'aux oreilles, et je ne suis pas sûre d'aimer son air.

— T'aurais peut-être eu ta place chez les Sincères, parce que tu mens super mal, se moque-t-il.

— Je crois que mon test d'aptitudes a clairement exclu cette option.

— Le test d'aptitudes ne veut rien dire, réplique-t-il en secouant la tête.

Je plisse les yeux.

— Comment ça ? Ce n'est pas le résultat de ton test qui t'a fait atterrir chez les Audacieux ?

Une vague d'excitation me traverse le corps, provoquée par l'espoir qu'il est Divergent, qu'il est comme moi, qu'on peut découvrir ensemble ce que ça signifie.

— Pas vraiment, non. Je...

Il regarde par-dessus son épaule et s'interrompt. Une femme se tient à quelques mètres de nous, parfaitement immobile, et nous vise avec un pistolet. Elle n'a rien de remarquable ; si on partait tout de suite, je l'oublierais sur-le-champ. Sur ma droite apparaît une table. Dessus, il y a un deuxième pistolet et une seule balle. Qu'attend-elle pour nous tirer dessus ?

« Oh », me dis-je. Sa peur ne vient pas du danger qui pèse sur lui, mais de l'arme posée sur la table.

— Tu dois la tuer, soufflé-je.

— À chaque fois, me confirme-t-il.

— Elle n'est pas réelle.

— Elle a l'air réelle. Ça a l'air réel.

— Si elle l'était, tu serais déjà mort.

— Ça va. Je vais le faire. Ce paysage-ci n'est pas si terrible Pas aussi paniquant.

Pas aussi paniquant, mais tout aussi pénible. Je le lis dans ses yeux tandis qu'il prend l'arme et ouvre la chambre, comme il l'a fait des milliers de fois, pour y insérer la balle. Il vise en tenant le pistolet à deux mains, ferme un œil et inspire lentement.

En même temps qu'il expire, il tire et la tête de la femme est projetée en arrière. Je vois un éclair rouge et je me détourne J'entends le bruit de son corps qui s'effondre.

Le pistolet tombe par terre avec un son mat. Tous les deux, on fixe le corps inerte. Il avait raison ; ça a l'air réel. *Arrête, Tris.* Je lui saisis le bras.

— Viens. On s'en va. Pas la peine de rester là.

Je le secoue et il sort de sa transe pour me suivre. Au moment où on passe devant la table, le corps de la femme disparaît, sauf dans mon esprit et dans le sien. Quel effet ça peut faire de tuer quelqu'un chaque fois qu'on traverse son paysage ? Je le saurai peut-être un jour.

Mais une question me laisse perplexe ; ces peurs sont censées être les pires craintes de Quatre. Et s'il a paniqué dans la boîte et sur le toit, il a tué la femme sans trop de difficulté. En principe, la simulation exploite toutes les peurs qu'elle découvre chez quelqu'un, et chez lui, elle ne semble pas en avoir trouvé beaucoup.

— C'est parti, murmure-t-il.

En face de nous, une silhouette sombre se déplace en bordure du cercle de lumière, attendant que nous fassions notre prochain pas. Qui est cette personne qui hante les cauchemars de Quatre ?

En approchant, je distingue un homme grand et mince, aux cheveux ras, les mains derrière le dos, vêtu de la tenue grise des Altruistes.

— Marcus, murmuré-je.

— C'est maintenant que tu devines comment je m'appelle, commente Quatre d'une voix mal assurée.

— C'est...

Je regarde tour à tour l'homme qui s'avance lentement et Quatre, qui recule au même rythme, et tout se met en place. Marcus avait un fils qui a choisi les Audacieux. Il s'appelait...

— Tobias, dis-je.

Marcus nous montre ses mains. Une ceinture est enroulée autour de son poing. Il la déroule lentement.

— C'est pour ton bien, déclare-t-il, et sa voix résonne à l'infini.

Il se démultiplie en une dizaine de Marcus qui s'avancent en cercle dans le rond de lumière, tous armés d'une ceinture, tous avec la même expression impassible. Ils clignent des paupières et leurs yeux ne sont plus que des puits noirs et sans fond. Les ceintures glissent comme des serpents sur le sol, à présent carrelé de blanc. Une sueur froide me glace le dos. Les Érudits ont accusé Marcus de cruauté. Pour une fois, ils ne mentaient pas.

Je regarde Quatre (ou Tobias), figé sur place. Les épaules voûtées, il paraît tout à coup bien plus âgé, et en même temps bien plus jeune que d'habitude. Le premier Marcus fait siffler sa ceinture par-dessus son épaule, prêt à frapper. Tobias a un mouvement de recul et lève un bras pour se protéger.

Je me jette devant lui et la ceinture s'enroule en claquant autour de mon poignet. Une brûlure aiguë remonte mon bras jusqu'à mon coude. Je tire de toutes mes forces. Marcus lâche prise. Je récupère la ceinture que j'enroule autour de mon propre poignet.

Je bascule mon bras en arrière, si violemment que je me fais mal, et je frappe Marcus à l'épaule. Il pousse un cri de douleur et fond sur moi, les bras tendus, avec des ongles qui ressemblent à des serres. Tobias me pousse derrière lui et se dresse comme un bouclier entre Marcus et moi. Il semble plus en colère qu'effrayé.

Les Marcus ont disparu.

Les lumières reviennent, révélant une pièce longue et étroite, aux murs de brique ébréchés, au sol en ciment.

— C'est fini ? demandé-je. C'était ça, tes pires craintes ? Mais tu n'en as que quatre...

Je m'interromps.

— Oh ! C'est pour ça qu'on t'appelle...

Je me retourne vers lui et je laisse ma phrase en suspens devant son expression. Il a les yeux écarquillés, la bouche entrouverte. Dans n'importe quelle autre circonstance, je dirais qu'il a l'air épaté. Mais là, je ne comprends pas.

Il me prend par le coude, et m'attire à lui. Mon poignet me fait encore mal, comme si j'avais vraiment été frappée par une ceinture. Pourtant, il ne porte aucune trace. Les lèvres de Quatre effleurent ma joue, puis ses bras se referment autour de mes épaules et je sens son souffle dans mon cou tandis qu'il y enfouit le visage.

L'espace d'une seconde, je me crispe, avant de le prendre dans mes bras en soupirant.

— Hé, murmuré-je. On a réussi.

Il relève la tête, glisse une main dans mes cheveux, en coince quelques uns derrière mon oreille. On se regarde sans rien dire, ses doigts jouant machinalement avec ma mèche.

— Grâce à toi, déclare-t-il enfin.

J'ai la gorge sèche. Je m'efforce d'ignorer cette décharge électrique qui me traverse dès qu'il me touche.

— Bah... C'est facile d'être courageux face aux peurs des
autres

Je laisse retomber mes mains et les essuie sur mon jean, en
espérant qu'il ne va pas le remarquer.

S'il le remarque, il ne fait pas de commentaire. Il entremêle
ses doigts aux miens.

— Viens, me dit-il. J'ai un autre truc à te montrer.

CHAPITRE VINGT-SIX

ON REPART VERS LA FOSSE en se tenant la main. Je règle soi-gneusement la pression de la mienne. Pendant une minute, j'ai peur de ne pas serrer assez. La minute qui suit, je serre trop fort. Je me suis toujours demandé pourquoi les gens s'embê-taient à se donner la main en marchant, jusqu'à ce que Quatre fasse courir un doigt le long de ma paume. Je frissonne, et tout à coup, je comprends parfaitement.

Dans l'immédiat, je saute sur la seule remarque rationnelle qui me vienne à l'esprit.

— Quatre peurs, donc.

— Quatre lorsque je suis arrivé et quatre aujourd'hui, précise-t-il. Ça n'a pas changé. Alors, je continue à venir ici... mais je n'ai toujours pas avancé.

— C'est impossible de ne pas avoir de peurs, je te rappelle. Pas tant qu'on continue à accorder de la valeur à certaines choses. À sa propre vie.

— Je sais.

On longe la Fosse sur un chemin étroit qui descend jusqu'aux rochers, tout en bas du gouffre. Il se fond dans la paroi rocheuse et je ne l'avais encore jamais remarqué. Quatre, lui, a l'air de bien le connaître.

— Tu allais me parler de ton test d'aptitudes, le relancé-je.

— Ah.

Il se gratte la nuque.

— C'est important ?

— Oui, insisté-je. J'ai envie de savoir.

— Ce que tu es exigeante !

Il sourit.

On arrive au bout du chemin, en bas du gouffre où des rochers hérissés émergent de l'eau bouillonnante. Quatre me guide entre les fissures et les crêtes à angle aigu. Mes chaussures adhèrent à la pierre rugueuse, et laissent une empreinte humide à chacun de mes pas.

Il s'arrête sur un rocher relativement plat qui surplombe l'eau, à un endroit où le courant est assez calme, et s'assoit en laissant pendre ses jambes dans le vide. Je m'installe à côté de lui. Il a l'air à l'aise ici, les pieds à quelques centimètres au-dessus des remous.

Il me lâche la main et soupire, avant de déclarer :

— Tu sais, ces trucs-là, je n'en parle pas aux autres. Même pas à mes amis.

Je me triture les doigts en contemplant les contours déchiquetés des écueils. C'est l'endroit idéal pour me révéler qu'il est Divergent, si c'est le cas. Avec le grondement des flots, personne ne l'entendrait. Je ne sais pas pourquoi, cette dernière pensée me rend nerveuse.

— J'ai eu un résultat sans surprise, poursuit-il. Altruiste.

— Oh...

Quelque chose en moi se dégonfle comme une baudruche. Je m'étais trompée.

Mais... je suis partie du principe que s'il n'était pas Divergent, il avait un résultat Audacieux. Et techniquement, d'après le système, moi aussi, j'ai eu un résultat Altruiste. On a peut-être vécu la même chose ! Dans ce cas, pourquoi ne dit-il pas la vérité ?

— Et tu as quand même choisi les Audacieux ?

— Par nécessité.

— Qu'est-ce qui t'obligeait à partir ?

Il détourne vivement les yeux pour fixer le vide devant lui, comme s'il y cherchait une réponse. En fait, il n'a pas besoin de m'expliquer. Je sens encore la brûlure du coup de ceinture fantôme sur mon poignet.

— Tu devais t'éloigner de ton père... C'est pour ça que tu ne veux pas être un leader Audacieux ? Pour ne plus le revoir ?

Il hausse une épaule.

— Pour ça, et parce que je ne me suis jamais senti totalement à ma place chez les Audacieux. Pas tels qu'ils sont devenus, en tout cas.

— N'empêche que tu es... incroyable. (Je m'arrête pour m'éclaircir la voix.) Je veux dire, c'est dingue, d'après les critères des Audacieux, quatre peurs, c'est une plaisanterie. Ta place était forcément ici.

Nouveau haussement d'épaule. Il n'a pas l'air de faire beaucoup de cas de ses capacités, ni de son statut chez les Audacieux. Ce qui est logique pour un Altruiste. Je ne sais plus trop quoi penser.

— Je ne vois pas une grande différence entre l'altruisme et le courage, réplique-t-il. Quand on t'apprend depuis toujours à t'oublier toi-même, ça devient un réflexe. Le jour où tu te trouves en danger, tu le fais sans y penser. Je pourrais aussi bien appartenir aux Altruistes.

Ma gorge se serre. Pour moi, une vie d'apprentissage n'a pas suffi. Mon premier réflexe est l'instinct de survie.

— Si on veut, dis-je. J'ai quitté les Altruistes parce que je n'étais pas assez altruiste, et ce n'est pas faute d'avoir essayé.

Il se tourne vers moi en souriant.

— Ce n'est pas entièrement vrai. Cette fille qui se tient sans broncher face à un lanceur de couteaux pour épargner un ami, qui frappe mon père avec une ceinture pour me défendre... ce n'est pas toi ?

À croire qu'il me connaît mieux que je ne me connais moi-même. Se pourrait-il qu'il ressente quelque chose pour moi, malgré tout ce que je ne suis pas ? Peut-être... Je le regarde d'un air suspicieux.

— T'as pas les yeux dans ta poche, toi.

— J'aime bien observer les gens, répond-il.

— Toi non plus, tu ne sais pas mentir.

Il pose une main sur le rocher, à côté de la mienne. Je la regarde. Il a de longs doigts fins, faits pour des gestes rapides et adroits. Pas des mains d'Audacieux, plutôt épaisses et solides, habituées à casser des choses.

— D'accord.

Il approche son visage du mien et son regard s'attarde sur mon menton, sur ma bouche, sur mon nez.

— C'est parce que tu me plais.

Il le dit simplement, ouvertement, et ses yeux papillonnent jusqu'aux miens.

— Et ne m'appelle pas Quatre. Ça fait du bien d'entendre mon nom.

Tout à trac, il s'est dévoilé, et je ne sais pas comment réagir. Je commence à avoir chaud. Tout ce que je trouve à dire, c'est :

— Mais... *Tobias*... tu es plus vieux que moi...

Il me sourit.

— C'est vrai que ce fossé de deux ans est totalement insurmontable.

— Je n'essaie pas de me dévaloriser, rectifié-je. C'est juste que j'ai du mal à comprendre. Je suis plus jeune que toi, je ne suis pas jolie, je...

Il rit, d'un rire grave qui semble venir de très loin, et pose sa bouche sur ma tempe.

— Quoi, soyons honnêtes, insisté-je, le souffle court. Je ne suis pas moche, mais on ne peut pas dire que je sois jolie.

Il secoue la tête.

— Admettons. Tu n'es pas jolie. Et alors ?

Il m'embrasse sur la joue.

— Tu me plais comme tu es. Tu es super intelligente. Tu as du cran. Et même maintenant que tu sais pour Marcus...

Sa voix s'adoucit.

— ... tu ne me regardes pas comme un chien battu.

— Parce que tu n'en es pas un.

Il me fixe en silence. Puis il me touche le visage, se penche vers moi et sa bouche effleure mes lèvres. La rivière tonne et une gerbe d'écume me mouille les chevilles. Il sourit jusqu'aux oreilles, et presse sa bouche sur la mienne.

Je suis tendue, ne sachant pas trop comment faire. Du coup, quand il s'écarte, je suis sûre que je m'y suis mal prise. Mais, tenant mon visage fermement entre ses mains, il m'embrasse de nouveau, avec plus d'assurance. Je passe un bras dans son dos et ma main remonte le long de sa nuque, jusqu'à ses cheveux.

Pendant quelques minutes, on s'embrasse, tout en bas du gouffre, cernés par le grondement de l'eau. Et quand on se relève, main dans la main, je songe que si on avait tous les deux fait un autre choix, on aurait peut-être vécu la même chose dans un environnement plus paisible, vêtus de gris et non de noir.

CHAPITRE VINGT-SEPT

LE LENDEMAIN MATIN, je me sens comme une idiote, la tête toute légère. Chaque fois que je chasse le sourire qui s'affiche sur ma figure, il revient malgré moi, et je finis par arrêter de lutter. J'ai gardé les cheveux détachés et laissé tomber mes éternels tee-shirts trop grands pour un neuf, plus ajusté et échancré, qui dévoile mon tatouage.

— Mais qu'est-ce que tu as, aujourd'hui ? s'étonne Christina sur le chemin de la cafétéria.

Elle a encore les yeux bouffis de sommeil et ses cheveux emmêlés forment un halo autour de son visage.

— Bah, c'est le printemps, fais-je. Le soleil brille, les oiseaux chantent.

Elle me regarde en haussant un sourcil, comme pour me rappeler qu'on est dans un tunnel souterrain.

— Elle a bien le droit d'être de bonne humeur, intervient Will. Profites-en, c'est peut-être la dernière fois.

Je fais mine de le frapper en accélérant vers la cafétéria. J'ai le cœur qui bat, parce que je sais que dans la demi-heure qui vient, je vais voir Tobias. Je m'assois à ma place habituelle à côté d'Uriah, en face de Will et de Christina. Il n'y a personne à ma gauche. Je me demande s'il va venir s'y asseoir. S'il va me décocher un de ses sourires jusqu'aux oreilles, me glisser des petits regards à la dérobée ; moi, je ne vais pas pouvoir m'empêcher de le faire.

Je m'empare d'une tartine que j'entreprends de beurrer avec un peu trop d'enthousiasme. Je me rends bien compte que je me comporte comme une dingue, mais je ne peux pas me retenir. Ce serait comme essayer d'arrêter de respirer.

Il entre. Il s'est coupé les cheveux et ils ont l'air plus foncés, presque noirs. Je réalise que c'est une coupe typique d'Altruiste. J'agite la main en souriant, mais il s'assoit à côté de Zeke sans jeter un regard dans ma direction, et je laisse retomber mon bras.

Je fixe ma tartine sans la voir. Je n'ai plus aucun mal à ne pas sourire.

— Ça va ? s'inquiète Uriah, la bouche pleine.

Je fais oui de la tête et je croque dans mon morceau de pain. Qu'est-ce que je me suis imaginée ? Ce n'est pas parce qu'on s'est embrassés une fois que ça va modifier quoi que ce soit. Peut-être qu'il a réfléchi et que je ne lui plais plus. Peut-être qu'il regrette de m'avoir embrassée.

— Le programme d'aujourd'hui, c'est le paysage des peurs, annonce Will. Vous croyez qu'ils vont se servir des nôtres pour la démonstration ?

— Non, répond Uriah. On voit celui d'un instructeur. C'est ce que m'a expliqué mon frère.

— Ooh, quel instructeur ? demande Christina, qui se réveille, tout à coup.

— Franchement, proteste Will, c'est pas juste que vous ayez accès à toutes les infos en interne et pas nous.

— Parce que si tu avais un avantage, tu n'en profiterais pas, peut-être ? lui rétorque Uriah.

— Pourvu que ce soit le paysage de Quatre, poursuit Christina sans s'occuper d'eux.

— Pourquoi ?

Je me mords la lèvre. J'aurais mieux fait de me taire ; j'ai mis bien trop de sérieux dans ma question.

— Tiens, ta bonne humeur s'est envolée, toi ? Comme si tu n'avais pas envie de connaître ses peurs ! À voir comment il joue les durs, je te parie qu'il a peur des marshmallows et des levers de soleil trop violents ou un truc dans le genre. Il surcompense.

— Qu'est-ce qui te fait dire ça ?

— Juste une intuition

Je revois le père de Tobias dans son paysage des peurs. Il ne laisserait personne voir ça. Je jette un coup d'œil dans sa direction. L'espace d'une seconde, ses yeux se posent sur moi, sans expression. Puis se détournent.

+ + +

Quatre et Lauren, l'instructrice des novices natifs, nous attendent devant la salle du paysage des peurs.

— Il y a deux ans, commence-t-elle, les poings sur les hanches. j'avais peur des araignées, de la suffocation, des hémorragies, des murs qui se resserrent et vous emprisonnent, de me faire renvoyer des Audacieux, de me faire écraser par un train, que mon père meure, d'être humiliée en public et de me faire enlever par des hommes sans visage.

Tout le monde la fixe, perplexe.

— La majorité d'entre vous ont entre dix et quinze peurs dans leur paysage, reprend-elle. C'est la moyenne.

— C'est quoi, le minimum ? demande Lynn.

— Ces dernières années, quatre.

Je n'ai pas regardé Tobias depuis le petit-déjeuner, mais là, je ne peux pas me retenir. Ses yeux sont rivés par terre. Je savais que quatre, c'était peu, assez rare pour lui valoir son surnom. Mais j'ignorais que ce n'était même pas la moitié de la moyenne.

À mon tour, je fixe mes pieds, furieuse. D'accord, c'est quelqu'un d'exceptionnel. Et il ne daigne même pas m'accorder un coup d'œil.

— Vous ne découvrirez pas le nombre de vos peurs aujourd'hui, précise Lauren. La simulation a été réglée sur mon paysage des peurs, vous allez donc vivre les miennes et non les vôtres.

Je jette une œillade appuyée à Christina. J'avais raison ; ce n'est pas le paysage de Quatre.

— Mais dans l'intérêt de cet exercice, reprend Lauren, pour comprendre comment fonctionne la simulation, chacun de vous n'affrontera qu'une seule de mes peurs.

Au hasard, elle nous en attribue une à chacun. Je me tiens dans le fond, pour passer dans les derniers. Elle m'a attribué la peur de l'enlèvement.

Comme on n'est pas reliés à l'ordinateur pendant qu'on attend, on ne peut pas voir la simulation, seulement la façon dont la personne y réagit. C'est un très bon moyen de me distraire de mes pensées au sujet de Tobias ; je serre les poings en regardant Will lutter contre des bestioles invisibles et Uriah repousser de toutes ses forces des murs fantômes, et je ricane tandis que Peter devient écarlate devant je ne sais quelle « humiliation en public ». Puis, c'est mon tour.

Ça ne va pas être agréable, mais comme j'ai réussi jusqu'ici à manipuler chacune de mes simulations et que je suis déjà passée par le paysage de Tobias, je n'ai pas d'appréhension quand Lauren enfonce l'aiguille dans mon cou.

Soudain, le paysage change et la scène de l'enlèvement démarre. Il y a de l'herbe sous mes pieds et des mains s'emparent de moi, me saisissent les bras, se plaquent sur ma bouche. Il fait trop noir pour y voir. Je me tiens au-dessus du gouffre. J'entends le grondement de l'eau. Je hurle dans la main qui me bâillonne en me débattant pour me libérer, mais mes ravisseurs sont trop puissants. En flash, je me vois tomber dans le noir, la même image qui revient sans cesse dans mes cauchemars. Je crie de nouveau ; je hurle à m'en casser la voix, jusqu'à ce que des larmes brûlantes jaillissent de mes yeux.

Je savais qu'ils reviendraient. Je savais qu'ils réessaieraient. La première fois ne leur a pas suffi. Je crie encore, pas pour appeler à l'aide, mais parce que c'est ce qu'on fait quand on va mourir et qu'on ne peut rien y changer.

— Arrête, dit une voix grave.

La scène disparaît et les lumières reviennent. Je suis sur le ciment, dans la salle du paysage des peurs. Secouée de tremblements, je tombe à genoux, la tête dans les mains. J'ai échoué. J'ai perdu toute logique, toute capacité de raisonner. La peur de Lauren est devenue la mienne.

Devant tout le monde. Et devant Tobias.

J'entends des pas. Tobias s'avance vers moi et me force à me relever.

— Qu'est-ce que c'est que ce cirque, Pète-sec ?

— Je... Je n'ai pas...

Mon souffle reste coincé dans ma gorge.

— Ressaisis-toi ! C'est pitoyable.

Sa remarque agit sur moi comme un choc. J'arrête de pleurer. Une vague de colère me parcourt, chassant ma faiblesse, et je le gifle si fort que je me fais mal à la main. Il me fixe obstinément, la joue écarlate.

— La ferme, dis-je, en soutenant son regard.

Je libère mon bras d'un coup sec et je sors.

CHAPITRE VINGT-HUIT

JE REMONTE LE COL DE MON BLOUSON. Ça fait longtemps que je ne suis pas sortie à l'air libre. Le soleil luit faiblement sur mon visage, et je suis des yeux les petits nuages de vapeur qui sortent de ma bouche.

Au moins, j'ai réussi une chose. J'ai convaincu Peter et ses amis que je ne suis plus une menace. Je dois juste faire en sorte de leur prouver le contraire demain, quand je traverserai mon propre paysage des peurs. Hier, je n'aurais jamais envisagé d'échouer. Aujourd'hui, je ne sais plus.

Mon envie de pleurer est partie. Je me lisse les cheveux et me fais une tresse, je l'attache avec l'élastique passé à mon poignet. C'est tout ce dont j'ai besoin : me rappeler qui je suis. Je suis quelqu'un qui ne va pas se laisser arrêter par des choses aussi futiles que les garçons et les expériences où on frôle la mort.

Ah non ? Je secoue la tête en riant.

J'entends le sifflement du train. Les rails contournent l'enceinte des Audacieux et continuent à perte de vue. Où commencent-ils ? Où finissent-ils ? À quoi ressemble le monde qui se trouve au-delà ?

Je vais jusqu'à la voie ferrée.

Je voudrais rentrer chez moi, mais je ne peux pas. Eric nous a prévenus qu'on ne devait pas avoir l'air trop attachés à nos parents le jour des Visites. Alors, j'imagine que retourner les voir doit être considéré comme une trahison, ce que je ne peux pas me permettre. En revanche, il n'a pas dit qu'il était interdit d'aller voir quelqu'un dans une autre faction. Et ma mère m'a demandé d'aller voir Caleb.

Je sais que je n'ai pas le droit de sortir seule, mais c'est plus fort que moi. Je marche de plus en plus vite le long de la voie, puis je cours en calant ma vitesse sur celle du train. Je saisis une poignée et je saute dans un wagon. Tout mon corps est courbatu, douloureux.

À l'intérieur, je m'allonge près de la portière ouverte et je regarde l'enceinte des Audacieux disparaître derrière moi. Je n'ai aucune envie d'y retourner. Mais choisir de partir, de devenir une sans-faction, serait un acte plus courageux que tout ce que j'ai accompli jusqu'ici, et aujourd'hui, je me sens lâche.

L'air tourbillonne autour de moi, s'enroule autour de mes doigts. Je laisse ma main flotter à l'extérieur, contre le vent. Je ne peux pas rentrer chez moi, mais je peux en retrouver une petite partie. Caleb est présent dans chacun de mes souvenirs d'enfance. Il fait partie de ce que je suis.

Le convoi ralentit en atteignant le cœur de la ville et je m'assois pour regarder grandir les immeubles à mesure qu'on s'approche. Les Érudits vivent dans de grands bâtiments en pierre qui surplombent les marais. Je saisis la poignée et me penche pour voir où vont les rails. Ils redescendent au niveau du sol juste avant de tourner vers l'est. Je respire l'odeur du marais et du bitume mouillé.

Le train plonge et ralentit, et je saute. Mes jambes flageolent sous le choc de l'atterrissage et je cours sur quelques mètres pour l'amortir. Puis je marche au milieu de la rue en direction du sud, vers le marais. La terre déserte s'étend à perte de vue en une longue plaine brune qui va heurter l'horizon.

Je tourne à gauche. Les bâtiments des Érudits se dressent devant moi, sombres et peu familiers. Comment vais-je dénicher Caleb là-dedans ?

Les Érudits tiennent des dossiers ; c'est dans leur nature. Ils en ont sûrement sur leurs novices. Je n'ai plus qu'à trouver les personnes qui y ont accès. Je scrute les immeubles. En toute logique, le plus important doit être le plus central. Autant commencer par celui-là.

Il y a des membres partout. Les Érudits sont tenus de toujours porter au moins un vêtement bleu, car cette couleur fait sécréter par le corps des substances chimiques apaisantes ; et « Un esprit apaisé est un esprit clair ». À cause de ce code vestimentaire, le bleu est devenu le symbole de leur faction. Il me paraît terriblement vif, maintenant que je me suis habituée aux vêtements noirs et aux éclairages diffus.

En franchissant la porte de l'édifice central, je pénètre dans une entrée immense, silencieuse, qui sent le papier et la poussière. Le sol parqueté craque sous mes pieds. Sur les deux côtés, les murs sont couverts de bibliothèques, mais elles m'ont l'air plus décoratives qu'autre chose ; le milieu de la salle est occupé par des rangées de tables équipées d'ordinateurs, et tout le monde fixe son écran d'un air concentré. Je ne vois aucun livre.

J'aurais pu me douter que le bâtiment principal des Érudits

serait une bibliothèque. En face de l'entrée, sur le mur du fond, se dresse un grand portrait, deux fois plus haut et quatre fois plus large que moi. Il représente une femme séduisante aux yeux gris bleu munis de lunettes. Jeanine. À sa vue, une poussée de chaleur me monte à la gorge. En tant que porte-parole des Érudits, c'est elle qui a publié l'article sur mon père. Elle m'était déjà antipathique du temps où il se plaignait d'elle à table. Maintenant, je la hais.

Sous son portrait, une grosse plaque déclare : CONNAISSANCE EST MÈRE DE PROSPÉRITÉ.

La prospérité. Pour moi, ce mot a une connotation négative. Chez les Altruistes, il est synonyme d'extravagance.

Comment Caleb a-t-il pu choisir de faire partie de ces gens ? Leurs actes, leurs aspirations, tout chez eux est condamnable. Mais il en pense sans doute autant des Audacieux.

Je me dirige vers un comptoir situé sous le portrait de Jeanine. Le jeune homme assis derrière me demande sans lever le nez :

— Que puis-je pour vous ?

— Je cherche quelqu'un. Il s'appelle Caleb. Vous savez où je peux le trouver ?

— Je ne suis pas autorisé à fournir des informations personnelles, me répond-il platement sans cesser de taper sur son clavier.

— C'est mon frère.

— Je ne suis pas autoris...

Je frappe le bureau du plat de la main et dans un sursaut, il s'arrache à son occupation pour me fixer derrière ses lunettes. Des têtes se tournent vers moi.

— Je vous dis que je cherche quelqu'un, répété-je sèchement.

C'est un novice. Pouvez-vous au moins m'indiquer à quel endroit les trouver ?

— Beatrice ? fait une voix dans mon dos.

Je me retourne et Caleb est là, devant moi, arborant des lunettes et un tee-shirt bleu. Même s'il a changé, et qu'on m'interdit désormais de l'aimer, je me précipite sur lui et jette les bras autour de son cou.

— Tu t'es fait tatouer, lâche-t-il d'une voix étouffée.

— Tu portes des lunettes, répliqué-je.

Je me recule en plissant les yeux.

— Ta vision est parfaite, Caleb. À quoi ça rime ?

— Heu...

Il jette des coups d'œil furtifs sur les tables autour de nous.

— Viens. Sortons d'ici.

On quitte l'immeuble et on traverse la rue. Je suis presque obligée de courir pour rester à son niveau. En face du siège des Érudits se trouve ce qui était autrefois un parc, le Millenium Park. Maintenant, on l'appelle simplement le Millenium. Ce n'est plus qu'une grande étendue déserte sur laquelle se dressent quelques statues en acier rouillé, dont un mammouth stylisé et une sorte de fève géante en métal réfléchissant devant lesquels j'ai l'air d'une naine.

On s'arrête sur l'esplanade en béton qui entoure la fève. Des Érudits y sont assis par petits groupes, plongés dans des livres ou des journaux. Caleb enlève ses lunettes, les fourre dans sa poche et passe une main dans ses cheveux, ses yeux papillotant nerveusement autour des miens, comme s'il se sentait gêné. Je devrais peut-être ressentir la même chose, avec mes tatouages et mes vêtements moulants. Mais non.

— Qu'est-ce que tu fais là ? s'étonne-t-il.

— Je voulais rentrer à la maison, et tu es ce qui y ressemble le plus.

Il serre les lèvres.

— Moi aussi, je suis contente de te voir.

— Hé, fait-il en posant les mains sur mes épaules, ça me fait super plaisir que tu sois là, OK ? C'est juste qu'on n'a pas le droit. Il y a des règles.

— Je m'en fiche. Je m'en fiche complètement.

— Je pense que tu as tort. À ta place, j'éviterais de m'attirer des ennuis avec les Audacieux.

Il a repris sa voix douce et son expression réprobatrice d'autrefois.

— Qu'est-ce que ça veut dire ?

J'ai très bien compris. Il considère ma faction comme la plus cruelle des cinq, point.

— Je ne veux pas qu'on te fasse du mal, c'est tout. Pas besoin de te mettre en colère.

Il penche la tête sur le côté et reprend :

— Qu'est-ce qu'ils t'ont fait là-bas ?

— Rien, rien du tout.

Je ferme les yeux et je me masse la nuque. Même si je pouvais tout lui expliquer, je n'en aurais pas envie. Je ne trouve même pas la volonté de le faire.

— Tu penses... tu penses que tu as fait le bon choix ? me demande-t-il en fixant ses pieds.

— Ça ne s'est pas vraiment présenté comme un choix. Et toi ?

Il jette des coups d'œil à la ronde. Les gens nous détaillent en passant. Les yeux de Caleb volettent sur leurs visages. Il est toujours nerveux, mais ce n'est plus à cause de lui, ni de moi. C'est peut-être à cause d'eux. Je le prends par le bras pour l'entraîner sous l'arche de la fève. On marche un moment sous sa structure concave. Sa forme creuse me renvoie mon image déformée et démultipliée, piquetée de rouille et de crasse.

— Qu'est-ce qui se passe ? demandé-je en croisant les bras. Qu'est-ce qui ne va pas ?

Il pose une main sur le métal. Sa tête s'y reflète toute petite et aplatie d'un côté, et ses bras ont l'air d'être pliés à l'envers. Mon image à moi est ramassée et trapue.

Il me regarde, l'air franchement inquiet.

— Il se passe un truc, Beatrice. Un truc grave. Je ne sais pas quoi, mais les gens courent partout, se parlent à voix basse, et Jeanine tient des grands discours pratiquement tous les jours sur la corruption des Altruistes.

— Et tu la crois ?

— Non. Peut-être, dit-il, hésitant, en secouant la tête. Je ne... Je ne sais plus ce que je dois croire.

— Tu le sais très bien, répliqué-je sèchement. Tu connais nos parents. Tu connais nos amis. Le père de Susan, tu penses qu'il est corrompu ?

— Qu'est-ce que j'en sais ? Qu'est-ce qu'on savait ? On n'avait pas le droit de poser de questions, Beatrice. On n'avait rien le droit de savoir ! Et ici...

Il lève les yeux, et dans le cercle plat qui se trouve au-dessus de nous se reflètent deux toutes petites têtes de la taille d'un ongle. Voilà nos vraies images, me dis-je : aussi petites qu'on l'est en réalité.

— Ici, poursuit-il, on a accès à toutes les informations, partout, tout le temps.

— On n'est pas chez les Sincères, Caleb. Ici, il y a des menteurs. Des gens assez malins pour savoir comment vous manipuler.

— Tu ne crois pas que je serais au courant si on essayait de me manipuler ?

— S'ils sont aussi malins que tu le crois, non, je ne pense pas que tu t'en rendrais compte.

— Tu ne sais pas de quoi tu parles, dit-il d'un air buté.

— Bien sûr. Comment pourrais-je savoir à quoi ressemble une faction corrompue ? Je ne suis qu'une apprentie Audacieuse, c'est tout dire. Mais au moins, je sais où j'ai mis les pieds. Alors que toi, tu préfères ignorer ce qu'on a toujours su : que ces gens sont arrogants et avides et qu'ils ne te mèneront nulle part.

Sa voix se durcit.

— Je crois que tu ferais mieux de partir, Beatrice.

— Avec plaisir. Oh, et au cas où ça t'intéresserait, maman voudrait que tu fasses des recherches sur le sérum de simulation.

Il a un air blessé, tout à coup.

— Tu l'as vue ? Mais pourquoi elle n'est pas...

— Parce que, le coupé-je, les Érudits ne laissent plus les Altruistes entrer dans leur secteur. Cette information-là n'est pas disponible, ici ?

Je quitte la grotte-miroir formée par la sculpture en le bousculant sur mon passage et m'éloigne sur le trottoir. Je n'aurais jamais dû venir. Maintenant, j'ai le sentiment que ma vraie place est chez les Audacieux. Au moins là-bas, les choses ont le mérite d'être claires, à défaut d'être confortables. La foule s'écarte sur le trottoir, et j'en découvre la raison en levant les yeux. À quelques mètres devant moi, deux Érudits me font face, les bras croisés.

— Excusez-moi, me dit l'un des deux. Veuillez nous suivre.

L'un des deux hommes me suit de si près que je sens son souffle dans mon cou. L'autre, juste devant moi, me fait rentrer dans la bibliothèque et me guide le long des couloirs jusqu'à un ascenseur. Passé le hall d'entrée, le parquet se change en dalles de carrelage blanc et les murs luisent, comme le plafond de la salle du test d'aptitudes. Leurs reflets sur les portes métalliques de l'ascenseur m'obligent à plisser les yeux.

Je m'efforce de rester calme en me répétant les questions apprises pendant ma formation chez les Audacieux. *Que fait-on en cas d'attaque par derrière ?* Je me vois en train de balancer un coup de coude dans une aine ou un estomac. Si seulement j'avais un pistolet ! Ce sont des pensées d'Audacieux, et je les ai assimilées.

Que fait-on en cas d'attaque simultanée par deux assaillants ? Je suis l'homme dans un couloir vide baigné de reflets et j'entre dans une pièce aux murs vitrés. Maintenant je sais quelle faction a conçu mon lycée.

Une femme est assise derrière un bureau métallique. C'est celle du portrait qui domine la bibliothèque des Érudits, et qui illustre tous les articles publiés par leur faction. Je ne pourrais même plus dire depuis combien de temps ce visage m'inspire de la haine.

— Assieds-toi, me dit Jeanine.

Cette voix et ce ton sec ne me sont pas inconnus. Ses yeux gris bleu fixent les miens.

— Je préfèrerais rester debout.

— Assieds-toi, répète-t-elle.

Cette fois, je suis sûre d'avoir déjà entendu sa voix. En train de parler à Eric dans le couloir, juste avant que je me fasse attaquer. Je l'ai entendue mentionner les Divergents. Et je l'avais entendue une autre fois auparavant...

— C'était votre voix dans la simulation, déclaré-je. Enfin, dans le test d'aptitudes.

C'est elle, le danger pour les Divergents contre lequel Tori et ma mère m'ont mise en garde. Assise pile en face de moi.

— C'est exact, me répond-elle. Le test d'aptitudes est de loin mon plus grand accomplissement dans le domaine scientifique. J'ai jeté un œil sur tes résultats, Beatrice. Il semble qu'il y ait eu un problème. Ton test n'a pas été enregistré et tes résultats ont dû être classés manuellement. Tu le savais ?

— Non.

— Tu savais que tu étais l'une des deux seules personnes qui aient jamais choisi Audacieux avec un résultat Altruiste ?

— Non, dis-je en cachant ma surprise.

Tobias et moi, les seuls ? Mais son résultat est authentique, tandis que le mien est un mensonge. Ce qui ne laisse que lui, en réalité.

Le fait de penser à lui me tord l'estomac. Qu'est-ce que ça peut bien me faire qu'il soit unique ? Lui me trouve pitoyable.

— Pourquoi as-tu choisi les Audacieux ?

— Pourquoi me demandez-vous ça ?

J'ai du mal à empêcher la colère de percer dans mes remarques.

— Si vous m'avez fait venir, c'est bien pour me punir d'avoir abandonné ma faction et d'être venue voir mon frère ? « La faction avant les liens du sang »...

Je m'interromps une seconde.

— D'ailleurs, qu'est-ce que je fais ici ? Vous n'êtes pas censée être quelqu'un d'important ?

Ça va peut-être lui clouer le bec.

Elle pince les lèvres, furtivement.

— Je laisserai aux Audacieux le soin de te punir, réplique-t-elle en s'adossant à son fauteuil.

Je crispe les doigts sur le dossier de la chaise où j'ai refusé de m'asseoir. Derrière elle, il y a une fenêtre qui donne sur la ville. Au loin, je vois le train prendre un virage, sans se presser.

— Quant à la raison de ta présence ici... L'une des qualités de ma faction est la curiosité, poursuit-elle. Et en regardant ton dossier, j'ai constaté une autre erreur concernant une de tes épreuves de simulation. Là encore, elle n'a pas été enregistrée. Tu étais au courant ?

— Comment avez-vous eu accès à mon dossier ? Il est réservé aux Audacieux, en principe.

— Comme les simulations ont été mises au point par les Érudits, nous avons passé un... accord avec les Audacieux, Beatrice.

Elle penche la tête sur le côté et me sourit.

— Il est normal que je me préoccupe de la fiabilité de notre système. S'il a des défaillances, je dois m'assurer qu'elles soient résolues, tu comprends ?

Je comprends surtout qu'elle me ment. Elle se fiche du système ; elle soupçonne que quelque chose ne va pas dans le résultat de mon test. Tout comme les leaders Audacieux, elle essaie de repérer les Divergents. Et si ma mère veut que Caleb fasse des recherches sur le sérum de simulation, c'est sans doute parce que c'est Jeanine qui l'a mis au point.

Mais en quoi ma capacité à manipuler les simulations

représente-t-elle une telle menace ? En quoi cela pourrait-il bien concerner la porte-parole des Érudits ?

Je n'ai aucune réponse. Mais la façon dont elle me regarde me rappelle la lueur dans l'œil du chien pendant le test d'aptitudes : une lueur mauvaise, prédatrice. Elle me mettrait volontiers en pièces. Seulement là, je ne peux pas m'allonger par terre pour me soumettre. Et puis, entre-temps, je me suis moi-même transformée en chien d'attaque.

Je sens mon pouls battre dans ma gorge.

— Je ne sais pas comment ça marche, me lancé-je, mais le produit qu'on m'a injecté m'a donné mal au ventre. Peut-être que la personne qui m'a administré le sérum avait peur que je vomisse, et c'est pour ça qu'elle a oublié d'enregistrer ? J'ai aussi vomi après le test d'aptitudes.

— As-tu l'estomac fragile en règle générale, Beatrice ?

Sa voix est acérée comme une lame de rasoir. Ses ongles manucurés pianotent sur la surface en verre de son bureau.

— Depuis que je suis toute petite, assuré-je du ton le plus naturel que je peux.

Je lâche la chaise et la contourne pour m'asseoir dessus. Je ne dois pas paraître tendue, même si j'ai l'impression qu'on me vrille les intestins.

— Tu as extrêmement bien réussi les simulations, reprend-elle. Comment expliques-tu une telle facilité ?

— Je suis courageuse.

Les autres factions ont une certaine image des Audacieux. Ils les voient comme téméraires, agressifs, impulsifs. Autant lui donner ce qu'elle attend. Je la regarde dans les yeux en laissant échapper un petit sourire narquois.

— C'est moi la meilleure.

Je me penche en avant, les coudes sur les genoux. Elle ne va pas se contenter de ça.

— Vous voulez savoir pourquoi j'ai choisi les Audacieux ? enchaîné-je. C'est parce que je m'ennuyais.

Allez, continue. Il faut s'investir pour mentir.

— J'en avais assez d'être une bonne âme bien gentille, je voulais partir.

— Et tes parents ne te manquent pas ? me demande-t-elle gentiment.

— Est-ce que ça me manque de me faire gronder quand je me regarde dans un miroir ? Est-ce que ça me manque de devoir me taire à table ?

Je secoue la tête.

— Non, ils ne me manquent pas. Ce n'est plus ma famille.

Le mensonge me brûle la gorge, à moins que ce ne soient les larmes que je refoule. Je revois ma mère derrière moi, un peigne et une paire de ciseaux à la main, me coiffant avec un sourire rêveur ; et le fait de l'insulter me donne la nausée.

— Dois-je en conclure...

Jeanine plisse les lèvres et hésite quelques secondes avant d'achever :

— ... que tu es d'accord avec les articles parus sur les leaders politiques de la ville ?

Les articles qui fustigent mon père en le traitant de dictateur corrompu, avide de pouvoir et moralisateur ? Les articles subtilement menaçants qui incitent à la révolution ? Ils me rendent malades. L'idée que c'est elle qui les a publiés me donne envie de l'étrangler.

Je souris.

— À cent pour cent.

+++

Un des laquais de Jeanine, qui porte des lunettes de soleil et une chemise bleue, me reconduit jusqu'à l'enceinte des Audacieux dans une voiture gris argenté aux lignes épurées, comme je n'en avais jamais vue. Le moteur est presque silencieux. J'en fais la remarque au chauffeur, qui m'informe qu'elle roule à l'énergie solaire. Il se lance dans une longue explication sur la façon dont les panneaux du toit convertissent la lumière du soleil en énergie. Je cesse d'écouter au bout d'une minute pour regarder par la vitre.

Que va-t-il m'arriver à mon retour ? Je soupçonne qu'ils vont me faire payer cher mon escapade. Je me mords la lèvre en m'imaginant suspendue par les pieds au-dessus du gouffre.

Quand le chauffeur se gare devant la tour de verre au-dessus de l'enceinte des Audacieux, Eric m'attend à la porte. Il me prend par le bras et m'entraîne à l'intérieur sans un merci pour l'Érudit. À la façon dont il me serre, je sais déjà que je vais avoir des bleus.

Il me pousse dans une pièce et se tient entre moi et la porte en faisant craquer ses phalanges. En dehors de ça, il ne bouge pas un cil.

Le léger bruit de ses jointures est le seul que j'entends hormis celui de ma respiration, qui s'accélère de seconde en seconde. Quand, enfin, il arrête, il s'étire, les doigts croisés.

— Ravi de te revoir, Tris, me dit-il.

Il s'approche de moi, sans hâte, en mettant soigneusement un pied devant l'autre.

— Qu'est-ce qui t'est passé par la tête, *au juste* ?

Il a commencé sa phrase d'un ton presque inaudible, en insistant davantage sur la fin.

— Je...

Il est si près que je vois les trous de ses piercings.

— Je ne sais pas.

— Je serais tenté de te qualifier de traître, Tris, déclare-t-il. Tu n'as jamais entendu l'expression « La faction avant les liens du sang » ?

Je l'ai déjà vu dire et faire des choses terribles. Mais je ne l'avais jamais vu sous ce jour-là. Il n'a plus rien d'un fou furieux ; au contraire, il est on ne peut plus calme. Posé, circonspect.

Et pour la première fois, je le reconnais pour ce qu'il est : un Érudit déguisé en Audacieux, un génie en même temps qu'un sadique, un traqueur de Divergents.

Je n'ai qu'une envie : m'enfuir.

— Tu n'es pas satisfaite de la vie que tu as trouvée ici ? Tu regrettes ton choix, peut-être ?

Ses sourcils chargés de piercings se soulèvent en dessinant des rides sur son front.

— J'aimerais t'entendre m'expliquer ce qui t'a poussée à trahir les Audacieux, toi-même, sans parler de *moi* (Il se touche la poitrine de l'index.)... en t'aventurant au siège d'une autre faction.

— Je...

Il me tuerait s'il savait ce que je suis, je le sens. Il a les poings serrés. Je suis toute seule ici ; s'il m'arrive quelque chose, personne ne le saura, personne ne le verra. Je prends une grande inspiration.

— Si tu ne peux pas t'expliquer, reprend-il doucement, je serai forcé de revoir ta position dans le classement. Ou, puisque

tu sembles avoir gardé les valeurs de ton ancienne faction...
de revoir les positions de tes amis. Ça ferait peut-être réfléchir
la petite fille Altruiste qui est en toi.

Ma première pensée est qu'il n'a pas le droit de faire ça,
ce serait totalement injuste. Ma deuxième est que, évidemment, il le ferait. Il n'hésiterait pas une seconde. Et il a raison ; à
l'idée que mon imprudence risque de faire renvoyer quelqu'un
d'autre de la faction, un poids m'écrase la poitrine.

Je réessaie.

— Je...

Mais j'ai du mal à respirer.

À ce moment-là, la porte s'ouvre et Tobias entre dans la pièce.

— Qu'est-ce que tu fais ? demande-t-il à Eric.

— Laisse-nous, rétorque celui-ci, d'une voix soudain plus
forte et moins monocorde.

Je retrouve l'Eric que je connais. Son expression aussi s'est
transformée, elle est plus mobile, plus animée. Je le dévisage,
stupéfaite qu'il puisse changer ainsi d'attitude sur commande.
Quelle stratégie cela peut-il cacher ?

— Arrête, reprend Tobias. Ce n'est qu'une petite idiote. Pas
besoin de la traîner ici pour l'interroger.

— Une petite idiote ? ricane Eric. Si c'était le cas, tu crois
qu'elle serait classée première ?

Tobias se frotte le nez tout en me glissant un coup d'œil par
en dessous. Il essaie de me faire passer un message. Je réfléchis
à toute vitesse. Quels conseils m'a-t-il donnés récemment ?

Je n'en trouve qu'un : faire semblant d'être vulnérable.

Jusqu'ici, ça m'a réussi.

J'enfonce les mains dans mes poches, les yeux par terre.

— Je... je... j'avais honte et je ne savais pas quoi faire.

Je me pince la cuisse à travers le tissu de mon pantalon jusqu'à ce que les larmes me montent aux yeux, et je renifle.

— J'ai essayé de... et puis...

Je secoue la tête.

— Tu as essayé de faire quoi ? me relance Eric.

— De m'embrasser, soupire Tobias. Je l'ai envoyée promener et elle est partie en courant comme une gamine de cinq ans. Tout ce qu'on peut lui reprocher, c'est sa stupidité.

On attend tous les deux.

Les yeux d'Eric vont de moi à Tobias et il rit, fort et longtemps, d'un rire menaçant, crissant comme du papier de verre, qui me fait grincer des dents.

— Il n'est pas un peu âgé pour toi, Tris ? me demande-t-il avec un sourire moqueur.

Je m'essuie la joue comme pour sécher une larme.

— Je peux m'en aller, maintenant ?

— OK, c'est bon. Mais tu n'as pas le droit de quitter l'enceinte de ton propre chef, compris ? (Il se tourne vers Tobias.) Et toi, débrouille-toi pour qu'il n'y ait pas d'autre fugue. Et pour que les filles arrêtent de se jeter à ta tête.

Tobias lève les yeux au plafond.

— OK.

Je sors et je marche un moment en secouant les mains pour me décontracter. Puis je m'assois par terre, les bras autour de mes jambes repliées.

Je ne sais pas combien de temps je reste là, le front contre les genoux, les yeux fermés, avant que la porte ne se rouvre. Peut-être vingt minutes, peut-être une heure. Tobias se dirige vers moi.

Je me lève et reste droite, dans l'attente d'un savon : d'abord,

je le gifle, et ensuite je me mets à dos les leaders Audacieux...
ça va forcément chauffer.

— Quoi ? dis-je.

— Ça va ?

Un pli apparaît entre ses sourcils et il m'effleure la joue.
Je le repousse.

— Voyons... d'abord je me suis fait allumer devant tout le
monde, ensuite j'ai dû faire la conversation avec la femme qui
essaie de détruire mon ex-faction et pour finir, Eric a menacé
de virer mes amis des Audacieux. Excellente journée jusqu'ici,
Quatre.

Il secoue la tête en regardant le bâtiment en ruine sur sa
droite, un immeuble en briques qui jure avec la tour en verre
toute lisse qui se trouve derrière moi. Il doit être très ancien. Plus
personne n'utilise la brique comme matériau de construction.

— Et puis qu'est-ce que ça peut te faire ? continué-je. Une
minute, tu joues à l'instructeur brutal et celle d'après, au petit
ami inquiet. Il faudrait savoir.

Je me suis crispée quand l'expression « petit ami » est sortie
de ma bouche. Je ne voulais pas dire ça avec autant de désin-
volture ; trop tard.

— Je ne suis pas brutal, proteste-t-il. Ce matin, j'essayais de
te protéger. Comment crois-tu que Peter et ses copains réagi-
raient s'ils découvraient que toi et moi, on est...

Il soupire.

— Tu aurais beau faire, ils pourraient toujours prétendre que
tu dois ton classement à du favoritisme et pas à tes capacités.

Quelques remarques bien senties me viennent à l'esprit
et j'ouvre la bouche pour riposter, mais il a raison. Mes joues
chauffent, et je pose les mains dessus pour les rafraîchir.

— Peut-être, mais tu n'avais pas besoin de m'insulter, dis-je enfin.

— Et toi, tu n'avais pas besoin de t'enfuir voir ton frère juste parce que je t'avais blessée, répond-il en se frottant la nuque. En plus... le coup de ce matin, ça a marché, non ?

— À mon détriment.

— Je ne pensais pas que ça t'affecterait autant.

Il hausse les épaules et baisse les yeux.

— Des fois, j'oublie que je peux te blesser. Qu'on peut te blesser.

Je glisse les mains dans mes poches et me balance sur les talons. J'éprouve une drôle de sensation, comme un coup au cœur. Il a fait ça parce qu'il pense que je suis forte.

À la maison, c'était Caleb qui était fort, parce qu'il avait le don de s'oublier, que toutes les qualités valorisées par mes parents lui venaient naturellement. Personne n'a jamais été très convaincu de ma force à moi.

Je me hausse sur la pointe des pieds et j'embrasse Quatre sur les lèvres.

— Tu sais que tu es quelqu'un de génial ? murmuré-je. Tu sais toujours exactement comment agir.

— C'est juste parce que ça fait un moment que j'y réfléchis, reprend-il en m'embrassant furtivement. Que je cherche comment gérer ça, si tous les deux, on...

Il s'écarte avec un sourire.

— Je ne t'ai pas entendu m'appeler ton petit ami ?

Je prends un air innocent.

— Pas exactement. Pourquoi ? Tu voudrais que je le fasse ?

Il glisse les pouces sous mon menton, le soulève et pose son front contre le mien. Il reste un moment sans bouger, les yeux fermés, à respirer le même air que moi. Il respire vite. Nerveusement.

— Oui, souffle-t-il enfin.

Puis son sourire s'efface.

— Tu crois qu'on a réussi à le convaincre que tu étais une idiote ?

— J'espère. Quelquefois, ça sert d'être petite. Mais je ne suis pas sûre d'avoir convaincu les Érudits.

Les coins de sa bouche retombent et il me regarde d'un air grave.

— Il y a un truc qu'il faut que tu saches.

— Quoi ?

Il jette des coups d'œil aux alentours.

— Pas tout de suite. Retrouve-moi ici ce soir à onze heures et demie. Et n'en parle à personne.

J'acquiesce d'un signe de tête et il s'en va, aussi vite qu'il était venu.

+ + +

— Qu'est-ce que tu as fabriqué toute la journée ? me lance Christina quand j'arrive dans le dortoir. Je t'ai cherchée dehors, mais je ne t'ai pas trouvée. Tout va bien ? Tu as eu des ennuis parce que tu avais giflé Quatre ?

La salle est vide ; ils doivent tous être en train de manger.

Je secoue la tête. Je me sens épuisée rien qu'à l'idée de lui raconter. Comment pourrais-je expliquer l'impulsion qui m'a poussée à sauter dans un train pour aller voir mon frère ? Ou le calme terrifiant d'Eric pendant qu'il me questionnait ? Ou la raison qui m'a fait exploser et gifler Tobias, pour commencer ?

— J'avais juste besoin de prendre l'air. J'ai marché. Et non, je n'ai pas eu d'ennuis. Il m'a braillé dessus, je me suis excusée... et voilà.

Tout en parlant, je prends bien soin de la regarder dans les yeux et de garder les bras le long du corps, immobiles.

— Tant mieux, commence-t-elle. Parce que j'ai un truc à te dire.

Elle jette un coup d'œil vers la porte derrière moi et se met sur la pointe des pieds pour s'assurer que les couchettes sont vides. Puis elle pose les mains sur mes épaules.

— Tu peux être une fille pendant quelques secondes ?

Je fronce les sourcils.

— Je suis toujours une fille.

— Tu vois ce que je veux dire. Une pipelette qui aime bien les petits secrets, quoi.

J'enroule une mèche autour de mon doigt.

— Booon...

Elle a un sourire si large que j'aperçois ses dents du fond.

— Will m'a embrassée.

— Quoi ? m'écrié-je. Quand ? Où ? Comment ça s'est passé ?

— Mais oui, tu peux être une fille !

Elle se redresse en ôtant ses mains de mes épaules.

— Ben après l'incident avec toi, on a déjeuné, et ensuite on a marché du côté de la voie ferrée. On parlait juste de... je ne sais même plus de quoi on parlait. Et tout à coup il s'est arrêté et il s'est penché et... il m'a embrassée.

— Tu savais que tu lui plaisais ?

— Non ! me répond-elle en riant. Et le plus dingue, c'est qu'on en est restés là ! On a continué à marcher et à papoter comme si de rien n'était. Enfin, jusqu'à ce que moi, je l'embrasse.

— Depuis combien de temps il te plaît ?

— Je ne sais pas. Ça ne s'est pas vraiment passé comme ça. C'est juste... la façon qu'il a eu de mettre un bras autour de mes épaules à l'enterrement, le fait qu'il me tienne la porte comme à une vraie fille, et pas comme à quelqu'un qui pourrait le démolir...

Je rigole. Soudain, j'ai envie de lui parler de Tobias et de ce qu'il y a entre nous. Mais les raisons qu'il a soulevées me retiennent de tout lui avouer. Je ne voudrais pas qu'elle croie que mon classement a le moindre rapport avec ma relation avec lui.

Et je me contente de déclarer :

— Je suis heureuse pour toi.

— Merci. Moi aussi, je suis heureuse. Je pensais qu'il faudrait que j'attende encore un moment avant de ressentir ça... enfin, tu vois.

Elle s'assied sur mon lit et contemple le dortoir. Certains novices ont déjà fait leurs valises. Bientôt, on va s'installer dans des appartements à l'autre bout de l'enceinte. Ceux qui travailleront pour le gouvernement logeront dans la tour de verre au-dessus de la Fosse. Je n'aurai plus à craindre que Peter m'attaque pendant mon sommeil. Je n'aurai plus à voir le lit vide d'Al.

— C'est dingue que ce soit presque fini, dit Christina. On dirait qu'on vient à peine d'arriver. Mais en même temps, j'ai l'impression que... que je suis partie de chez moi depuis une éternité.

Je m'adosse à la colonne du lit.

— Ça te manque ?

Elle hausse les épaules.

— Ouais. Mais certains trucs sont pareils ici, alors ça aide. Par exemple, ça braillait autant chez moi. Mais c'était plus facile là-bas. On sait toujours ce que pensent les gens, vu qu'ils te le disent. Il n'y a pas de... manipulation.

Je fais signe que je comprends. Les Altruistes m'ont préparée à cet aspect de la vie des Audacieux. Ils ne sont pas manipulateurs, mais ils ne sont pas francs non plus.

— N'empêche, reprend-elle, je ne crois pas que j'aurais pu passer le cap de l'initiation chez les Sincères. À la place des simulations, on te soumet au détecteur de mensonges. Toute la journée, jour après jour. Et pour l'épreuve finale... (Elle a une grimace de répulsion.) ils t'injectent un truc qu'ils appellent le sérum de vérité, ils te font asseoir devant tout le monde et ils te posent des tonnes de questions super personnelles. L'idée, c'est qu'une fois que tu as balancé tes secrets, comme les gens sont déjà au courant de ce qu'il y a de pire chez toi, tu n'as plus jamais aucune raison de mentir. Après ça, c'est aussi simple d'être honnête.

Je me demande comment j'en suis arrivée à accumuler autant de secrets. Le fait d'être une Divergente. Mes peurs. Mes sentiments réels sur mes amis, ma famille, Al, Tobias. L'initiation des Sincères mettrait à jour encore plus de choses que les simulations ; elle me détruirait.

— Ça a l'air horrible, soufflé-je.

— J'ai toujours su que je ne pourrais pas devenir une Sincère. D'accord, j'essaie d'être honnête, mais les gens ne sont pas non plus censés tout savoir sur toi. Et puis, je préfère rester la seule responsable de ce qui se passe dans ma tête.

Et moi donc.

Elle ouvre le tiroir de la table de chevet et une mite s'en échappe, volant de ses grosses ailes blanches directement vers son visage. Christina pousse un cri strident qui me fait bondir de trois mètres, et se donne des tapes sur la figure.

— Chasse-la ! Chasse-la ! couine-t-elle.

La mite s'éloigne.

— Elle est partie ! la rassuré-je.

Puis je m'esclaffe.

— Tu as peur des... mites ?

— Elles me dégoûtent ! Avec leur gros corps d'insectes et leurs ailes qui ressemblent à du papier...

Elle frémit. Je suis prise d'un fou rire, et je finis par m'asseoir en me tenant les côtes.

— C'est pas drôle ! s'énerve-t-elle. Enfin... bon, peut-être un peu.

+ + +

Quand je retrouve Tobias ce soir-là, il me prend par la main sans rien dire et m'emmène vers la voie ferrée.

Au moment où le train passe, il se hisse dans un wagon en me tirant derrière lui avec une aisance confondante. J'atterris sur lui, la joue contre sa poitrine. Ses doigts descendent le long de mes bras et il me soutient par les coudes tandis que le wagon cahote sur les rails. Je regarde rapetisser la tour de verre qui recouvre l'enceinte des Audacieux.

— Qu'est-ce que tu voulais me dire ? crié-je pour couvrir le sifflement du vent.

— Attends un peu, me répond-il.

Il se laisse glisser par terre, dos contre la paroi, en m'entraînant avec lui, et je me retrouve face à lui, les jambes repliées sur le côté dans la poussière. Le vent fait voler des mèches de cheveux devant ma figure. Il prend mon visage entre ses mains et m'attire à lui pour m'embrasser.

Le crissement des rails signale un ralentissement ; on arrive dans le centre. L'air est froid, mais sa bouche et ses mains sont chaudes. Il penche la tête pour m'embrasser juste sous la mâchoire. Une chance qu'avec le bruit du vent, il ne puisse pas m'entendre soupirer.

Les secousses du wagon me font vaciller et je me rattrape d'une main. Je mets une fraction de seconde à me rendre compte que je l'ai posée sur sa hanche. Je sens son os sous ma paume. Je devrais l'enlever, mais je n'en ai pas envie. Il m'a dit une fois que je devais être courageuse, et même si je n'ai pas bougé face aux couteaux qui volaient vers moi et si j'ai sauté d'un toit sans sourciller, je n'avais jamais pensé qu'il me faudrait du courage dans les petits moments de ma vie. Et pourtant si.

Je passe une jambe au-dessus des siennes pour m'asseoir à califourchon sur lui, et je l'embrasse, le cœur battant à tout rompre. Il se redresse et pose les mains sur mes épaules. Ses doigts descendent le long de mon dos, et un frisson les suit jusqu'au creux de mes reins. Il ouvre la fermeture Éclair de mon blouson de quelques centimètres et je dois poser les mains sur mes jambes pour les empêcher de trembler. Je ne devrais pas me sentir aussi nerveuse ; c'est Tobias.

Un courant d'air froid passe sur ma peau nue. Il se recule pour observer avec attention les tatouages juste au-dessus de ma clavicule. Il les effleure du bout des doigts et sourit.

— Des oiseaux, dit-il. Ce sont des corbeaux ? J'oublie toujours de te poser la question.

J'essaie de sourire à mon tour.

— Des choucas. Un pour chaque membre de ma famille. Ça te plaît ?

Au lieu de me répondre, il m'attire à lui et embrasse les choucas l'un après l'autre. Je ferme les yeux. La pression de ses lèvres est sensible, légère. Une sensation chaude et lourde comme une coulée de miel envahit mon corps et ralentit mes pensées. Il me touche la joue.

— À mon grand regret, il va falloir qu'on bouge.

Je hoche la tête en rouvrant les yeux. On se lève et il me tire vers la portière ouverte. Le vent s'est atténué maintenant que le train a ralenti. Il est plus de minuit ; les rues sont plongées dans le noir et les tours ont l'air de géants qui surgissent de l'obscurité avant d'y replonger.

Tobias désigne un groupe d'immeubles gros comme des ongles, dans le lointain. Ce sont les seuls points éclairés dans la mer sombre qui nous entoure. Le siège des Érudits.

— Il faut croire que les arrêtés de la ville ne valent pas pour eux, commente-t-il, parce que leurs lumières restent allumées toute la nuit.

— Et personne ne l'a remarqué ? demandé-je en fronçant les sourcils.

— Si, forcément, mais apparemment c'est toléré. Le conseil veut peut-être éviter de créer des histoires pour des broutilles.

Il hausse les épaules, mais son expression tendue m'inquiète.

— N'empêche, je me demande ce que les Érudits peuvent avoir de si important à faire pour garder la lumière allumée toute la nuit.

Il se tourne vers moi en s'appuyant au montant de la portière.

— Il y a deux choses que tu dois savoir sur moi, déclare-t-il.

334

La première, c'est que je suis d'un naturel profondément méfiant. Je m'attends toujours au pire de la part des gens. La deuxième, c'est que je me débrouille étonnamment bien avec les ordinateurs.

Il a déjà mentionné qu'il travaillait dans l'informatique, mais j'ai du mal à l'imaginer assis toute la journée devant un écran.

— Il y a quelques semaines, avant le début de la formation, j'ai réussi à entrer dans les fichiers sécurisés des Audacieux. Force est de constater qu'on n'est pas aussi doués que les Érudits en termes de sécurité. J'ai trouvé des trucs qui ressemblent à des plans de guerre. Des ordres à peine voilés, des listes de matériel, des plans de la ville. Et ces fichiers avaient été envoyés par les Érudits.

— Une guerre ?

J'écarte une mèche de cheveux de mon visage. Les propos de mon père m'ont amenée à me méfier des Érudits en particulier, et mes expériences chez les Audacieux, de l'autorité et des êtres humains, dans leur ensemble. Du coup, je ne trouve pas si incroyable que ça l'idée qu'une faction puisse fomenter une guerre.

Ce que Caleb m'a dit tout à l'heure me revient à l'esprit : « Il se passe un truc grave, Beatrice. » Je regarde Tobias.

— Une guerre contre les Altruistes ?

Il prend mes mains dans les siennes, ses doigts entre les miens, et précise :

— Contre la faction qui contrôle le gouvernement, oui.

Mon cœur rate un battement.

— Le but de leurs articles est de nourrir le mécontentement contre les Altruistes, poursuit-il, les yeux fixés sur la ville.

De toute évidence, les Érudits essaient maintenant d'accélérer le processus. Mais je ne sais pas ce qu'on peut y faire... ni même si on peut faire quoi que ce soit.

— Mais pourquoi les Érudits s'associeraient-ils avec les Audacieux ? objecté-je.

Brusquement, une pensée s'impose à moi, comme un coup de poing dans mon plexus. Les Érudits n'ont pas d'armes et ils ne savent pas se battre. Nous, si. Je regarde Tobias, les yeux écarquillés.

— Ils vont se servir de nous ! m'exclamé-je.

— La question est de savoir comment ils comptent nous convaincre.

J'ai dit à Caleb que les Érudits s'y connaissaient en manipulation. Pour décider certains d'entre nous à se battre, ils pourraient avoir recours à la désinformation, ou faire appel à l'appât du gain sous des formes diverses. Mais les Érudits sont au moins aussi méticuleux que manipulateurs ; ils ne sont pas du genre à laisser les choses au hasard. Ils chercheraient d'abord à compenser toutes leurs faiblesses. Mais comment ?

Le vent rabat mes cheveux devant mes yeux, découpant ma vision en rayures. Je n'essaie même pas de les écarter.

— Comment, je ne sais pas, avoué-je

CHAPITRE VINGT-NEUF

CHAQUE FACTION A SA MANIÈRE de fêter l'accession de ses novices au statut de membres. J'ai assisté à toutes les cérémonies du Passage chez les Altruistes depuis que je suis née, à part la dernière. C'est un événement très discret. Les novices, qui viennent de consacrer trente jours au service de la communauté, sont assis côte à côte sur un banc. Un des membres les plus âgés lit le manifeste Altruiste, constitué d'un court paragraphe sur l'oubli de soi-même et les dangers de l'égocentrisme. Puis d'autres membres lavent les pieds des novices. Ensuite, tout le monde partage le repas, chacun servant la personne qui se tient à sa gauche.

Les Audacieux ne font rien de semblable.

La cérémonie du Passage plonge leur enceinte dans le chaos et l'hystérie. Il y a des gens partout, et la plupart sont ivres dès le déjeuner. Je me fraye un chemin dans la foule pour mettre la main sur une assiette et repartir avec au dortoir. Entre-temps, je vois quelqu'un tomber du sentier qui surplombe la Fosse et, à en juger par ses cris et la façon dont il se tient la jambe, il a dû se la casser.

Au moins, le dortoir est tranquille. Machinalement, mes yeux se posent sur mon assiette. J'ai pris ce qui m'a inspiré sur le coup, mais en y regardant de plus près, je m'aperçois que c'est un blanc de poulet, une cuillerée de petits pois et une tranche de pain complet. Un choix typiquement Altruiste.

Je soupire. Je suis et je reste une Altruiste. C'est ce que je suis dès que je cesse de penser à ce que je fais. Dès qu'on me met à l'épreuve. Et même, dès que j'agis avec ce qui ressemble à du courage. Me serais-je trompée de faction ?

Au souvenir de mon ancienne faction, mes mains commencent à trembler. Il faut que je prévienne ma famille de la guerre fomentée par les Érudits, mais je ne vois pas comment. Je trouverai un moyen. Pour l'instant, je dois me concentrer sur ce qui m'attend. Une chose à la fois.

Je mange comme un robot : une bouchée de poulet, une bouchée de petits pois, une bouchée de pain, et ainsi de suite. Peu importe à quelle faction j'appartiens réellement. Dans deux heures, je monterai en haut de la verrière avec les autres novices, je traverserai mon paysage des peurs, et je deviendrai une Audacieuse. Il est trop tard pour faire marche arrière.

Quand j'ai terminé de manger, j'enfouis la tête dans mon oreiller. Je n'ai pas prévu de faire la sieste, mais je finis par m'endormir. C'est Christina qui me réveille en me secouant par l'épaule.

— C'est l'heure, me souffle-t-elle, livide.

Je me frotte les yeux pour chasser le sommeil. J'ai gardé mes chaussures aux pieds. Les autres novices sont tous là ; ils nouent leurs lacets, boutonnent leurs vestes, en jetant autour d'eux des sourires un peu égarés. J'attache mes cheveux en chignon et je mets mon blouson noir que je ferme jusqu'en haut. La torture sera bientôt derrière nous. Mais pourra-t-on oublier les simulations ? Les souvenirs de nos épouvantes continueront-ils longtemps à hanter nos nuits ? Ou ces peurs vont-elles vraiment s'évanouir dès aujourd'hui, comme elles sont censées le faire ?

On regagne la Fosse pour prendre le chemin qui monte jusqu'à la tour de verre. Je lève les yeux vers le plafond vitré. Chaque centimètre du toit est recouvert par des semelles de chaussures, au point qu'on ne distingue même plus la lumière du jour. L'espace d'un instant, j'ai l'impression d'entendre le verre craquer, mais ce n'est que l'effet de mon imagination. J'arrive en haut des marches avec Christina, oppressée par la foule.

Comme je suis trop petite pour apercevoir quelque chose par-dessus les têtes, je fixe le dos de Will et j'avance dans son sillage. Je manque d'air, avec tous ces corps autour de moi. Des gouttes de sueur perlent sur mon front. Un trou dans la foule me révèle la cause de l'attroupement : une série d'écrans sur le mur de gauche.

Une acclamation me pousse à m'arrêter. Sur le premier écran, une fille traverse son paysage des peurs : Marlene, les yeux agrandis de terreur. Mais on ne voit pas les obstacles qu'elle doit affronter. Dieu merci, personne ici ne découvrira mes propres peurs ; seulement mes réactions.

L'écran du milieu permet de suivre son rythme cardiaque, qui s'accélère une seconde, puis ralentit. Quand il redescend à un niveau normal, une lueur verte clignote sur le moniteur et les Audacieux applaudissent. Le troisième et dernier écran indique le temps qu'elle a mis.

Je m'arrache au spectacle pour rejoindre Will et Christina au pas de course.

À gauche, juste à côté de la salle du paysage des peurs, il y a une porte que je n'avais jamais remarquée. Tobias se tient devant ; j'entre sans le regarder.

Je me trouve dans une grande pièce, qui comporte un écran semblable à ceux que j'ai remarqués avant d'entrer. Des gens sont installés devant, sur une rangée de chaises. Parmi eux, Eric et Max. Les autres sont plus âgés. À en juger par les fils connectés à leurs têtes et par leurs regards absents, ils suivent la simulation.

Derrière eux sont alignées d'autres chaises, toutes occupées, maintenant. Je n'avais qu'à pas arriver la dernière.

— Hé, Tris ! m'appelle Uriah du bout de la pièce.

Il est assis avec le reste des natifs. Ils ne sont plus que quatre ; les autres ont déjà passé l'épreuve. Il tapote sa cuisse.

— Tu peux t'asseoir sur mes genoux, si tu veux.

— Merci, c'est tentant, lancé-je avec un grand sourire. Mais j'aime bien rester debout.

Et puis je ne tiens pas à ce que Tobias me voie assise sur les genoux d'un garçon...

La lumière se rallume dans la salle du paysage des peurs, révélant Marlene recroquevillée sur elle-même, le visage trempé de larmes. Max, Eric et quelques autres se secouent pour revenir à la réalité et quittent la pièce. Presque aussitôt, il apparaissent sur l'écran, où ils félicitent Marlene d'avoir fini l'épreuve.

— Les transferts, vous passez dans l'ordre inverse de celui de votre classement actuel, annonce Tobias. C'est donc Drew qui commence, et Tris qui termine.

Ça signifie que cinq personnes sont avant moi.

Je me tiens au fond de la salle, à quelques mètres de Tobias. On s'échange quelques coups d'œil quand Eric pique Drew avec une aiguille et l'envoie dans son paysage des peurs. Le temps que mon tour arrive, je saurai comment les autres se sont débrouillés et le résultat que je dois obtenir pour les battre.

Les paysages des peurs ne sont pas très intéressants à suivre de l'extérieur. Je vois Drew bouger, mais je ne sais pas à quoi il réagit. Au bout de quelques minutes, je ferme les yeux et j'essaie de faire le vide dans mon esprit. À ce stade, spéculer sur le nombre et la nature des peurs que je vais devoir affronter ne m'avancerait plus à rien. Je dois juste garder en tête que je suis capable de manipuler les simulations, et que je l'ai déjà fait.

La personne suivante est Molly. Elle est deux fois plus rapide que Drew, toutefois elle aussi rencontre des difficultés. Elle met trop longtemps à essayer de maîtriser sa panique, la respiration hachée. À un moment, elle pousse même un hurlement.

C'est fou comme c'est facile de faire abstraction de tout le reste – cette histoire de guerre contre les Altruistes, Tobias, Caleb, mes parents, mes amis, ma nouvelle faction : tout s'efface. La seule chose qui compte pour l'instant est de franchir cet obstacle.

Ensuite, c'est Christina. Puis Will. Puis Peter. Je ne les regarde pas. Je sais juste combien de temps ils ont mis : douze, dix et quinze minutes. Puis j'entends mon nom.

— Tris.

J'ouvre les yeux et je m'approche d'Eric, qui tient une seringue pleine d'un liquide orange. C'est à peine si je sens l'aiguille quand il la plonge dans mon cou, si je vois son visage transpercé de piercings tandis qu'il appuie sur le piston. J'imagine que le sérum est de l'adrénaline liquide qui court dans mes veines et me rend forte.

— Prête ? me demande-t-il.

CHAPITRE TRENTE

JE SUIS PRÊTE. J'entre dans la salle armée, non pas d'un pistolet ou d'un couteau, mais du plan que j'ai mis au point cette nuit. Selon Tobias, l'étape trois est une étape de préparation mentale ; de capacité à élaborer des stratégies pour surmonter ses peurs.

Si au moins je savais dans quel ordre elles vont se présenter ! J'ai déjà le souffle court.

Le sol change sous mes pieds. De l'herbe surgit du béton et se balance dans un vent que je ne sens pas. Un ciel verdâtre remplace les tuyaux apparents qui courent au-dessus de moi et je tends l'oreille, guettant le vol des corbeaux. Je perçois ma peur comme un cœur qui bat fort, une poitrine oppressée, et non comme une émotion qui habiterait ma tête. Tobias m'a dit que je devais comprendre le sens de cette simulation. Il avait raison. Ce n'est pas une histoire d'oiseaux. C'est une question de maîtrise de soi.

Un battement d'ailes frôle ma joue, et les griffes du corbeau se plantent dans mon épaule.

Cette fois, je ne frappe pas l'oiseau. Je m'accroupis en

écoutant le tonnerre de battements d'ailes dans mon dos, et je passe ma main dans l'herbe, juste au-dessus du sol. Qu'est-ce qui peut combattre l'impuissance ? La puissance. Et la première fois que j'ai ressenti un sentiment de puissance chez les Audacieux, c'était quand j'ai tenu une arme à feu.

Ma gorge se noue. Je veux que ces griffes me lâchent. Le corbeau croasse et mon estomac se serre. Mais à cet instant, je touche un objet dur et froid dans l'herbe. Mon pistolet.

Je le pointe sur l'oiseau qui se tient sur mon épaule et je tire. Il tombe de mon tee-shirt dans une explosion de sang et de plumes. Je pivote sur mes talons pour viser le ciel et je vois descendre sur moi une nuée de plumes noires. Je presse sur la détente, encore et encore, sur la mer d'oiseaux qui planent au-dessus de moi, en regardant leurs corps noirs s'abattre dans l'herbe.

Quand je vise, quand je tire, je retrouve le sentiment de puissance que j'ai éprouvé la première fois que j'ai tenu une arme. Les battements de mon cœur s'apaisent et le champ, le pistolet et les oiseaux disparaissent. Me voici de nouveau dans le noir.

Je me balance d'un pied sur l'autre et quelque chose grince sous mon poids. Ma main rencontre un panneau vitré, froid et lisse. Puis trois autres, qui m'enferment. Encore le caisson. Je n'ai pas peur de me noyer. Le vrai problème, c'est mon incapacité à sortir de là. L'impossibilité d'agir. Je dois me persuader que j'ai assez de force pour briser le verre.

Des lumières bleues s'allument et l'eau s'insinue à mes pieds, mais je ne laisse pas la simulation aller plus loin. Je frappe la paroi devant moi du plat de la main, m'attendant à la voir se briser.

Ma main rebondit, sans aucun effet.

Mon rythme cardiaque s'accélère. Et si ce qui a marché la

première fois ne marchait pas ce coup-ci ? Si je ne pouvais briser le verre qu'en état de stress ? L'eau me lèche les chevilles. Elle afflue de plus en plus vite. J'ai besoin de me calmer. De me calmer et de me concentrer. En m'adossant au mur, je donne des coups de pied de toutes mes forces dans la vitre. Encore. Je me fais mal aux orteils, mais rien ne se passe.

J'ai une autre possibilité. Je peux attendre que le caisson se remplisse d'eau – elle atteint déjà mes genoux – et me forcer à rester calme pendant que je me noie. Le dos contre la paroi, j'essaie de me préparer mentalement, avant de secouer la tête. Non. Je ne peux pas me résigner à me noyer. Je ne peux pas.

Je cogne des poings sur la vitre. Je suis plus forte que le verre. Il n'est pas plus épais qu'une couche de glace nouvellement formée. Mon esprit va le transformer. Je ferme les yeux. Le verre est de la glace. Le verre est de la glace. Le verre est de...

Il explose contre ma main et l'eau s'écoule par terre. Puis le noir revient.

Je secoue les bras. Cette peur-là aurait dû être facile à surmonter. Je l'ai déjà affrontée en simulation. Je ne peux plus me permettre de perdre du temps.

Quelque chose qui ressemble à un mur me heurte sur le côté, éjectant l'air de mes poumons. Une vague. Je tombe violemment, en haletant. Je ne sais pas nager. Sauf dans des images, je n'ai jamais vu autant d'eau, ni d'une telle puissance. Je suis sur un rocher déchiqueté et battu par les flots, luisant d'humidité. En se retirant, l'eau entraîne mes jambes et je dois m'agripper au récif, un goût de sel sur les lèvres. J'aperçois du coin de l'œil un ciel sombre et une lune sanglante.

Une nouvelle vague me frappe, dans le dos cette fois. Je me cogne le menton sur la pierre et je grimace de douleur. L'eau est froide, et pourtant je sens mon sang brûlant couler le long de mon cou. Je tends une main pour me retenir à la pointe du rocher, mais le courant me tire toujours avec une force irrépressible. J'ai beau me plaquer de tout mon poids contre la roche, ça ne suffit pas. Je me laisse emporter. La vague me pousse en arrière, fait basculer mes jambes par-dessus ma tête, écarte mes bras puis me rejette dos contre les écueils. Un paquet d'eau s'écrase sur mon visage. Je n'ai plus d'air. Avec une torsion, je saisis la pointe du rocher pour me hisser sur la terre ferme. Je reprends ma respiration et une vague frappe de nouveau, plus fort que la précédente. Heureusement, cette fois, j'ai une meilleure prise.

Je ne pense pas avoir vraiment peur de l'eau. C'est la perte de contrôle qui me panique. Je dois reprendre le contrôle.

Avec un cri de frustration, je jette ma main en avant et j'agrippe un repli dans la pierre. Je me tire en avant, les bras agités de tremblements, et ramène mes jambes sous moi avant qu'une autre vague puisse m'entraîner. Une fois mes pieds libérés de la traction de l'eau, je me lève et je cours le plus vite possible sur les rochers en direction de la lune rouge. L'océan a disparu.

Puis tout s'efface et je reste immobile. Trop immobile. J'essaie de bouger les bras mais ils sont attachés sur mes côtés. En baissant les yeux, je découvre une corde enroulée autour de mon torse et de mes jambes. Une pile de bûches est entassée sous mes pieds et je distingue un poteau dans mon dos. Je me trouve à une bonne hauteur au-dessus du sol.

Des gens sortent de l'ombre et leurs visages me sont familiers. Ce sont les novices, munis de torches, menés par Peter. Ses yeux sont comme des puits noirs et sa figure est fendue d'un sourire narquois si exagéré qu'il creuse des rides dans ses joues. Un rire s'élève au milieu du groupe et enfle, rejoint par d'autres rires. Je n'entends plus que cela.

Sous les ricanements, Peter abaisse sa torche vers le tas de bois et les flammes bondissent. Elles vacillent aux extrémités des bûches et rampent sur l'écorce. Contrairement à la première fois que j'ai affronté cette peur, je ne cherche pas à me libérer des cordes. Je me contente de fermer les yeux en emplissant mes poumons d'air. Ce n'est qu'une simulation. Il ne peut rien m'arriver. La chaleur des flammes monte autour de moi. Je secoue la tête.

— Tu sens cette odeur, Pète-sec ? me demande Peter d'une voix forte, qui s'élève au-dessus des ricanements.

— Non, dis-je.

Le feu monte de plus en plus haut.

Il renifle.

— C'est l'odeur de ta chair qui rôtit.

Quand je rouvre les yeux, ma vision est brouillée de larmes.

— Tu sais ce que je sens, moi ? rétorqué-je.

J'ai dû forcer ma voix pour couvrir les rires, ces rires qui m'oppressent autant que la chaleur. Mon bras tressaille et je résiste à l'instinct qui me pousse à me débattre. Je ne vais pas gaspiller mon énergie pour rien ; je ne vais pas paniquer.

Je fixe Peter à travers les flammes. La chaleur fait monter le sang à la surface de ma peau, coule partout en moi, fait fondre le bout de mes chaussures.

— Je sens la pluie, dis-je.

À cet instant, le tonnerre rugit et je pousse un cri de douleur tandis que le feu me lèche les doigts. Je penche la tête en arrière pour me concentrer sur les nuages qui s'amoncellent, lourds de pluie, noirs de pluie. Un éclair déchire le ciel et je sens la première goutte sur mon front. *Plus vite, plus vite !* Elle roule le long de mon nez. Une autre me frappe l'épaule, si grosse qu'on croirait un grêlon ou un caillou.

Des rideaux de pluie s'abattent autour de moi et un grésillement se mêle aux ricanements. Je souris, soulagée, tandis que l'averse éteint le feu et apaise les brûlures sur mes mains. Les cordes tombent et je passe les doigts dans mes cheveux.

Si je pouvais être comme Tobias, avec seulement quatre peurs à affronter !

Je lisse mon tee-shirt, et quand je relève les yeux, je me retrouve dans ma vieille chambre chez mes parents. Je n'ai jamais eu à faire face à cette peur-ci. La lumière est éteinte mais la chambre est éclairée par le clair de lune qui entre par les fenêtres. L'un des murs est couvert de miroirs. Je me place devant, perplexe. Ça ne va pas. Je n'ai jamais eu le droit d'avoir de miroirs.

J'observe mon reflet : mes yeux écarquillés, puis, derrière, le lit aux draps gris bien tirés, la commode dans laquelle je range mes vêtements, la bibliothèque, les murs nus. Mon regard se pose sur la fenêtre.

Et sur l'homme qui se tient derrière.

Mon dos se couvre d'une sueur glacée et mon corps se raidit. Je le reconnais. C'est l'homme à la balafre, celui du test d'aptitudes. Il est vêtu de noir et se tient aussi immobile qu'une statue. Je cligne des yeux et deux hommes apparaissent à ses côtés, aussi immobiles que lui. Leurs visages ne sont que des crânes recouverts de peau, sans expression.

Je me retourne vivement et ils sont là, dans ma chambre. Je me colle dos au miroir.

Au bout d'un moment, le silence est brisé par un bruit de poings qui martèlent ma fenêtre ; pas une, ni deux, ni trois paires de poings, mais des dizaines qui frappent la vitre, si violemment que la vibration résonne dans ma cage thoracique. Puis l'homme à la balafre et les deux autres se mettent en marche, d'un mouvement lent et précautionneux, vers moi.

Ils sont venus pour m'enlever, comme l'ont fait Peter, Drew et Al ; pour me tuer. Je le sais.

Simulation. Ce n'est qu'une simulation. Le cœur battant, j'appuie une main sur le miroir dans mon dos pour le faire glisser vers la gauche. Ce n'est pas un simple miroir ; c'est la porte d'un placard. Je visualise l'emplacement d'une arme. Voilà. Elle est accrochée sur la cloison de droite, à quelques centimètres de ma main. Sans détacher les yeux de l'homme à la balafre, je trouve le pistolet à tâtons et je replie les doigts sur la crosse.

Je me mords la lèvre et je tire. Sans attendre de vérifier si je l'ai touché, je vise ses deux acolytes, tout de suite. Je me suis mordue jusqu'au sang. Les coups sur la vitre s'arrêtent ; mais ils sont remplacés par des crissements, produits par des mains aux doigts crochus qui grattent les carreaux, cherchant à entrer.

Le verre grince sous la pression, se craquelle, et cède.

Je hurle.

Je n'ai pas assez de balles dans mon revolver.

Des corps hâves – des corps humains, mais mutilés, aux bras repliés à des angles bizarres, aux bouches trop grandes munies de dents pointues, aux orbites vides – déboulent en masse dans ma chambre, se redressent et marchent vers moi. Je me réfugie dans le placard en refermant la porte. Une solution. Il faut que je trouve une solution. Je m'accroupis dans un coin en serrant mon arme. Je ne peux pas les chasser. Donc, je dois me calmer. Le paysage des peurs enregistrera le ralentissement de mon rythme cardiaque, mon souffle régulier, et je passerai à la peur suivante.

Alors que je m'assois par terre, les coups reprennent, cette fois contre la porte du placard. En collant mon dos à la cloison, je l'entends grincer. Je me retourne pour inspecter le panneau de bois. Encore une porte. Je la fais coulisser et elle s'ouvre sur le palier du premier étage. Je me faufile à quatre pattes par le passage et je me relève. Une odeur de gâteau en train de cuire me chatouille les narines. Je suis chez moi.

Avec une grande inspiration, je regarde ma maison s'effacer. J'avais oublié, l'espace d'une seconde, que je n'habitais plus au siège des Altruistes, mais chez les Audacieux.

Puis Tobias est devant moi.

Je n'ai pas peur de Tobias. Je me retourne en m'attendant à découvrir quelque chose sur quoi je dois me concentrer. Mais non... derrière moi, il n'y a qu'un lit à baldaquin.

Un lit... à baldaquin ?

Tobias me sourit, d'un sourire bienveillant, familier, et s'approche de moi lentement.

Qu'est-ce qui se passe ?

Je le dévisage, pétrifiée.

Sa bouche se presse contre la mienne et mes lèvres s'ouvrent. Je n'aurais pas cru possible d'oublier que j'étais dans une simulation... et pourtant. En sa présence, tout le reste se désintègre.

Ses doigts trouvent la fermeture Éclair de mon blouson et la descendent doucement jusqu'en bas. Il fait glisser mon blouson de mes épaules.

Oh. C'est la seule pensée dont je sois capable tandis qu'il recommence à m'embrasser. *Oh.*

Ce qui me fait peur, c'est d'être avec lui. Je me suis toujours méfiée des contacts physiques, mais je ne savais pas jusqu'où allait cette défiance.

Cet obstacle-ci paraît différent des précédents. C'est un autre genre de peur : de la panique nerveuse plutôt qu'une terreur aveugle.

Il fait glisser ses mains le long de mes bras et me prend les hanches. Ses doigts frôlent ma peau juste au-dessus de ma ceinture et je frissonne.

Je le repousse doucement et je me masse le front. J'ai été attaquée par des corbeaux et des hommes au visage grotesque ; j'ai été brûlée sur un bûcher par celui qui a voulu me jeter au fond d'un gouffre ; j'ai failli me noyer – *deux* fois – ; et je ne suis pas capable d'affronter ça ? C'est ça, la peur contre laquelle je n'ai pas de solution ? Un garçon qui me plaît et qui veut... faire l'amour avec moi ?

Le Tobias de la simulation m'embrasse dans le cou.

J'essaie de penser. J'essaie de considérer la situation froidement. Je dois prendre le contrôle et réussir à rendre tout ça moins effrayant.

Je regarde Tobias dans les yeux et lui dis fermement :

— Je refuse de coucher avec toi dans une hallucination, OK ?

Passant derrière lui, je le saisis par les épaules pour le faire tourner sur lui-même et inverser nos positions. Je le pousse dos à la colonne du lit. Je ressens quelque chose d'autre que la peur ; comme une chatouille dans mon ventre, une bulle de rire. Je me colle contre lui et, les doigts refermés sur ses bras, je l'embrasse. Il respire la force... il me fait du bien.

Et il disparaît.

Je ris, la main devant la bouche. Je dois être la seule novice avec cette peur-là.

Le petit clic d'une détente résonne soudain contre mon oreille.

J'avais presque oublié celle-là. Je sens la crosse d'un pistolet dans ma paume et je replie les doigts dessus en glissant l'index sur la détente. Un cercle de lumière tombe du plafond ; et dans ce cercle se tiennent mon père, ma mère et mon frère.

— Fais-le, siffle une voix tout près de moi.

Une voix de femme, dure, comme si elle était chargée de pierres et de bris de verre. On dirait la voix de Jeanine.

Le canon froid d'un pistolet appuie sur ma tempe. Ce froid me transperce et hérisse mes cheveux sur ma nuque. J'essuie ma main libre sur ma cuisse tout en observant la femme du coin de l'œil. Ses lunettes sont de travers et ses yeux vides de toute émotion.

Ma pire crainte : que ma famille meure, et que je sois responsable de leur mort.

— Fais-le, répète-t-elle d'un ton plus insistant. Ou je te tue.

Je fixe Caleb. Il m'incite à obéir d'un signe du menton, les sourcils froncés, le regard plein de compassion.

— Vas-y, Tris, me dit-il gravement. Je comprends. Je ne t'en veux pas.

— Non.

J'ai les yeux qui brûlent et la gorge nouée. Je secoue la tête.

— Tu as dix secondes ! aboie la femme. Dix ! Neuf !

J'observe mon frère puis mon père. La dernière fois que je l'ai vu, il m'a accablée de son mépris ; mais là, ses yeux sont grands ouverts et remplis de douceur. Je ne lui ai jamais vu cette expression dans la vraie vie.

— Tris, me dit-il. Tu n'as pas le choix.

— Huit !

— Tris, ajoute ma mère. On t'aime.

Elle me sourit, de son sourire si doux.

— Sept !

— La ferme ! crié-je en levant le pistolet.

Je peux le faire. Je peux tirer sur eux. Ils comprennent. Ils me demandent de le faire. Ils ne voudraient pas que je me sacrifie pour eux. Et ils ne sont même pas réels. Tout ceci n'est qu'une simulation.

— Six !

Ce n'est pas la réalité. Ça ne signifie rien. Le regard de mon frère, empli de compréhension, me transperce le crâne comme la mèche d'une perceuse. La sueur fait glisser l'arme dans ma main.

— Cinq !

Je n'ai pas le choix. Je ferme les yeux. *Réfléchis. Réfléchis.* L'urgence qui me fait battre le cœur à tout rompre dépend d'une chose et d'une seule : le sentiment de menace qui pèse sur ma vie.

— Quatre ! Trois !

Qu'est-ce que Tobias m'a dit ? « Il n'y a pas une grande différence entre l'altruisme et le courage. »

Je relâche la pression de mon doigt sur la détente et laisse tomber le pistolet. Sans me laisser le temps de changer d'avis, je me retourne pour appuyer le front sur le canon de l'arme derrière moi

Tuez-moi plutôt.

— Un !

J'entends un déclic, et une explosion.

CHAPITRE TRENTE ET UN

LES LUMIÈRES SE RALLUMENT. Je suis seule dans la pièce vide aux murs de béton. Tremblante, je tombe à genoux, les bras repliés sur la poitrine. Il ne faisait pas froid quand je suis entrée, pourtant je suis transie. Je me frotte les bras pour chasser la chair de poule.

Je ne me suis jamais sentie aussi soulagée. Chaque muscle de mon corps se détend et je respire enfin librement. Je ne peux pas imaginer retourner dans mon paysage des peurs pendant mes loisirs, comme le fait Tobias. Avant, je voyais ça comme du courage ; maintenant, ça me paraît plutôt relever du masochisme.

La porte s'ouvre et je me relève. Le petit groupe d'observateurs, incluant Max, Eric et Tobias, entre à la queue leu leu et s'arrête devant moi. Tobias me sourit.

— Félicitations, Tris, déclare Eric. Tu as réussi ton évaluation finale.

J'essaie de sourire, mais impossible. Je ne peux pas chasser le souvenir du pistolet, dont je sens encore le canon entre mes sourcils.

— Merci.

— Il reste juste une petite chose avant que tu puisses aller te préparer pour le banquet de bienvenue, reprend-il.

Il fait signe aux inconnus qui se trouvent derrière lui et une femme aux cheveux bleus lui tend une petite boîte noire. Il l'ouvre et en sort une seringue munie d'une longue aiguille.

Je me raidis. Le liquide orangé qu'elle contient me rappelle celui qu'on nous injecte avant les simulations. Je croyais pourtant en avoir fini avec ça.

— Tu n'as pas peur des piqûres, au moins ? reprend Eric. Celle-ci va t'injecter un dispositif de pistage, qui ne serait activé que si tu venais à disparaître. Une simple précaution.

— Ça arrive souvent que les gens disparaissent ? demandé-je en fronçant les sourcils.

— Pas tellement, non, répond-il avec un petit sourire satisfait. C'est une nouvelle mesure, pour laquelle on peut remercier les Érudits. On fait des injections à tous les Audacieux depuis ce matin et les autres factions ne devraient pas tarder à en faire autant.

Je sens mon estomac se vriller. Il n'est pas question que je le laisse m'injecter quoi que ce soit, encore moins un produit mis au point par les Érudits, voire par Jeanine en personne. Mais je ne vois pas non plus comment refuser. Cela lui inspirerait encore des doutes sur ma loyauté.

— D'accord, acquiescé-je, la gorge nouée.

Eric s'approche de moi avec la seringue. J'écarte les cheveux et penche la tête sur le côté. Je détourne les yeux tandis qu'il me frotte la peau avec un antiseptique et enfonce l'aiguille. Une douleur vive s'étend à tout mon cou, mais elle ne dure que

354

quelques secondes. Eric range la seringue dans son étui et colle un pansement sur la piqûre.

— Le banquet a lieu dans deux heures. C'est à ce moment-là que tu connaîtras ton classement au sein des autres novices, natifs compris. Bonne chance.

Les observateurs quittent la pièce les uns derrière les autres, mais Tobias s'attarde. Il s'arrête à la porte et me fait signe de le suivre. La verrière qui surplombe la Fosse est bourrée de monde. Certains marchent sur des cordes tendues au-dessus de nos têtes, celles qui m'avaient tant intriguée à mon arrivée ; d'autres parlent et rient, assemblés en petits groupes. Tobias me sourit. Il n'a pas dû regarder la simulation.

— D'après une rumeur, tu n'aurais eu que sept obstacles à affronter. C'est presque un record.

— Tu ... tu n'as pas regardé ?

— Seulement sur les écrans. Il n'y a que les leaders qui voient tout. Ils avaient l'air impressionnés.

— Bah, fais-je, sept peurs, ça n'est pas aussi impressionnant que quatre. Mais ça m'a suffi.

— Je serais surpris que tu ne sois pas classée première.

On entre dans la verrière. La foule s'est un peu clairsemée, maintenant que la dernière personne – c'est-à-dire moi – est passée.

Rapidement, les gens remarquent ma présence et me montrent du doigt. Je reste collée à Tobias, mais je n'arrive pas à marcher assez vite pour éviter entièrement les cris d'approbation, les tapes dans le dos, les félicitations. Tout à coup, je songe à quel point les gens qui m'entourent paraîtraient bizarres à mon père et à mon frère, alors qu'ils me semblent si normaux, à moi, malgré les anneaux en métal qui leur transpercent le visage, les tatouages sur leurs bras, dans leur cou et sur leur poitrine. Je leur retourne leurs sourires.

On descend les marches jusqu'à la Fosse et je dis :

— J'ai une question à te poser... – Je me mords la lèvre. – Qu'est-ce qu'ils t'ont raconté au juste sur mon paysage des peurs ?

— Rien, en fait. Pourquoi ?

— Comme ça.

Je shoote dans un caillou.

— Tu dois retourner au dortoir ? me demande-t-il. Parce que si tu as envie d'un peu de tranquillité, tu peux rester avec moi jusqu'au banquet.

Mon estomac fait un bond.

— Qu'est-ce qu'il y a ? s'inquiète -t-il.

Je ne veux pas retourner au dortoir, et je ne veux pas avoir peur de lui.

— Allons-y, dis-je.

+ + +

Il ferme la porte derrière nous et enlève ses chaussures.

— Tu veux un verre d'eau ? me propose-t-il.

— Non, merci.

— Ça va ? me demande-t-il en me caressant la joue.

Il glisse une main derrière ma tête, enfouissant ses longs doigts dans mes cheveux. Il sourit et m'embrasse. Une vague de chaleur envahit lentement tout mon corps. Ainsi que la peur, comme une alarme dans ma poitrine.

Tout en m'embrassant, il fait glisser mon blouson qui tombe par terre avec un bruit sourd. Je tressaille et je repousse Tobias, les yeux brûlants. Je ne sais pas pourquoi je réagis ainsi. Je n'ai pas ressenti ça quand il m'a embrassée dans le train. Je cache mon visage dans mes mains.

— Quoi ? Qu'est-ce qui se passe ?

Je secoue la tête.

— Ne me dis pas qu'il n'y a rien, reprend-il.

Il m'attrape le bras.

— Hé. Regarde-moi.

Je retire mes mains et lève les yeux sur lui. Je ne m'attendais pas au mélange de peine et de colère que trahissent son regard et sa mâchoire crispée.

Je réponds, le plus calmement possible :

— Quelquefois, je me demande... où est ton intérêt là-dedans. Dans ce... ce truc entre nous.

— Mon intérêt, répète-t-il froidement.

Il recule en secouant la tête d'un air incrédule.

— T'es vraiment une idiote, Tris.

— Non, répliqué-je. Et justement parce que je ne suis pas une idiote, je sais que c'est un peu bizarre que tu m'aies choisie, moi, au milieu de toutes les filles que tu pourrais avoir. Alors si tu cherches juste... enfin, tu sais...

— Quoi ? À coucher ?

Il me jette un regard mauvais.

— Si c'était ce que je cherchais, tu ne serais sans doute pas la première à qui je m'adresserais.

C'est comme s'il m'avait donné un coup de poing dans le ventre. Évidemment que je ne suis pas la première à qui il s'adresserait. Ni la première, ni la plus jolie, ni la plus désirable. Les mains pressées sur mon ventre, je détourne les yeux en ravalant mes larmes. Je ne suis pas du genre à pleurnicher.

Ni à brailler. Je cligne des paupières deux ou trois fois, je laisse retomber mes mains et je le regarde en face.

— Je vais te laisser, murmuré-je avant de faire un pas vers la porte.

— Attends.

Il m'attrape par le poignet et me force à me retourner. Je le repousse, violemment, mais il me saisit l'autre poignet et maintient nos bras croisés entre nous.

— Excuse-moi. Ce que je voulais dire, c'est que tu n'es pas ce genre de fille. Et je le sais depuis le début.

— Tu étais un obstacle dans mon paysage des peurs, lâché-je d'une voix tremblante.

— Quoi ?

Il me lâche et son air blessé réapparaît.

— Tu as *peur* de moi ?

— Pas de toi...

Je m'arrête pour stabiliser ma voix.

— ... mais d'être avec toi.. ou avec n'importe qui. Je n'ai jamais eu une histoire avec quelqu'un et... tu es plus vieux que moi, et je ne sais pas ce que tu attends, et...

— Tris, me coupe-t-il d'un ton grave. Je ne sais pas ce que tu t'es imaginé, mais tout ça, c'est nouveau pour moi aussi.

— M'imaginer ? Tu veux dire que tu n'as pas...

Je hausse un sourcil.

— Oh ! Oh... J'avais supposé... enfin, tu vois...

Que parce que j'étais aussi attirée par lui, ça devait être le cas de toutes les filles.

Il détourne le regard et rosit, comme s'il était gêné.

— Ben tu supposais mal.

Puis il prend mon visage entre ses mains.

— Tu peux tout me dire, tu sais. Je suis plus gentil que ce que tu as vu pendant l'entraînement. Promis.

Il a les doigts froids et les paumes chaudes.

Je le crois. Mais ça n'est pas le problème.

Il m'embrasse sur les sourcils, sur le bout du nez, puis, doucement, pose ses lèvres sur les miennes. Je suis comme une pile électrique, comme si tout mon sang avait été remplacé par du courant. Je veux qu'il m'embrasse ; je ne veux que ça. J'ai juste peur de là où ça peut nous mener.

Il pose ses mains sur mes épaules et ses doigts effleurent mon bandage. Il s'écarte avec un froncement de sourcils.

— Tu t'es fait mal ?

— Non. C'est juste un nouveau tatouage. Il est cicatrisé, mais je... je voulais le garder couvert.

— Je peux voir ?

La gorge nouée, je tire sur ma manche pour dégager mon épaule. Il la regarde pendant une seconde, puis promène ses doigts dessus en suivant les creux et les bosses formés par mes os, plus saillants que je ne le voudrais. Quand il me touche, j'ai l'impression que chaque particule de ma peau en contact avec la sienne en est modifiée. Ça m'envoie une décharge dans l'estomac. Pas seulement de la peur. Du désir aussi.

Il décolle le coin du pansement, pose les yeux sur le symbole Altruiste et sourit.

— J'ai le même, déclare-t-il en riant. Dans le dos.

— C'est vrai ? Je peux le voir ?

Il remet mon pansement en place et mon tee-shirt par-dessus mon épaule.

— Tu me demandes de me déshabiller ?

Je suis prise d'un rire nerveux.

— Juste... partiellement.

Il hoche la tête et son sourire se dissipe. En me fixant, il descend la fermeture Éclair de son sweat-shirt, l'enlève et le jette sur sa chaise de bureau. Je n'ai plus envie de rire. Je ne peux rien faire d'autre que le regarder.

Ses sourcils froncés se rejoignent sur son front. Il attrape le bas de son tee-shirt et, d'un geste rapide, le fait passer au-dessus de sa tête.

À part le motif des flammes des Audacieux sur son flanc droit, il n'y a rien sur sa poitrine. Ses yeux m'évitent.

— Qu'est-ce qu'il y a ? demandé-je.

Il a l'air... mal à l'aise.

— Je ne me montre pas souvent comme ça, me répond-il. Jamais, en fait.

— C'est un tort... dis-je à mi-voix. Tu es magnifique.

Je tourne lentement autour de lui. Il y a plus d'encre que de peau nue sur son dos. J'y retrouve les symboles de chaque faction : Audacieux en haut de sa colonne vertébrale, Altruiste juste en dessous et les trois autres plus bas, en plus petit. Pendant quelques secondes, j'observe les écailles qui représentent les Sincères, l'œil des Érudits, et l'arbre des Fraternels. Rien d'étonnant à ce qu'il se soit fait tatouer l'emblème des Audacieux, son refuge, et même celui des Altruistes, son lieu d'origine, comme moi. Mais pourquoi les trois autres ?

— Je crois qu'on a commis une erreur, déclare-t-il doucement. On s'est tous mis à dénigrer les valeurs des autres factions sous prétexte de mettre les nôtres en avant. Je n'ai pas envie de faire ça. Ce que je veux, c'est être courageux, *et* altruiste, *et* intelligent, *et* gentil, *et* sincère. (Il fait une pause.) Pour la gentillesse, je dois me battre en permanence.

— Personne n'est parfait, murmuré-je. Mais ça ne marche pas comme ça. On ne se débarrasse d'un défaut que pour le remplacer par le défaut inverse.

En ce qui me concerne, j'ai échangé la lâcheté contre la cruauté ; la faiblesse contre la férocité.

J'effleure le symbole Altruiste dans son dos.

— Il va falloir qu'on les prévienne, dis-je. Sans tarder.

— Je sais. On va le faire.

Il se retourne. J'ai envie de le toucher, mais j'ai peur de sa nudité ; peur qu'il me dénude aussi.

— Ça t'effraie, Tris ?

— Non, rectifié-je d'une voix rauque. Pas vraiment. J'ai juste... peur de ce que je veux.

Ses traits sont tendus.

— Et tu veux quoi ? Moi ?

Je hoche lentement la tête.

Il prend doucement mes mains dans les siennes. Il guide mes paumes sur son ventre. Les yeux baissés, il les fait remonter sur son abdomen, sa poitrine, et les tient contre son cou. Ma peau frémit au contact de la sienne, lisse et tiède. J'ai le visage en feu, ce qui ne m'empêche pas de frissonner. Il me regarde.

— Un jour, reprend-il, si tu veux toujours de moi, on pourra...

Il s'arrête pour s'éclaircir la voix.

— On pourra..

J'ébauche un petit sourire et je referme mes bras autour de lui sans le laisser finir, la joue sur sa poitrine. Je sens son cœur qui bat, aussi vite que le mien.

— Tu as peur de moi, Tobias ?

— Je suis terrifié, répond-il avec un sourire.

J'embrasse le creux à la base de son cou.

— Peut-être que tu ne vas plus être dans mon paysage des peurs, chuchoté-je.

Il penche la tête et m'embrasse lentement.

— Alors on pourra t'appeler Six.

— Quatre et Six.

On s'embrasse de nouveau, et cette fois, tout paraît familier. On s'imbrique tout naturellement : son bras autour de ma taille, ma main sur sa poitrine, la pression de ses lèvres sur les miennes. Chacun a mémorisé l'autre.

CHAPITRE TRENTE-DEUX

TANDIS QU'ON SE REND À LA CAFÉTÉRIA, je guette sur le visage de Tobias un signe de déception. On vient de passer deux heures allongés sur son lit, à parler et à s'embrasser, avec des épisodes d'assoupissement, jusqu'à ce que des cris résonnent dans le couloir : des gens en chemin pour le banquet.

Si je perçois une différence, il me paraît peut-être plus léger qu'avant. Il sourit plus, en tout cas.

On se sépare à la porte. J'entre avant lui et je cours à la table que je partage avec Will et Christina. Il me suit une minute plus tard et va s'asseoir à côté de Zeke, qui lui tend une bouteille remplie d'un liquide sombre. Il la refuse d'un geste de la main.

— T'étais où ? me demande Christina. On est tous retournés au dortoir.

— Je me suis baladée. Je me sentais trop nerveuse pour parler.

— Tu n'as aucune raison d'être nerveuse, me rétorque-t-elle. J'ai regardé Will pendant une seconde pour lui parler, et hop, tu avais fini tes simulations.

Je détecte une note d'envie dans sa voix. Une fois de plus, je voudrais pouvoir expliquer que j'étais avantagée dans cette épreuve, à cause de ce que je suis. Mais je dois me contenter de hausser les épaules.

— Tu sais quel boulot tu vas choisir ? éludé-je.

— Peut-être le même genre que Quatre. La formation des novices. Pour les faire flipper à mort. Un truc marrant, quoi. Et toi ?

Je me suis tellement concentrée sur le fait de réussir l'initiation que j'y ai à peine réfléchi. Je pourrais travailler pour les leaders Audacieux... mais ils me tueraient s'ils découvraient ce que je suis. Quelles sont les autres possibilités ?

— Pourquoi pas... ambassadrice auprès des autres factions, dis-je. Je pense que le fait d'être un transfert me faciliterait les choses.

— J'espérais que tu allais répondre « apprentie leader Audacieuse », soupire-t-elle. C'est ce que veut faire Peter. Il n'a pas arrêté de nous soûler avec ça dans le dortoir.

— C'est ce que je veux faire aussi, intervient Will. À condition d'être mieux classé que lui... oh, et que tous les autres natifs. Je les avais oubliés, ceux-là.

Il gémit.

— Bon Dieu, j'ai aucune chance.

— Mais si, lui assure Christina.

Elle tend la main pour enrouler ses doigts autour des siens comme si c'était la chose la plus naturelle du monde. Il lui répond d'une pression.

— Question, reprend-elle en se penchant en avant. Les leaders qui suivaient ta simulation... ils se sont marrés, à un moment.

Je me mords la joue.

— Oh... Ravie d'apprendre que mes terreurs les ont divertis.

— Tu sais quel obstacle c'était ?

— Non.

— Tu mens ! s'exclame-t-elle. Tu te mords toujours la joue quand tu mens. C'est ce qui te trahit.

J'arrête aussitôt de le faire.

— Will, lui, il serre les lèvres très fort, si ça peut te consoler, ajoute-t-elle.

Will porte immédiatement la main à sa bouche.

— OK, très bien, capitulé-je. J'ai peur de... l'intimite.

— L'intimité, répète Christina. Tu parles de.. sexe ?

Je me contracte. Et me force à faire oui de la tête. Même s'il n'y avait personne autour pour nous écouter, j'aurais envie d'étrangler Christina sur-le-champ. Rapidement, je passe en revue diverses manières d'infliger un maximum de dégâts avec un minimum d'énergie, et je choisis de l'incendier du regard.

Will rigole.

— Et ça se présentait comment ? insiste-t-elle. Enfin, il y avait quelqu'un qui... qui essayait de te faire des trucs ? C'était qui ?

— Bah, pas de visage... un garçon non identifiable. Et toi, ça s'est passé comment, avec tes mites ?

— T'avais juré de pas le répéter ! s'écrie-t-elle en me donnant une tape sur le bras.

— Des mites ? répète Will. T'as peur des mites ?

— Pas juste une nuée de mites, se défend-elle. Genre... une armée de mites. Partout. Avec toutes ces ailes et ces pattes et...

Elle frémit d'un air horrifié.

— Atroce, fait Will, railleur. Ça, c'est ma nana ! Dure comme du coton.

— Oh, ça va !

Le sifflement d'un micro m'oblige à me boucher les oreilles. Je regarde Eric à l'autre bout de la pièce. Il s'est levé et tapote le micro des doigts. Quand il a fini et que la foule s'est tue, il se racle la gorge et commence.

— Les grands discours ne sont pas notre point fort, ici. On laisse l'éloquence aux Érudits.

Les gens rient. Je me demande s'ils savent qu'il en a été un ; que sous ses dehors intrépides, et même brutaux, d'Audacieux, il reste avant tout un Érudit. Je crois qu'ils riraient moins s'ils savaient.

— Donc, poursuit-il, je vais faire court. C'est une nouvelle année, avec un nouveau groupe de novices. Et un groupe légèrement réduit de nouveaux membres. Nous leur adressons toutes nos félicitations.

Au mot « félicitations », la salle explose dans un tonnerre, non d'applaudissements, mais de coups de poing sur les tables. La vibration résonne jusque dans ma poitrine et je souris malgré moi.

— Nous croyons au courage. Nous croyons à l'action. Nous croyons à la nécessité de s'affranchir de la peur et de savoir réagir pour chasser le mal de notre monde et pour y faire prospérer le bien. Si telles sont aussi vos convictions, bienvenue chez nous.

Même s'il ne croit sans doute pas un mot de ce qu'il raconte, je me surprends à sourire, parce que moi, j'y crois. Quel que soit le degré auquel les leaders ont perverti les idéaux Audacieux, je m'y reconnais.

Nouveaux fracas sur les tables, accompagnés de cris d'approbation.

— Demain, les dix novices les mieux classés accompliront

leur premier acte de membre en choisissant leur profession, en fonction de leur rang. Je sais bien que vous attendez tous ce classement. Il correspond au cumul des résultats obtenus à l'issue de trois étapes : celle de la formation au combat, celle des simulations, et l'épreuve finale du paysage des peurs. Ce classement va maintenant apparaître derrière moi.

À peine a-t-il achevé sa phrase que les noms s'affichent sur un écran, presque aussi grand que le mur. À côté du numéro un, il y a ma photo et mon nom.

Ma poitrine se libère d'un poids dont je n'étais pas consciente jusque-là. J'ai des fourmis partout. Première. Divergente ou pas, j'ai ma place dans cette faction.

J'oublie la guerre ; j'oublie la mort. Will me serre très fort contre lui. J'entends des cris, des rires, des acclamations. Christina me désigne l'écran, les yeux écarquillés et embués de larmes.

1. Tris
2. Uriah
3. Lynn
4. Marlene
5. Peter

Peter reste. Je réprime un soupir avant de lire la suite.

6. Will
7. Christina

Je souris et Christina se penche au-dessus de la table pour me prendre dans ses bras. Je suis sur un nuage, trop euphorique pour protester contre cet épanchement d'affection. Elle rit.

Quelqu'un m'attrape par derrière et braille dans mon oreille. C'est Uriah. Comme je ne peux pas me retourner, je passe une main derrière moi pour lui serrer l'épaule.

— Félicitations ! crié-je.

— Tu les a battus ! me crie-t-il en retour.

Il me lâche, rit et court rejoindre un groupe de natifs.

Je tourne la tête pour lire la fin de la liste sur l'écran. Les trois suivants sont des natifs.

Molly et Drew sont en onzième et douzième position.

Ils sont éliminés. Drew, qui a essayé de s'enfuir tandis que Peter me serrait la gorge au-dessus du gouffre ; et Molly, qui a tenu aux Érudits des propos calomnieux sur mon père, se retrouvent sans faction.

Ce n'est pas tout à fait la revanche que j'espérais, mais c'en est une.

Will et Christina s'embrassent, de manière un peu trop démonstrative à mon goût. Autour de moi, c'est un concert de poings sur les tables. Puis je sens que quelqu'un me tape sur l'épaule. C'est Tobias. Je me lève avec un sourire rayonnant.

— Si je te serre dans mes bras, tu crois que ça va vendre la mèche ? me demande-t-il.

— Je ne sais pas. Et je m'en fous !

Je me hausse sur la pointe des pieds et je l'embrasse sur la bouche.

C'est le meilleur moment de ma vie.

Quelques secondes plus tard, le pouce de Tobias effleure la trace de piqûre dans mon cou et brusquement, plusieurs pièces du puzzle se mettent en place. Je me demande comment je n'ai pas compris plus tôt.

Un : le sérum coloré contient des transmetteurs.

Deux : les transmetteurs connectent l'esprit à un programme de simulation

Trois : le sérum a été mis au point par les Érudits.

Quatre : Eric et Max collaborent avec les Érudits.

Je m'écarte de Tobias et le fixe avec des yeux horrifiés.

— Tris ? fait-il, alarmé.

Je secoue la tête.

— Pas maintenant.

J'ai voulu dire « pas ici ». Pas avec Will et Christina à un mètre de nous, qui nous regardent bouche bée – sans doute parce que je viens d'embrasser Tobias – et pas au milieu du tohu-bohu des Audacieux.

Mais il faut que je lui parle ; c'est grave.

— Tout à l'heure, dis-je. D'accord ?

Il acquiesce. Je ne sais même pas comment je vais lui expliquer ça. Je n'arrive plus à penser correctement.

Mais je sais de quelle façon les Érudits vont nous amener à partir en guerre.

CHAPITRE TRENTE-TROIS

UN PEU PLUS TARD, j'essaie d'attirer Tobias à l'écart, mais la foule est trop dense et le raz-de-marée des félicitations l'éloigne de moi. De retour dans le dortoir, je décide de ne sortir pour le retrouver qu'une fois que tout le monde dormira. Mais le paysage des peurs m'a vidée plus que je ne le pensais, et je m'endors.

Je suis réveillée par des grincements de sommiers et des frottements de pieds sur le carrelage. J'attends que ma vision s'ajuste à l'obscurité et je distingue Christina en train de nouer ses lacets. Je m'apprête à lui demander ce qu'elle fait quand j'aperçois Will, en face de moi, en train d'enfiler son tee-shirt. Tout le monde est réveillé, mais personne ne dit un mot.

— Christina, sifflé-je.

Comme elle ne réagit pas, je la saisis par l'épaule.

— Christina !

Elle continue à lacer ses chaussures.

Mon estomac se noue quand elle relève la tête. Elle a les yeux ouverts mais son regard est vide, et les muscles de son visage sont relâchés, ses traits sans expression. Elle bouge sans prêter attention à ce qu'elle fait, la bouche entrouverte, éveillée sans l'être. Et ils sont tous comme elle.

Quand les novices ont fini de s'habiller, ils se mettent en rang et commencent à sortir du dortoir, toujours en silence.

— Will ? lancé-je en traversant la salle.

Je l'attrape par le bras pour l'empêcher de partir, mais il continue à avancer avec une force irrépressible. Je serre les dents et j'essaie de le retenir en reposant tout mon poids sur les talons. Mais il m'entraîne avec lui.

Ce sont des somnambules.

Je cherche mes chaussures à tâtons. Je ne peux pas rester toute seule ici. J'attache mes lacets en vitesse, j'enfile mon blouson et je rattrape la file de novices en courant. Dès que je les ai rejoints, je me cale sur leur rythme. Il me faut quelques secondes pour me rendre compte qu'ils marchent au pas, parfaitement synchronisés. Je les imite du mieux que je peux, même si cette cadence me paraît vraiment peu naturelle.

On se dirige vers la Fosse, mais au moment de l'atteindre, les premiers de la file tournent à gauche. Debout dans le hall d'entrée, Max nous observe. Mon cœur s'accélère et je me force à regarder dans le vide, droit devant moi, en me concentrant sur le rythme de mes pas. Je me raidis en passant devant lui. Il va forcément s'apercevoir que je n'ai pas le cerveau sous influence comme tous les autres et il va m'arriver un truc. C'est forcé.

Les yeux sombres de Max glissent sur moi sans s'arrêter.

On monte des marches et on parcourt quatre couloirs, toujours au même pas. Puis on débouche dans une vaste grotte où une foule d'Audacieux est déjà rassemblée.

Sur plusieurs tables sont empilés des tas noirs. Ce n'est qu'une fois devant que je les identifie : des pistolets.

Bien sûr. Eric a dit que tous les Audacieux avaient reçu leur injection hier. La faction entière est donc sous leur coupe maintenant, docile et entraînée à tuer. De parfaits soldats.

Je prends une arme, un étui et une ceinture en copiant les mouvements de Will, qui est juste devant moi. J'essaie d'imiter ses gestes, mais faute de pouvoir les prévoir, je finis par m'embrouiller un peu. Je grince des dents. Espérons que personne ne m'observe.

Une fois armée, je suis Will et les autres vers la sortie.

Je ne peux pas attaquer les Altruistes et ma famille. Je préfère mourir. Mon paysage des peurs me l'a prouvé.

En procédant par élimination j'ai vite fait de restreindre la liste de mes possibilités et de déterminer la marche à suivre. Je vais simuler le temps d'arriver au secteur Altruiste. Là, je sauverai ma famille. Et peu importe ce qui se passera après. Cette décision prise, je me sens un peu apaisée.

La colonne des novices s'engouffre dans un couloir sombre. Je ne vois pas Will devant moi et encore moins ce qui le précède. Mon pied bute et je tombe, les mains en avant. Je me cogne le genou contre quelque chose de dur – une marche. Je me relève, tellement tendue que je dois me retenir de claquer des dents. Ils n'ont rien vu : il fait trop sombre... S'il vous plaît, faites qu'il fasse trop sombre.

Après un coude, un flot de lumière éclaire l'escalier et les épaules de Will réapparaissent devant moi. Je m'efforce de calquer mon pas sur le sien en arrivant en haut des marches, où je croise un autre leader Audacieux. Ils sont faciles à reconnaître : ce sont les seuls à être éveillés.

Les seuls ou presque. C'est sans doute le fait d'être Divergente qui me vaut de rester éveillée aussi. Dans ce cas, Tobias doit l'être également, sauf si je me suis trompée sur lui.

Je dois le retrouver.

Je me tiens près des rails, au milieu d'un groupe si nombreux qu'il emplit mon champ de vision. Le train est à l'arrêt devant nous, portières ouvertes. Un par un, mes compagnons montent dans le wagon qui se trouve en face d'eux.

Je ne peux pas tourner la tête pour chercher Tobias, sous peine de me faire repérer. Alors, j'essaie de regarder autour de moi du coin de l'œil. Je ne connais pas les visages que je distingue sur ma gauche, mais à quelques mètres sur ma droite, j'entrevois un garçon grand aux cheveux courts. Ce n'est peut-être pas lui et je n'ai aucun moyen de vérifier, mais c'est tout ce que j'ai. Je ne sais pas comment le rejoindre sans attirer l'attention.

Devant moi, le wagon est plein et Will se tourne vers le suivant. Je l'imite, mais au lieu de m'arrêter au même endroit que lui, je me déporte de quelques pas sur la droite pour gagner la voiture d'après. Tous ceux qui m'entourent sont tous plus grands que moi ; ils vont me masquer. Je me décale encore un peu en serrant les dents. Trop de mouvement ; je vais me faire repérer. *Par pitié, faites qu'ils ne me voient pas...*

En face de moi, dans le wagon, un Audacieux aux traits inexpressifs tend une main au garçon qui me précède, et qui la prend d'un geste mécanique. Je saisis la main suivante sans la regarder et monte à bord du train le moins gauchement possible.

Je me retrouve face à celui qui m'a fait monter. Pendant une fraction de seconde, je lève les yeux sur son visage. C'est

Tobias, aussi inexpressif que les autres. Est-ce que je me serais trompée ? Il ne serait pas Divergent ? Je sens monter les larmes, et je me détourne de lui en les refoulant d'un battement de paupières.

Quand tout le monde s'est entassé dans le wagon, on se tient alignés sur quatre rangs, épaule contre épaule. Et là, il se passe un truc incroyable : des doigts s'enroulent autour des miens et une paume se pose contre la mienne. C'est Tobias !

Tout mon corps vibre d'énergie. Je presse sa main et il me répond. Il est éveillé. J'avais raison.

Luttant contre l'envie folle de me tourner vers lui, je reste immobile, les yeux droit devant moi tandis que le train démarre. Il caresse le dos de ma main en faisant des cercles lents avec son pouce. Il cherche à me rassurer, mais son geste ne fait que me frustrer. J'ai besoin de lui parler. J'ai besoin de le regarder.

La fille qui se tient devant moi me cache la vue sur l'extérieur et m'empêche de comprendre où on va. Alors je me contente de fixer sa tête en me concentrant sur la main de Tobias dans la mienne, jusqu'à ce que les rails se mettent à grincer. Je ne sais pas combien de temps s'est écoulé, mais ça doit faire un moment, parce que j'ai mal au dos. Le train s'immobilise dans un crissement. Mon cœur bat si fort que j'ai du mal à respirer.

Juste avant qu'on saute du wagon, pendant une fraction de seconde, mes yeux croisent ceux de Tobias.

— Cours, me souffle-t-il.

— Ma famille, dis-je.

Je reporte mon regard droit devant moi. Puis c'est son tour de sauter, et je l'imite avant de lui emboîter le pas. Je devrais me focaliser sur sa nuque, mais ces rues me sont familières, et bientôt mon attention dérive. On passe l'endroit où j'allais tous les six mois avec ma mère nous chercher de nouveaux vêtements ; puis l'arrêt de bus où j'attendais le matin pour aller au lycée, sur le bout de trottoir si craquelé qu'avec Caleb, on jouait à sauter par-dessus les fissures.

Cette nuit, tout est différent. Les immeubles sont plongés dans le noir. Les rues sont envahies de soldats Audacieux qui marchent en cadence. Des officiers sont postés à quelques centaines de mètres seulement les uns des autres. Ils nous regardent passer, ou s'assemblent par petits groupes pour discuter. Personne ne semble faire quoi que ce soit de particulier. Est-on vraiment venus démarrer une guerre ?

On parcourt encore six cents mètres avant que j'aie la réponse à cette question.

Je commence à entendre des petits bruits secs d'explosion. Je ne peux pas tourner la tête pour chercher d'où ils viennent ; mais plus j'avance, plus ça se rapproche, et je finis par les identifier comme des coups de feu. Je serre la mâchoire. Je dois continuer à marcher. Je dois garder les yeux devant moi.

À quelques dizaines de mètres, je vois une militaire Audacieuse forcer un homme en gris à se mettre à genoux. Je le reconnais : c'est un membre du conseil. Elle sort son arme de son étui et, le regard vide, lui tire une balle dans le crâne.

Les cheveux noirs de l'Audacieuse sont rayés de mèches grises. Tori. Mes jambes se dérobent.

Ne t'arrête pas. Mes yeux me brûlent. *Ne t'arrête pas.*

On passe devant Tori et le membre du conseil abattu, et je dois faire appel à toutes mes forces pour retenir un sanglot quand je marche sur la main de l'homme.

Puis on s'arrête et je reste aussi immobile que possible. Mais je n'ai qu'une idée en tête : trouver Jeanine, Max et Eric, et les tuer. Je ne peux pas empêcher mes mains de trembler. Je respire par le nez, par saccades.

Un nouveau coup de feu retentit. Du coin de l'œil, je distingue une masse grise qui s'effondre à ma gauche sur le trottoir. Si ça continue, les Altruistes vont mourir jusqu'au dernier.

Les soldats Audacieux exécutent les ordres tacites sans une question, sans une hésitation. Des adultes Altruistes sont regroupés et emmenés vers l'un des immeubles voisins avec les enfants. Une marée de soldats vêtus de noir se poste devant la porte. Les seuls que je ne vois pas sont les leaders Altruistes. Ils sont peut-être déjà morts.

Un à un, les soldats Audacieux qui me précèdent se dispersent pour exécuter une tâche ou une autre, poussés par je ne sais quels signaux. Les leaders auront vite fait de s'apercevoir que je ne les reçois pas. Et là, je ferai quoi ?

— C'est quand même dingue, ronronne une voix sur ma droite.

J'entrevois une longue mèche de cheveux gras et une boucle d'oreille en argent. Eric. Il m'enfonce son index dans la joue et je dois me retenir de repousser sa main.

— Ils ne peuvent vraiment pas nous voir ni nous entendre ? demande une voix de femme.

— Si, si, ils voient et ils entendent parfaitement, répond Eric. Mais leur cerveau ne traite pas ce qu'ils perçoivent. Ils reçoivent des ordres de nos ordinateurs par le biais des transmetteurs qu'on leur a injectés...

À ce moment-là, il appuie l'index sur l'endroit de la piqûre pour le montrer à la femme. « Ne bouge pas », m'exhorté-je. « Ne bouge pas. »

— ... et ils les exécutent au doigt et à l'œil.

376

Eric s'écarte d'un pas et se penche sur le visage de Tobias avec un large sourire.

— Voilà une vision qui fait plaisir, commente-t-il. Le légendaire Quatre. Qui va se rappeler que je suis arrivé deuxième, maintenant ? Fini, les crétins qui venaient me demander : « Alors, ça fait quoi de s'entraîner avec le gars qui n'a que *quatre peurs* ? »

Il sort son arme et pointe le canon sur la tempe droite de Tobias. Mon cœur bat si fort que je le sens jusque dans ma boîte crânienne. Il ne peut pas tirer ; il ne ferait pas ça. Il incline la tête sur le côté.

— Tu crois que quelqu'un s'en apercevrait s'il se faisait descendre accidentellement ?

— Vas-y, lui répond la femme d'une voix morne. Pour ce qu'il représente maintenant...

Elle doit faire partie des leaders, si elle a le pouvoir de lui donner l'autorisation.

— Dommage que t'aies refusé la proposition de Max, Quatre, reprend Eric à mi-voix en insérant une balle dans le chargeur. Dommage pour *toi*, je veux dire.

Mes poumons vont exploser ; ça doit faire une minute que je n'ai pas respiré. Du coin de l'œil, je vois la main de Tobias tressaillir ; mais la mienne est déjà sur mon arme. Je pose le canon sur le front d'Eric. Ses yeux s'agrandissent, ses traits s'affaissent et, pendant une seconde, il a le même air que tous les soldats Audacieux somnambules.

Mon index est sur la détente.

— Abaisse ton arme, dis-je.

— Tu n'oseras pas, me souffle-t-il.

— C'est une théorie intéressante.

Mais il a raison ; je ne peux pas l'assassiner. Je baisse le bras, les dents serrées, et je lui tire dans le pied. Il pousse un hurlement et se prend le pied à deux mains. Dès que Tobias n'est plus sous la menace de son arme, il sort son pistolet et tire dans la jambe de la femme. Je n'attends pas de voir si la balle a trouvé sa cible. J'attrape Tobias par le bras et je me mets à courir.

Si on arrive à atteindre la ruelle, on peut disparaître dans les immeubles et ils ne nous retrouveront pas. On a deux cents mètres à parcourir. J'entends des pas derrière nous. Tobias m'agrippe et m'entraîne, plus vite que je n'ai jamais couru, plus vite que je ne suis capable de le faire. Je trébuche. J'entends un coup de feu.

La douleur est vive et soudaine, partant de mon épaule pour se diffuser en étoile comme une décharge électrique. J'étouffe un cri et je tombe, ma joue raclant le trottoir. En relevant la tête, je vois les genoux de Tobias près de mon visage et je lui hurle :

— Pars !

Il me répond calmement, d'une voix basse et grave :

— Non.

En quelques secondes, ils nous ont cernés. Tobias m'aide à me relever et me soutient. La douleur m'empêche de me concentrer. On est entourés de soldats Audacieux qui nous visent de leurs pistolets.

— Des rebelles Divergents, annonce Eric, qui se tient sur un pied, le visage blême. Donnez-nous vos armes.

CHAPITRE TRENTE-QUATRE

JE M'APPUIE DE TOUT MON POIDS sur Tobias. Le canon d'une arme collé dans mon dos me pousse en avant, à l'intérieur du siège des Altruistes, un bâtiment gris banal à un étage. Le sang coule le long de mon flanc. Je n'ai pas peur de ce qui va venir ; j'ai trop mal pour y penser.

Le canon du pistolet me guide vers une porte gardée par deux soldats Audacieux. On entre dans une pièce sans ornements, meublée simplement d'un bureau, d'un ordinateur et de deux chaises vides. Derrière le bureau, Jeanine est au téléphone.

— Eh bien, dans ce cas, renvoyez-en quelques-uns par le train, dit-elle. Il est impératif qu'elle soit bien gardée. C'est primordial. Je ne peux pas parler maintenant... Je dois vous laisser

Elle raccroche brutalement et pose ses yeux gris sur moi. Ils me font penser à du métal fondu.

— Des rebelles Divergents, annonce l'un des Audacieux.

C'est sans doute un des leaders, ou simplement une recrue qui n'a pas été soumise à la simulation.

— Je le vois bien, rétorque-t-elle.

Elle retire ses lunettes, les replie et les pose sur le bureau. Elle les porte sans doute plus par vanité que par nécessité, en s'imaginant que ça lui donne l'air d'une intellectuelle. En tout cas, c'est ce que soutenait toujours mon père.

— Toi, dit-elle en me pointant du doigt, je m'y attendais. Avec toutes ces embrouilles sur les résultats de ton test d'aptitudes, je me doutais de quelque chose depuis le début. Mais *toi*...

Elle dévisage Tobias en secouant la tête.

— Toi, Tobias – ou devrais-je t'appeler Quatre ? –, tu as réussi à m'avoir, poursuit-elle d'un ton posé. Tout collait chez toi : les résultats de ton test, les simulations pendant l'initiation, tout. Et pourtant, te voilà.

Elle s'accoude au bureau et pose le menton sur ses doigts croisés.

— Tu peux peut-être m'expliquer cela ?

— C'est vous, le génie, réplique-t-il avec détachement. Vous n'avez qu'à me le dire.

Les coins de la bouche de Jeanine se relèvent dans un sourire.

— Mon hypothèse est qu'au fond, tu es un Altruiste et que ta Divergence est moins prononcée.

Son sourire s'élargit, comme si quelque chose l'amusait. Je serre les dents, saisie d'une envie féroce de me jeter sur elle pour l'étrangler. Si je n'avais pas une balle dans l'épaule, j'en serais peut-être capable.

— Votre esprit de déduction est éblouissant, riposte Tobias. Je suis épaté.

Je le regarde du coin de l'œil. J'avais presque oublié cet aspect de lui – celui qui est plus susceptible d'exploser que de se coucher par terre pour ramper.

— Maintenant que votre intelligence a été reconnue, vous allez peut-être vous décider à nous tuer, poursuit-il. Parce qu'il vous reste quand même un paquet de leaders Altruistes à assassiner.

Si ses remarques énervent Jeanine, elle n'en laisse rien paraître. Sans cesser de sourire, elle se lève d'un mouvement fluide. Elle porte une robe bleue qui la moule des épaules aux genoux et révèle un bourrelet sur son ventre. Alors que j'essaie de me concentrer sur son visage, la tête me tourne et je m'affale contre Tobias. Il glisse un bras autour de moi et me soutient par la taille.

— Ne dis pas de bêtises, réplique-t-elle d'un ton léger. Rien ne presse. Si vous êtes ici, c'est dans un but extrêmement important. Voyez-vous, je me suis demandé pourquoi les Divergents ne réagissaient pas à mon sérum, et j'ai cherché à y remédier. J'espérais y être parvenue avec la dernière version, mais de toute évidence, j'avais tort. Par chance, j'ai une nouvelle formule à tester.

— À quoi bon ? interviens-je.

Ni elle ni les leaders Audacieux n'ont jamais eu de scrupules à tuer les Divergents dans le passé. Pourquoi changeraient-ils ?

Elle me décoche un petit sourire satisfait.

— Il y a une question que je me pose depuis le tout début de notre projet avec les Audacieux.

Elle fait le tour du bureau en le balayant du bout des doigts.

— C'est la suivante : pourquoi, entre toutes les factions, les Divergents sont-ils en majorité des individus insignifiants, timorés et sans force de caractère issus des Altruistes ?

Je l'ignorais, et je ne vois pas d'explication logique. Je ne vivrai sans doute pas assez longtemps pour la connaître.

— Sans force de caractère ? ricane Tobias. La dernière fois que j'ai essayé de manipuler une simulation, j'aurais dit qu'il en fallait pas mal. Les gens sans force de caractère sont plutôt ceux qui s'abaissent à manipuler une armée parce qu'ils ne sont pas capables d'en former une eux-mêmes.

— Je ne suis pas assez idiote pour constituer une armée avec une faction d'intellectuels, riposte Jeanine. On ne veut plus être dominés par une poignée d'incompétents moralisateurs qui rejettent la richesse et l'avancement social, mais on ne pourrait pas agir seuls. Et vos leaders Audacieux sont trop heureux d'œuvrer pour moi contre la promesse d'un bon poste au sein de notre gouvernement amélioré.

— Amélioré, relève Quatre d'un ton narquois.

— Amélioré, oui, et qui aspire à créer un monde où les gens vivront dans la richesse, le confort et la prospérité.

— Au détriment de qui ? demandé-je d'une voix pâteuse. Toute cette richesse... ne peut pas venir de nulle part.

— Actuellement, les sans-faction épuisent nos ressources, me répond Jeanine. Tout comme les Altruistes. Je suis convaincue qu'une fois les restes de votre ancienne faction absorbés dans l'armée des Audacieux, les Sincères coopéreront et que nous pourrons enfin faire avancer les choses.

Absorbés dans l'armée des Audacieux. Je sais ce que ça signifie : elle veut les contrôler, eux aussi. Elle veut que tout le monde soit docile et malléable.

— Faire avancer les choses... répète Tobias d'un ton amer avant de hausser la voix. Ne vous faites pas d'illusions. Vous serez morte avant ce soir. Vous...

— Si tu étais capable de maîtriser tes humeurs, l'interrompt sèchement Jeanine, tu n'en serais jamais arrivé là, Tobias.

— J'en suis arrivé là parce que vous m'y avez mis, rétorque-t-il. En manigançant cette attaque contre des innocents

Jeanine éclate de rire.

— Des innocents ! Venant de toi, c'est assez drôle. J'aurais cru que le fils de Marcus pouvait comprendre que ces gens ne sont pas tous des innocents.

Elle s'assoit sur le coin du bureau et sa jupe dévoile des genoux striés de vergetures.

— Sincèrement, ne serais-tu pas soulagé si tu apprenais que ton père a été tué dans l'attaque ?

— Si, admet Tobias en serrant les dents. Mais lui, au moins, il n'a pas manipulé toute une faction ni assassiné de manière systématique nos leaders politiques.

Ils se toisent, assez longtemps pour que la tension devienne insoutenable, puis Jeanine s'éclaircit la gorge.

— Pour en revenir à mon propos, déclare-t-elle, j'aurai bientôt la responsabilité de faire marcher droit des dizaines d'Altruistes et leurs enfants. Et cela s'annonce difficile si bon nombre d'entre eux sont des Divergents impossibles à maîtriser par les simulations.

Elle se lève pour faire quelques pas, les mains jointes devant elle.

— J'ai donc été contrainte de réviser mes présupposés et de travailler sur un nouveau type de simulation qui soit efficace sur eux. Et c'est là que vous intervenez.

Elle fait quelques pas de plus.

— Tu as raison de dire que vous avez de la force de caractère. Chose que je ne peux pas contrôler. Mais je peux contrôler d'autres paramètres.

Elle s'arrête et se retourne vers nous. Je pose la tête sur

l'épaule de Tobias. Je sens un filet de sang couler dans mon dos. La douleur est si constante depuis quelques minutes que je commence à m'y habituer, comme on s'habitue à la plainte d'une sirène si elle ne s'interrompt pas.

Jeanine presse ses paumes l'une contre l'autre. Je ne détecte dans ses yeux ni la joie perverse, ni la lueur sadique qu'on pourrait imaginer. Elle fonctionne comme une machine plus que comme une démente. Elle identifie des problèmes et élabore des solutions à partir des données qu'elle rassemble. Les Altruistes faisaient obstacle à sa soif de pouvoir ? Elle a trouvé un moyen de les éliminer. Elle n'avait pas d'armée ? Elle est allée en chercher une chez les Audacieux. Il lui fallait maîtriser un grand nombre de gens pour sécuriser sa position ? Elle a mis au point l'outil pour le faire, sous la forme de sérums et de transmetteurs. Pour elle, la Divergence n'est qu'un problème de plus à régler, et c'est ce qui la rend aussi terrifiante : le fait qu'elle soit assez intelligente pour tout résoudre, y compris le problème que lui pose notre existence.

— Par exemple, je peux contrôler ce que vous voyez et entendez, reprend-elle. J'ai donc créé un nouveau sérum qui va manipuler votre volonté en modifiant votre perception de l'environnement. Ceux qui n'acceptent pas notre gouvernement doivent être suivis de près.

Disons plutôt privés de leur libre arbitre. Elle a le don de jouer sur les mots.

— Tobias, tu seras notre premier cobaye. Quant à toi, Beatrice...

Elle me sourit.

— ... à cause de ta blessure, tu ne peux pas nous être très utile. Ton exécution aura lieu à l'issue de cette entrevue.

J'essaie de réprimer le frisson qui me parcourt au mot « exé-cution ». La douleur dans mon épaule est insupportable. Je lève les yeux vers Tobias. J'ai du mal à ravaler mes larmes en voyant la terreur qui emplit ses yeux sombres.

— Non, souffle-t-il avec horreur.

Puis il secoue la tête d'un air résolu.

— Je préfère mourir.

— Je crains qu'on ne te demande pas ton avis, lui répond tranquillement Jeanine.

Tobias prend rudement mon visage entre ses mains pour m'embrasser et ma bouche s'ouvre sous la pression de ses lèvres. Un instant, j'oublie la douleur et la peur ; je suis heu-reuse à l'idée que j'aurai ce souvenir dans ma tête quand je serai face à la mort.

Il me lâche et je dois m'adosser au mur pour ne pas tomber. Sans autre avertissement qu'une tension de tous ses muscles, il se penche par-dessus le bureau et serre les mains autour du cou de Jeanine. Les gardes Audacieux qui se tiennent à la porte se précipitent, l'arme au poing. Je hurle.

Il faut deux soldats pour maîtriser Tobias et le jeter à terre. L'un des deux le cloue au sol, les genoux sur ses épaules, et lui maintient le visage collé contre la moquette. Je me précipite sur eux, mais un autre garde me projette contre le mur. Je suis trop petite et j'ai perdu trop de sang pour pouvoir me battre.

Jeanine avale de grandes goulées d'air entre deux quintes de toux en s'appuyant sur son bureau. Elle se frotte la gorge, qui porte les traces rouges des doigts de Tobias. Elle a beau fonc-tionner comme un robot, elle n'en est pas moins humaine. Il y a des larmes dans ses yeux tandis qu'elle prend un étui dans un tiroir, pour en sortir une seringue.

En respirant avec effort, elle s'approche de Tobias, qui serre les dents et balance un coup de coude au visage d'un garde. Celui-ci lui assène la crosse de son arme sur la tempe et Jeanine lui plante l'aiguille dans le cou. Tout son corps se relâche.

Un bruit étrange sort de ma bouche ; pas un sanglot, ni un cri, mais une plainte rauque et grinçante qui ne ressemble à rien.

— Laissez-le se relever, ordonne Jeanine d'une voix étranglée.

Ils se redressent tous les trois. Mais Tobias n'a pas la même expression vide que les soldats Audacieux dans les rues ; son regard est toujours alerte. Cependant, il passe quelques secondes à observer la scène autour de lui, comme s'il ne la comprenait pas.

— Tobias, dis-je. Tobias !

— Il ne te reconnaît pas, intervient Jeanine.

Il me fixe par-dessus son épaule, plisse les yeux et marche droit sur moi. Avant que les gardes aient pu l'arrêter, il referme une main sur ma gorge en m'écrasant la trachée. Je suffoque et le sang m'afflue au visage.

— C'est la simulation qui le manipule, explique Jeanine. En modifiant ce qu'il voit. En lui faisant prendre ses amis pour des ennemis.

J'ai du mal à l'entendre par-dessus le martèlement dans mon crâne.

L'un des gardes écarte Tobias de moi. Je cherche mon souffle, inspirant dans un râle.

Ce n'est plus lui. Sous l'emprise de la simulation, il va massacrer des gens qu'il qualifiait d'innocents il y a moins de trois minutes. J'aurais préféré que Jeanine le tue.

— L'avantage de cette nouvelle version de la simulation, dit-elle non sans une certaine fierté, est que l'individu peut agir de manière autonome, ce qui le rend bien plus efficace qu'un soldat dépourvu de jugement.

Elle l'observe alors qu'il se débat entre les gardes, les muscles bandés, le regard rivé sur moi sans savoir qui je suis.

— Envoyez-le à la salle de contrôle. Si je ne m'abuse, c'est là qu'il travaillait. Et on aura besoin de quelqu'un de conscient là-bas pour surveiller les opérations.

Jeanine presse ses paumes l'une contre l'autre.

— Et emmenez-la en salle B13, ajoute-t-elle.

Elle me chasse d'un revers de main. Un tout petit geste qui commande mon exécution. Mais pour elle, ce n'est qu'une croix cochée sur une liste de tâches à accomplir, la seule progression logique sur la voie qu'elle s'est tracée. Elle me suit des yeux sans une once d'émotion tandis que les deux soldats Audacieux me sortent de la pièce.

Ils me traînent dans le couloir. Je me sens engourdie à l'intérieur, mais au dehors, je ne suis qu'une boule de volonté qui hurle et se débat. Je mords l'Audacieux qui se tient sur ma droite et je souris en sentant le goût du sang. Puis il me frappe, et tout s'arrête.

CHAPITRE TRENTE-CINQ

JE ME RÉVEILLE DANS LE NOIR, recroquevillée dans un coin. Je suis étendue sur une surface lisse et froide. Ma tête me lance. Je la tâte et un liquide poisseux s'insinue entre mes doigts. Du sang. En reposant ma main par terre, je me cogne le coude contre un mur. Où suis-je ?

Une lumière clignote au-dessus de moi. C'est une ampoule bleue à l'éclairage diffus. Je suis cernée par les parois d'un caisson qui me renvoient faiblement mon reflet, dans une petite pièce aveugle aux murs en béton. Je suis toute seule. Ou presque ; une caméra vidéo est fixée sur l'un des murs.

Un tuyau sort d'un trou étroit à mes pieds et traverse la pièce pour rejoindre un énorme réservoir dans un coin.

Un tremblement s'empare de mes doigts, gagne mes bras ; bientôt tout mon corps est parcouru de violents frissons.

Cette fois, je ne suis pas dans une simulation.

Mon bras droit est engourdi. Quand je m'écarte du recoin, je trouve une mare de sang là où j'étais assise. Ce n'est pas le moment de paniquer. Je me lève, je m'adosse à la vitre et je respire lentement. Le pire qui puisse m'arriver maintenant serait de me noyer dans ce caisson. J'appuie mon front sur le verre et je ris. Je ne peux pas imaginer pire. Mon rire se change en sanglot.

Si je refuse de me résigner, j'aurai l'air courageuse aux yeux de ceux qui observent la scène. Mais l'acte qui demande le plus de courage n'est pas de se battre ; c'est de regarder la mort en face. Je pleure contre la vitre. Je n'ai pas peur de mourir. Mais je ne veux pas mourir comme ça ; n'importe comment sauf comme ça.

Alors, au lieu de pleurer, je hurle en frappant du talon la paroi derrière moi. Mon pied rebondit et je recommence, si violemment que le choc continue à vibrer plusieurs secondes dans mon pied.

Je frappe, encore et encore, puis je prends de l'élan et cogne la vitre avec l'épaule gauche. L'impact se répercute jusque dans mon épaule droite, qui me brûle comme si on y avait appliqué un tisonnier chauffé à blanc.

Un filet d'eau pénètre par le fond du caisson.

Cette caméra vidéo signifie qu'on m'observe – non, qu'on m'étudie, comme seuls les Érudits en sont capables. Pour voir si ma réaction dans la réalité correspond à celle que j'ai eue en simulation. Pour prouver que je suis une lâche.

Je desserre les poings et laisse retomber mes bras le long du corps. Je ne suis pas une lâche. Je fixe la caméra. En me concentrant sur ma respiration, je peux oublier que je vais mourir. Je fixe la caméra jusqu'à ce que ma vision rétrécisse et que je ne voie plus rien d'autre. L'eau atteint mes chevilles, puis mes mollets, puis mes cuisses. Elle m'effleure les doigts. J'inspire ; j'expire. L'eau est douce comme de la soie.

J'inspire. L'eau va nettoyer mes blessures. J'expire. Ma mère m'a immergée dans l'eau quand j'étais bébé, pour me confier à Dieu. Cela faisait longtemps que je n'avais pas pensé à Dieu ; mais il est naturel que j'y pense maintenant. Et je me réjouis tout à coup d'avoir visé le pied d'Eric au lieu de sa tête.

Mon corps monte avec le niveau de l'eau. Plutôt que de battre des jambes pour me maintenir en surface, j'expire à fond et je me laisse couler. L'eau étouffe les sons. Je sens son mouvement sur mon visage. Je songe à la laisser envahir mes poumons pour mourir plus vite... mais je ne peux pas m'y résoudre. Je fais des bulles avec ma bouche.

Détends-toi. Je ferme les yeux. Mes poumons me brûlent.

Je laisse mes mains flotter à la surface. Je laisse l'eau m'envelopper de ses bras soyeux.

Quand j'étais petite, mon père s'amusait souvent à courir en me portant sur ses épaules, et j'avais l'impression de voler. Je me souviens de l'effet que faisait l'air en glissant sur moi à ces moments-là, et je n'ai pas peur. J'ouvre les yeux.

Une silhouette sombre surgit devant moi. La fin doit être proche, si je commence à avoir des visions. La douleur me poignarde les poumons. Ça fait mal de suffoquer. Une main se pose sur la vitre devant mon visage et, l'espace d'un moment, je crois voir l'image floue de ma mère de l'autre côté du caisson.

J'entends quelque chose claquer et le verre se fend. L'eau se met à s'écouler par un trou dans le haut du réservoir. La paroi se casse en deux. Je recule tandis que la vitre se brise en mille morceaux, et la pression de l'eau me jette par terre. J'inspire à fond, en avalant autant d'eau que d'air, je tousse, j'inspire de nouveau et des mains se referment sur moi, et j'entends sa voix.

— Beatrice, me dit-elle, Beatrice, il faut partir tout de suite.

Elle glisse mon bras autour de ses épaules et me hisse sur mes pieds. Elle est habillée comme ma mère, elle a les traits de ma mère, mais elle tient une arme, et je ne lui ai jamais vu l'air aussi déterminé. En trébuchant, j'avance dans l'eau et les éclats de verre et je franchis une porte ouverte. Deux gardes gisent morts dans le couloir.

Elle m'entraîne aussi vite que mes jambes peuvent me porter, mes pieds dérapant sur le carrelage. Quand on tourne à l'angle, elle tire sur les deux gardes qui bloquent la porte du fond. Ils s'écroulent, atteints tous les deux à la tête. Elle me cale contre le mur et enlève sa veste grise.

Elle porte une chemisette sans manches et, quand elle lève le bras, je vois le bord d'un tatouage sous son aisselle. Je comprends maintenant pourquoi elle s'est toujours arrangée pour ne pas se déshabiller devant moi.

— Maman. Tu étais une Audacieuse.

— Oui, répond-elle en souriant.

Elle improvise une écharpe pour mon bras en nouant les manches de sa veste autour de mon cou

— Et ça m'a été bien utile aujourd'hui. Ton père et Caleb se cachent avec quelques autres dans un sous-sol à l'intersection de North et Fairfield. On doit aller les rejoindre.

Je la dévisage. J'ai pris mes repas en face d'elle deux fois par jour pendant seize ans, et pas une seule minute, avant le jour des Visites, je n'avais imaginé qu'elle ait pu naître ailleurs que chez les Altruistes. Est-ce que je sais vraiment qui est ma mère ?

— Plus tard, les questions, dit-elle devant mon air sidéré. Pour l'instant, il faut fuir.

Elle soulève sa chemise et tire de sa ceinture une arme qu'elle me tend. Puis elle m'effleure la joue.

— Il faut qu'on y aille, maintenant.

Elle court jusqu'au bout du couloir et je la suis.

On est dans les sous-sols du siège des Altruistes. Ma mère y travaille depuis toujours, pour autant que je m'en souvienne, et je ne suis pas surprise quand elle me guide sans encombres le long de couloirs sombres et dans un escalier humide, jusqu'à l'air libre. Combien de gardes Audacieux a-t-elle tués pour arriver jusqu'à moi ?

— Comment as-tu su où me trouver ? lui demandé-je.

— Je surveillais les trains depuis le début des attaques, me répond-elle en me regardant par-dessus son épaule. Je ne savais pas comment j'allais m'y prendre, mais j'étais décidée à te sauver.

J'ai la gorge nouée.

— Mais je t'ai trahie. Je suis partie.

— Je te l'ai déjà dit : tu es ma fille. Je me moque des factions.

Elle secoue la tête.

— Regarde où ce système nous a menés. L'humanité est faite de telle façon que tôt ou tard, les mauvais instincts reviennent toujours nous empoisonner.

Elle s'arrête juste avant un croisement pour s'adosser à la façade de l'immeuble qui fait l'angle.

Je sais que ce n'est pas le moment de discuter. Mais j'ai besoin de savoir une chose.

— Maman, comment savais-tu pour la Divergence ? Qu'est-ce que c'est ? Pourquoi... ?

Elle ouvre la chambre de son pistolet, compte le nombre de balles qu'il lui reste, en sort quelques-unes de sa poche et recharge. Elle a la même expression que lorsqu'elle enfile un fil dans une aiguille.

— Je suis au courant parce que j'en suis une, me réplique-t-elle en poussant une balle dans le chargeur. Je m'en suis sortie uniquement parce que ma mère faisait partie des leaders Audacieux. Le jour du Choix, elle m'a dit que je devais les quitter pour une faction plus sûre, et j'ai choisi les Altruistes.

Elle sort une autre balle de sa poche et se redresse.

— Mais toi, je voulais que tu aies un vrai choix.

— Je ne comprends pas pourquoi on représente une telle menace pour les leaders.

— Chaque faction conditionne ses membres à penser et agir d'une manière déterminée. Et la plupart des gens y arrivent. En règle générale, ils n'ont pas de mal à assimiler un modèle de pensée du moment qu'il est cohérent, ni à s'y tenir ensuite.

Elle touche mon épaule indemne et sourit.

— Mais nos esprits à nous s'agitent dans tous les sens. Ils ne peuvent pas se restreindre à une seule manière de pensée, et c'est ça qui terrifie nos leaders. Ça veut dire qu'ils ne peuvent pas nous contrôler. Et ça veut dire que quoi qu'ils fassent, on sera toujours des fauteurs de troubles pour eux.

Tout à coup, c'est comme si quelqu'un avait insufflé de l'air neuf dans mes poumons. Je ne suis pas une Altruiste. Je ne suis pas une Audacieuse.

Je suis une Divergente.

Et on ne peut pas me contrôler.

— Des soldats, m'indique-t-elle en se penchant à l'angle de l'immeuble.

En tendant le cou, je vois arriver quelques Audacieux en armes, marchant tous en cadence. Ma mère se retourne. À bonne distance derrière nous, un autre groupe d'Audacieux approche dans la ruelle, en rythme eux aussi.

Ma mère me prend les mains et plonge ses yeux dans les miens. Je vois ses longs cils bouger tandis qu'elle cligne des paupières. J'aurais voulu que ce petit visage sans attraits qui est le mien hérite quelque chose d'elle. Au moins, ma tête fonctionne comme la sienne.

— Va retrouver ton père et ton frère, m'ordonne-t-elle. Prends la ruelle de droite jusqu'à l'entresol. Frappe deux coups, puis trois, puis six.

Elle prend mon visage entre ses mains, froides et rêches.

— Je vais créer une diversion. Tu dois courir le plus vite possible.

— Non. Je n'irai nulle part sans toi.

Elle me sourit.

— Sois courageuse, Beatrice. Je t'aime.

Je sens ses lèvres sur mon front, puis elle s'élance au milieu de la rue, brandit son arme vers le ciel et tire trois fois en l'air.

Les Audacieux se mettent à courir.

Je fonce jusque dans la ruelle et, sans m'arrêter, je regarde en arrière pour voir s'ils me suivent. Mais ma mère leur tire dessus et ils sont trop concentrés sur elle pour faire attention à moi.

Je les entends riposter. Je tourne vivement la tête, et mes jambes cessent de courir.

Ma mère s'est raidi, le dos arc-bouté. Du sang jaillit au niveau de son abdomen et sa chemisette se teinte de rouge. Une tache s'étend sur son épaule. Je bats des paupières et je revois son sourire dans le miroir tandis qu'elle balaie mes cheveux coupés pour les attacher.

Elle tombe, d'abord à genoux, les mains ballantes, puis par terre sur le côté, comme une poupée de chiffon. Elle ne bouge plus, ne semble même plus respirer.

Je plaque une main sur ma bouche pour étouffer un cri. Mes joues sont brûlantes et humides de larmes que je n'ai pas senti venir. Une voix en moi hurle que son sang est mon sang et me pousse à me précipiter vers elle. Mais j'entends ses dernières paroles qui m'intiment de courir, d'avoir du courage, et je repars.

Mon monde vient d'exploser et tout en moi s'écroule, dans une douleur fulgurante. Je tombe en m'écorchant un genou sur le trottoir. Si je reste allongée, tout est fini. Peut-être qu'Eric avait raison ; choisir la mort, c'est partir explorer un monde inconnu, incertain.

Je me rappelle la main de Tobias dans mes cheveux avant la première simulation. Je l'entends qui m'exhorte au courage. J'entends ma mère qui m'exhorte au courage.

Les soldats Audacieux se tournent vers moi d'un même mouvement, comme mus par une même pensée. Je ne sais trop comment, j'arrive à me relever et je recommence à courir.

J'ai du courage

CHAPITRE TRENTE-SIX

JE SUIS POURSUIVIE par trois soldats dont le pas résonne en cadence dans la ruelle. L'un d'eux fait feu et je plonge à terre en m'abîmant les mains sur le gravier. La balle frappe le mur à ma droite et des éclats de brique jaillissent partout. Je me précipite derrière le coin d'un bâtiment et glisse une balle dans la chambre de mon revolver.

Ils ont tué ma mère. Je pointe mon arme derrière l'angle de l'immeuble et je tire à l'aveuglette. Et tant pis s'ils ne sont pas vraiment responsables. Je ne peux pas me poser ce genre de questions. De toute façon, rien de tout cela ne me paraît réel, pas plus que la mort.

Ils ne sont plus qu'à quelques pas. Je lève mon pistolet à deux mains et je me campe au bout de la ruelle en visant un soldat. Je presse la détente, mais pas assez fort pour faire feu. Celui qui court vers moi n'est qu'un garçon, pas encore un homme. Un garçon aux cheveux blonds en bataille avec un pli entre les sourcils.

Will. Le regard vide, l'esprit absent, mais Will quand même.

Il s'arrête et imite ma pose, les jambes écartées, l'arme pointée sur moi. En une fraction de seconde, je vois son doigt sur la détente, j'entends le déclic de la balle qui se met en place, et je tire Je ferme les yeux en serrant les paupières. Impossible de respirer

La balle l'atteint à la tête. Je le sais parce que c'est là que j'ai visé.

Je me retourne sans rouvrir les yeux et quitte l'allée en vacillant. Le carrefour de North et Fairfield. Je dois regarder le panneau pour me situer, mais ma vision est trop brouillée pour que j'arrive à le lire. Je cligne plusieurs fois des paupières. Je suis à quelques mètres de l'immeuble où se trouve tout ce qui reste de mon existence.

Une fois à la porte, je m'agenouille. Tobias me dirait que ce n'est pas prudent de faire du bruit. Ça risque d'attirer des soldats. J'appuie mon front contre le mur et je crie. Au bout de quelques secondes, je mets une main sur ma bouche pour étouffer le son et je crie de nouveau, un cri qui se change en sanglot. Mon pistolet glisse par terre. L'image de Will reste imprimée sur ma rétine.

Il sourit, la lèvre supérieure retroussée. Avec ses dents bien plantées et ses étincelles dans le regard. Il rit, il me taquine, plus vivant dans mon souvenir que je ne le suis, moi, dans cette réalité-ci. C'était lui ou moi. Je me suis choisie. Mais je me sens morte aussi.

Je cogne à la porte – deux coups, puis trois, puis six, comme ma mère m'a dit de faire.

Je sèche mes larmes. C'est la première fois que je vais revoir mon père depuis que je suis partie et je ne veux pas qu'il me voie en pleurs, à moitié effondrée.

La porte s'ouvre sur Caleb. Je suis si bouleversée de le

retrouver que je reste pétrifiée. Il me dévisage un instant et jette ses bras autour de moi, en posant une main sur mon épaule blessée. Je me mords la lèvre pour ne pas crier mais je ne peux pas retenir un grognement, et il recule vivement.

— Beatrice, seigneur, ils t'ont tiré dessus ?

— Entrons, dis-je d'une voix faible.

Il s'essuie les yeux et la porte se referme derrière nous.

Malgré le maigre éclairage, je reconnais des visages familiers : des voisins, des camarades de classe et des collègues de mon père ; et puis mon père, qui me fixe comme si j'arrivais d'une autre planète. Et Marcus, dont la vue me serre le cœur –Tobias...

Non. Je ne dois pas penser à lui.

— Comment as-tu su qu'on était ici ? me demande Caleb Maman t'a retrouvée ?

Je hoche la tête. Je ne veux pas non plus penser à elle.

— Mon épaule, soufflé-je.

Maintenant que je suis à l'abri, l'adrénaline qui m'avait fait tenir jusque-là commence à se dissiper et la douleur empire. Je tombe à genoux. L'eau qui dégouline de mes vêtements goutte sur le sol en ciment. Un sanglot monte dans ma gorge et je le ravale à grand-peine.

Une femme du nom de Tessa, qui habitait dans notre rue, déplie une paillasse. Elle est mariée à un membre du conseil, mais je ne le vois pas. Il est sans doute mort.

Quelqu'un approche une lampe pour nous donner de la lumière. Caleb sort une trousse de premiers soins et Susan m'apporte une bouteille d'eau. Quand on a besoin d'aide, il n'y a pas de meilleur endroit qu'une pièce remplie d'Altruistes. Je jette un coup d'œil vers Caleb. Il a remis des vêtements gris

C'est comme si notre rencontre dans le secteur des Érudits n'avait été qu'une vision, un rêve.

Mon père vient vers moi, passe mon bras autour de ses épaules et m'aide à avancer.

— Mais tu es trempée ! s'étonne Caleb.

— Ils ont essayé de me noyer. Et toi, pourquoi es-tu ici ?

— J'ai fait ce que tu m'as dit – ce que maman avait demandé. J'ai mené des recherches sur le sérum. Et j'ai découvert que Jeanine travaillait à la mise au point de transmetteurs longue distance pour étendre la couverture des signaux du sérum. Du coup, je suis tombé sur des informations concernant les activités des Érudits et des Audacieux... bref, j'ai lâché l'initiation quand j'ai compris ce qui se passait. J'aurais voulu t'avertir, mais c'était trop tard. Je suis un sans-faction, maintenant.

— Non, Caleb, rectifie mon père. Tu es avec nous.

Je m'agenouille sur la paillasse et Caleb découpe avec des ciseaux le pan de tee-shirt qui recouvre mon épaule droite.

Il enlève le carré de tissu, révélant d'abord le symbole Altruiste tatoué sur mon épaule, puis les trois oiseaux sur ma clavicule. Caleb et mon père les regardent avec le même mélange de choc et de fascination, mais ne font aucun commentaire.

Je m'allonge sur le ventre. Caleb prend ma main pendant que mon père récupère l'antiseptique dans la trousse.

— Tu as déjà retiré une balle, papa ? lui demandé-je avec un petit rire incertain.

— Tu pourrais être étonnée par tout ce que je sais faire, me répond-il.

Il y a sans doute beaucoup de choses sur mes parents qui pourraient m'étonner. Je pense au tatouage de ma mère et je me mords la lèvre.

— Ça va faire mal, me prévient-il.

Je ne vois pas le couteau entrer, mais je le sens. La douleur se répercute dans tout mon corps ; j'ai beau serrer les dents en broyant la main de Caleb, je laisse échapper une longue plainte aiguë. Par-dessus mon cri me parvient la voix de mon père qui me dit de relâcher les muscles de mon dos. Je lui obéis, avec des larmes au coin des yeux. La douleur reprend ; je sens le couteau remuer sous ma peau, et je hurle toujours.

— Je l'ai, dit-il enfin.

Quelque chose tombe par terre avec un tintement.

Le regard de Caleb se pose sur mon père, puis sur moi, et il se met à rire. Ça fait si longtemps que je ne l'ai pas entendu rire que ce son me fait pleurer.

— Qu'est-ce qu'il y a de si drôle ? demandé-je en reniflant.

— Je n'aurais jamais cru nous revoir réunis, déclare-t-il.

Mon père nettoie ma blessure avec quelque chose de froid.

— Maintenant, c'est le moment de recoudre m'annonce-t-il.

J'acquiesce d'un signe de la tête. Il glisse le fil dans le chas de l'aiguille comme s'il avait fait ça toute sa vie.

— Attention. Un... deux... *trois*.

Je contracte la mâchoire, et cette fois, je ne bronche pas. Dans la même journée, j'ai reçu une balle, qu'il a fallu extraire ; j'ai failli me noyer ; j'ai perdu Tobias ; puis ma mère, juste après l'avoir retrouvée. De tout ce que j'ai subi aujourd'hui, cette douleur-ci est la plus facile à supporter.

Mon père finit de me recoudre, noue le fil et recouvre les points d'un pansement. Caleb m'aide à m'asseoir, enlève le tee-shirt à manches longues qu'il porte par-dessus un autre à manches courtes et me le donne.

Mon père m'enfile la manche droite et je passe ma tête dans

l'encolure. C'est un tee-shirt large qui sent le frais, l'odeur de Caleb.

— Alors, me demande mon père à mi-voix, où est ta mère ?

Je baisse le nez. L'idée de leur annoncer ça m'est insupportable. Cette réalité même m'est insupportable.

— C'est fini pour elle. Elle m'a sauvé la vie.

Caleb ferme les paupières et prend une profonde inspiration.

Un instant, mon père a l'air sous le choc, mais il se ressaisit très vite et hoche la tête en détournant ses yeux luisants.

— C'est bien, dit-il d'une voix entrecoupée. Une bonne mort.

Si je parle maintenant, je vais craquer, et je ne peux pas me le permettre. Je me contente de hocher la tête à mon tour, en silence.

Eric a qualifié le suicide d'Al de courageux, et il avait tort. La mort de ma mère est une mort courageuse. Je revois son calme, sa détermination. Son courage n'a pas juste été de mourir pour moi, mais de le faire sans l'annoncer, sans hésiter, sans même paraître envisager une autre option.

Mon père m'aide à me mettre debout. Il est temps d'affronter le reste du groupe. Puisque je suis une Audacieuse, c'est à moi de prendre les choses en mains. Je n'ai pas la moindre idée de comment assumer cette charge.

Marcus se lève. Je le revois tout à coup en train de me fouetter le bras avec une ceinture, et cette vision m'oppresse.

— On ne sera pas longtemps en sécurité ici, déclare-t-il enfin. On doit quitter la ville. Notre meilleure chance est de gagner le secteur des Fraternels en espérant qu'ils nous accueilleront. Tu as des informations sur la stratégie des Audacieux, Beatrice ? Tu penses qu'ils vont arrêter les combats pendant la nuit ?

— Ce n'est pas la stratégie des Audacieux, rectifié-je. Tout ceci est orchestré par les Érudits. Sans qu'ils aient besoin de donner d'ordres.

— Qu'est-ce que ça veut dire ? demande mon père.

— Ça veut dire que quatre-vingt-dix pour cent des Audacieux sont en train de marcher en dormant. Ils sont dans une simulation et ne se rendent même pas compte de ce qu'ils font. Si je ne suis pas dans le même état, c'est uniquement parce que... parce que le contrôle mental ne m'affecte pas.

— Le contrôle mental ? répète mon père, les yeux agrandis de stupeur. Tu veux dire qu'ils ne savent pas qu'ils sont en train de tuer des gens ?

— Non.

— C'est... c'est horrible, commente Marcus, d'un ton accablé qui me paraît artificiel. Découvrir ce qu'on a fait en se réveillant...

Le silence s'abat sur la pièce. Tous les Altruistes doivent être en train de s'imaginer à la place des soldats Audacieux, et c'est là que l'idée surgit dans ma tête.

— Il faut qu'on les réveille, dis-je.

— Quoi ? s'exclame Marcus.

Je m'explique :

— Si on réveille les Audacieux, ils vont sans doute se révolter en comprenant ce qui se passe. Les Érudits n'auront plus d'armée. Les Altruistes cesseront de se faire tuer. Tout sera fini.

— Ça ne va pas être aussi simple, objecte mon père. Même sans l'aide des Audacieux, les Érudits trouveront un autre moyen de...

— Et on fait comment pour les réveiller ? l'interrompt Marcus.

402

— On trouve les ordinateurs qui commandent la simulation et on détruit les données, répliqué-je. Le programme. Tout.

— Plus facile à dire qu'à faire, intervient Caleb. Ces ordinateurs peuvent se trouver n'importe où. On ne peut pas débarquer dans le secteur des Érudits et commencer à fouiner comme ça.

Je fronce les sourcils. Jeanine. Quand Tobias et moi avons été amenés dans son bureau, elle parlait d'une chose importante au téléphone – assez importante pour qu'elle interrompe sa conversation. « Il est impératif qu'elle soit bien gardée. » Et après, quand elle a renvoyé Tobias : « Envoyez-le à la salle de contrôle. » Celle où Tobias travaillait en temps normal. Sur les écrans de surveillance des Audacieux. Et les ordinateurs des Audacieux.

— Ils sont au siège des Audacieux, déclaré-je. En toute logique. C'est là qu'est stocké l'ensemble des données sur leur faction ; c'est de là qu'on peut les contrôler le plus facilement, non ?

Je réalise confusément que j'ai dit « *leur* faction ». Pas plus tard qu'hier, je suis techniquement devenue une Audacieuse, mais je n'ai pas le sentiment d'en être une. Et pas davantage celui d'être une Altruiste

Je suppose que je suis ce que j'ai toujours été. Ni une Audacieuse ni une Altruiste, ni une sans-faction. Une Divergente.

— Tu en es sûre ? insiste mon père.

— C'est une déduction logique, et je n'ai pas de meilleure théorie à proposer.

— Dans ce cas, conclut-il, on doit décider qui y va. Les autres partiront pour le secteur des Fraternels. De quel genre d'aide as-tu besoin, Beatrice ?

La question me stupéfie, de même que l'expression de son visage. Il me regarde comme une égale. Il me parle comme à une égale. Soit il a admis que je suis devenue une adulte, soit il considère que je ne suis plus sa fille. Cette deuxième hypothèse est la plus probable, et la plus douloureuse.

— J'ai besoin de tous ceux qui se sentent capables d'utiliser une arme. Et qui ne sont pas sujets au vertige.

CHAPITRE TRENTE-SEPT

LES FORCES ARMÉES DES ÉRUDITS ET DES AUDACIEUX étant concentrées dans le secteur Altruiste, tant qu'on s'en éloigne, on a des chances de ne pas rencontrer trop d'obstacles.

Je n'ai pas eu la possibilité de choisir qui m'accompagnait. Caleb était un candidat évident, dans la mesure où il est le mieux informé des plans des Érudits. Marcus a insisté pour venir malgré mes protestations, à cause de sa position chez les Altruistes. Et mon père a agi dès le départ comme si sa présence allait de soi.

Pendant quelques secondes, je regarde les autres partir en courant dans la direction opposée à la nôtre – celle des Fraternels, de la sécurité –, puis je me tourne vers le centre-ville. On se tient près de la voie ferrée, qui va nous conduire au cœur du danger.

— Quelle heure est-il ? demandé-je à Caleb.

Il consulte sa montre.

— Quinze heures douze.

— Le train devrait être là d'une seconde à l'autre.

— Il va s'arrêter ?

Je fais non de la tête.

— Il traverse la ville au ralenti, précisé-je. On court parallè-lement aux wagons sur quelques mètres et on saute dedans.

Sauter à bord d'un train en marche me paraît désormais par-faitement naturel. Ça le sera moins pour les autres, mais on ne peut plus reculer. Derrière moi, je vois les phares jaune d'or de la locomotive luire dans la grisaille des rues et des immeubles. Je sautille sur place à mesure qu'ils approchent, puis la loco-motive passe devant moi et je commence à courir. Quand je trouve une portière de wagon ouverte, j'accélère pour rester à son niveau, j'attrape la poignée sur ma gauche et je me jette à l'intérieur.

Caleb saute. Il atterrit lourdement et se laisse rouler sur le côté, avant d'aider Marcus. Mon père retombe sur le ventre et ramène ses jambes à l'intérieur. Ils s'écartent tous les trois de la portière et je reste devant, une main sur la poignée, à contem-pler la ville qui défile.

Logiquement, Jeanine a dû sécuriser l'enceinte des Auda-cieux en plaçant des troupes à l'entrée, devant la tour de verre. Le mieux pour nous est donc sans doute de s'introduire par la porte de derrière, celle qui nécessite de sauter du toit.

— Je suppose que tu regrettes d'avoir choisi les Audacieux, maintenant, me déclare Marcus.

Je m'attendais plutôt à cette question de la part de mon père, mais il était absorbé, comme moi, dans la contemplation de la ville. Le train passe devant le secteur des Érudits, plongé dans le noir. De loin, il paraît paisible, et ça l'est sûrement à l'intérieur de ces murs, loin des affrontements et de la réalité engendrée par ses leaders.

Je réponds non d'un signe de tête.

— Même maintenant que les leaders de ta faction ont décidé de participer à un complot pour renverser le gouvernement ? crache Marcus.

— Il y avait des choses que j'avais besoin d'apprendre.

— Le courage ? demande mon père à mi-voix.

— L'altruisme, dis-je. C'est souvent la même chose.

— C'est pour ça que tu t'es fait tatouer le symbole Altruiste sur l'épaule ? intervient Caleb.

Je jurerais que je détecte une lueur joyeuse dans les yeux de mon père.

J'acquiesce avec un léger sourire et j'ajoute :

— Et Audacieux sur l'autre.

✛ ✛ ✛

Le soleil se reflète dans la tour de verre qui se dresse au-dessus de la Fosse. On y est presque.

— À mon signal, sautez, leur dis-je. Le plus loin possible.

— Sauter ? répète Caleb. On doit être à une hauteur de sept étages, Beatrice.

— On saute sur un toit, précisé-je.

Devant son air effaré, j'ajoute :

— C'est pour ça qu'ils appellent ça une épreuve de bravoure.

Cinquante pour cent de la bravoure consiste à surmonter l'appréhension. La première fois que j'ai dû sauter d'un train en marche, ça m'a paru la chose la plus difficile que j'aie jamais eu à faire. Maintenant, ça ne me fait plus rien, parce que j'ai accompli en quelques semaines plus de choses difficiles que la plupart des gens en toute une vie. Mais aucune n'est comparable à ce qui nous attend dans l'enceinte des Audacieux. Et si j'y survis, il me restera à traverser des épreuves plus difficiles encore, comme vivre sans faction, ce que je n'avais jamais imaginé devoir affronter.

— Vas-y, papa, lancé-je en m'écartant.

Si Marcus et lui passent en premier, je peux calculer le bon moment pour que leur saut soit le plus court possible. Avec un peu de chance, Caleb et moi étant plus jeunes, on sautera assez loin pour y arriver. Je suis obligée de prendre le risque.

Les rails se courbent, et quand ils longent le rebord du toit, je crie :

— Saute !

Mon père plie les genoux et se jette en avant. Sans attendre de voir s'il a réussi, je pousse Marcus vers la portière en lui criant :

— À vous !

Mon père a atterri sur le toit, si près du bord que je manque une respiration. Tandis qu'il s'assoit sur le gravier, je fais avancer Caleb devant moi. Il s'élance sans attendre mon signal. Je recule de quelques pas pour prendre de l'élan et je bondis à la seconde où le wagon arrive au bout du toit.

Pendant un instant, je suis suspendue au-dessus du vide, puis mes pieds heurtent le ciment et je roule sur le côté pour m'écarter du rebord. Je me suis fait mal aux genoux, et le frisson qui me parcourt réveille la douleur dans mon épaule. Je m'assois, le souffle court. À l'autre extrémité du toit, mon père et mon frère, penchés au-dessus de la façade, retiennent Marcus par les bras. Il a manqué son saut, mais il n'est pas encore tombé.

Quelque part en moi, une petite voix murmure : *Tombe, tombe, tombe...*

Mais mon père et Caleb parviennent à le hisser sain et sauf. Je me lève en balayant de la main le gravier sur mon pantalon. La suite m'inquiète. Faire sauter quelqu'un d'un train, c'est une chose, mais d'un toit ?

— Si j'ai demandé des gens qui n'ont pas le vertige, c'est à cause de l'étape suivante, déclaré-je

Je marche jusqu'au rebord et je monte dessus. J'entends leurs pas derrière moi et je fixe le vide. Sept étages nous séparent du sol. Le vent qui remonte le long de l'immeuble soulève mon tee-shirt et je savoure son souffle sur mon visage, les yeux fermés.

– En bas, il y a un filet, dis-je en les regardant par-dessus mon épaule.

Ils ont l'air perdus. Ils n'ont pas encore compris ce qu'ils sont censés faire.

— Ne réfléchissez pas. Sautez.

Je me retourne vers eux et, dans le même mouvement, je me penche en arrière et je bascule. Je tombe comme une pierre, les yeux fermés, un bras tendu pour sentir le vent. Je décontracte mes muscles au maximum avant de heurter le filet, qui me frappe l'épaule comme une plaque de ciment. En serrant les dents, je roule sur le côté, je saisis le poteau qui soutient le filet et je bascule une jambe en-dehors. J'atterris à genoux sur la plateforme, la vue brouillée par les larmes.

Caleb glapit au moment où le filet se recourbe sous son poids, avant de se retendre. Je me relève avec difficulté.

— Caleb ! sifflé-je. Par ici !

Le souffle court, il gagne le bord en rampant, se laisse tomber et atterrit brutalement sur la plateforme. Il se redresse avec une grimace de douleur et me dévisage, bouche bée.

— Combien de fois... tu as... fait ça ? me demande-t-il entre deux respirations saccadées.

— Maintenant, ça fait deux.

Il secoue la tête d'un air incrédule.

Mon père heurte le filet à son tour et en descend avec l'aide de Caleb. Une fois sur la plateforme, il se penche pour vomir. Je prends l'escalier et, arrivée en bas des marches, j'entends Marcus atterrir avec un gémissement.

L'entrée est déserte et les couloirs serpentent dans le noir.

Les propos de Jeanine laissent supposer qu'hormis les soldats qu'elle a renvoyés garder les ordinateurs, il n'y a plus personne dans l'enceinte. Logiquement, les ordinateurs se trouvent au même endroit que les soldats. Je tourne la tête. Marcus est debout sur la plateforme, blanc comme un linge, mais sain et sauf.

— Voilà donc l'enceinte des Audacieux, dit-il.

— Oui, rétorqué-je. Et alors ?

— Alors, je ne pensais pas la voir un jour. Inutile d'être sur la défensive, Beatrice.

Je n'avais pas remarqué auparavant combien ses yeux étaient froids.

— Tu as un plan ? me demande mon père.

— Oui.

Et c'est vrai, même si je ne sais pas très bien à quel moment je l'ai élaboré.

Je ne suis pas sûre que ça marche. Je peux compter sur quelques atouts en notre faveur : il ne doit pas rester dans l'enceinte beaucoup d'Audacieux à la botte des Érudits ; même à l'état conscient, ils ne brillent pas par leur intelligence ; et je suis prête à tout pour les arrêter.

On prend le couloir qui mène à la Fosse, traversé tous les dix mètres par des rais de lumière. Au moment où on pénètre dans le premier faisceau, un coup de feu retentit et je me jette à terre. On a dû se faire repérer. Je rampe jusqu'à la zone d'ombre suivante. L'éclair émis par le pistolet venait d'une pièce juste à côté de la porte de la Fosse.

— Tout le monde va bien ? murmuré-je.

— Oui, souffle mon père.

— Bien. Ne bougez pas.

Je cours me plaquer contre le mur extérieur de la pièce. Les appliques murales du couloir forment une avancée et, sous chacune d'elles se découpe une zone d'ombre. En me tenant de profil, j'ai la place de m'y cacher. En longeant la cloison, je peux surprendre le garde qui nous tire dessus avant qu'il ait le temps de me loger une balle dans la tête. Peut-être.

Je remercie les Audacieux de m'avoir assez préparée pour oublier la peur.

— Qui que vous soyez, jetez vos armes et mettez les mains en l'air ! crie une voix.

Je me colle au mur. J'avance latéralement, le plus vite possible, en passant un pied par-dessus l'autre, les yeux plissés pour mieux voir dans la pénombre. Un nouveau coup de feu déchire le silence. J'atteins la dernière applique et je reste là un moment, le temps que ma vision s'ajuste.

Je ne peux pas gagner dans un corps-à-corps, mais si je suis assez rapide, je n'aurai pas besoin de me battre. À pas feutrés, je me dirige vers le garde qui se tient à la porte. À quelques mètres de lui, je réalise que je connais ces cheveux sombres toujours brillants et ce long nez à l'arête étroite.

C'est Peter.

Une sensation de froid intense court sur ma peau, me saisit le cœur et les tripes.

Son expression est tendue – ce n'est pas un somnambule. Il scrute le couloir, puis son regard fouille le vide au-dessus de moi et continue sans me voir. À en juger par son silence, il n'a nullement l'intention de négocier avec nous. Il nous tuera sans se poser de questions.

Rassemblant mon courage, je parcours les derniers mètres en courant, projette mon bras de toutes mes forces, paume vers le haut, le poing replié. Et je lui écrase le nez. Il crie en se couvrant le visage à deux mains. Poussée par l'adrénaline, je lui donne un coup de pied dans l'aine. Il s'affale à genoux et son arme tombe avec un bruit sec. Je m'en empare et colle le canon sur le haut de son crâne.

— Comment se fait-il que tu sois réveillé ? demandé-je.

Il lève les yeux et j'arme en le fixant d'un air inquisiteur.

— Les leaders Audacieux... ils ont étudié mon dossier et ils m'ont écarté de la simulation.

— Ils ont dû se dire qu'avec tes instincts meurtriers, ça ne te gênerait pas de tuer quelques centaines de personnes en toute connaissance de cause, répliqué-je. Ça se tient.

— Je ne suis pas... un meurtrier !

— Je n'ai jamais vu un Sincère mentir aussi bien.

Je presse le canon contre sa tête.

— Où sont les ordinateurs qui contrôlent la simulation, Peter ?

— Tu ne tireras pas.

— Les gens ont tendance à surestimer mes scrupules, dis-je lentement. Ils pensent que parce que je suis petite, ou que je suis une fille, ou que je suis une Pète-sec, je ne ferais de mal à personne. Ils se trompent.

Je déplace le pistolet de huit centimètres sur la gauche et je lui tire dans le bras.

Son hurlement emplit le couloir. Le sang jaillit de sa blessure et il hurle de nouveau, le front au sol. Je ramène le canon sur sa tête en ignorant la morsure de culpabilité qui me tiraille la poitrine.

— Maintenant que tu as compris ton erreur, je te donne une seconde chance de m'apprendre ce que je veux savoir avant que je tire là où ça ne pardonne pas.

Un autre atout sur lequel je peux compter : Peter n'est pas de ceux qui se sacrifient pour une cause.

Il relève la tête et me fixe. Ses dents mordent sa lèvre inférieure et j'entends un sifflement quand il expire. Et quand il inspire.

— Ils écoutent, crache-t-il enfin. Si ce n'est pas toi qui me tues, ils s'en chargeront. Je parlerai seulement si tu me fais sortir d'ici.

— Quoi ?

— Emmène-moi... ahh... avec toi.

— Tu veux que *moi*, je t'emmène, *toi* ? Alors que tu as essayé de me tuer ?

— Oui, grogne-t-il. Si tu tiens à trouver ce qui t'intéresse.

Ça ressemble à un choix mais ce n'en est pas un. À chaque seconde que je perds à le fixer en songeant au mal qu'il m'a fait et à la manière dont il hante mes cauchemars, des Altruistes meurent victimes d'Audacieux au cerveau éteint.

— Très bien, cédé-je d'une voix étranglée. Très bien.

J'entends des pas dans mon dos. Je glisse un coup d'œil derrière moi en raffermissant ma prise sur le pistolet : c'est mon père, Caleb et Marcus qui nous rejoignent.

Mon père retire sa chemise, sous laquelle il porte un tee-shirt gris. Il se penche sur Peter, enroule le tissu autour de son bras et le noue fermement. Tout en appuyant sur la blessure pour arrêter l'hémorragie, il lève les yeux vers moi.

— Tu avais vraiment besoin de tirer ?

Je ne réponds pas.

— Quelquefois, la souffrance est nécessaire pour le bien du plus grand nombre, déclare calmement Marcus.

Aussitôt, je le revois face à Tobias avec sa ceinture à la main et j'entends l'écho de ses paroles : « C'est pour ton bien. » Je le dévisage quelques secondes. Pense-t-il sincèrement ce qu'il dit ? Ça ressemble plutôt à une maxime des Audacieux.

— Allons-y, dis-je. Lève-toi, Peter.

— Tu veux qu'il *marche* ? s'indigne Caleb. Tu es folle !

— Je lui ai tiré dans la jambe ? Non. Alors il peut marcher. Où va-t-on, Peter ?

Caleb l'aide à se mettre debout.

— Dans la tour de verre, souffle-t-il avec une grimace de douleur. Septième étage.

Il franchit la porte.

On avance dans la lueur bleue de la Fosse, déserte comme je ne l'avais jamais vue. Le rugissement de la rivière résonne dans le silence. Je scrute les parois à la recherche de signes de vie, mais je ne distingue aucun mouvement, aucune silhouette dans la pénombre. Mon arme à la main, je me dirige vers le chemin qui monte jusqu'au plafond de verre. Tout ce vide me donne le frisson. Il me rappelle le champ infini de mes cauchemars avec les corbeaux.

— Qu'est-ce qui te fait croire que tu as le droit de tirer sur quelqu'un ? me demande mon père en m'emboîtant le pas.

On passe devant le studio de tatouage. Où est Tori en ce moment ? Et Christina ?

— Ce n'est pas vraiment le moment pour avoir une discussion sur l'éthique, objecté-je.

— C'est tout à fait le moment, au contraire, réplique-t-il. Parce que tu auras bientôt l'occasion de recommencer, et si tu n'as pas conscience...

— Conscience de quoi ? le coupé-je sans me retourner. Qu'à chaque seconde que je perds, un autre Altruiste meurt et un autre Audacieux devient un assassin ? J'en ai parfaitement conscience. Vas-y, je t'écoute.

— Il y a toujours moyen d'agir comme il faut.

— Qu'est-ce qui te rend si sûr de savoir quelle est la bonne manière ?

— Arrêtez de vous disputer, interrompt Caleb sur un ton de remontrance. On a plus important à faire pour l'instant.

Je continue à monter, les joues en feu. Il y a quelques mois, voire quelques heures, je n'aurais jamais osé répondre à mon père. Mais quelque chose a changé quand ils ont tué ma mère. Quand ils ont pris Tobias.

J'entends mon père souffler et haleter par-dessus le grondement de la rivière. J'avais oublié qu'il était plus âgé que moi, qu'il avait plus de mal à porter le poids de son corps.

Avant de m'engager sur les marches métalliques qui mènent au-dessus du plafond de verre, je m'arrête dans le noir pour contempler la lumière que le soleil projette sur les murs de la Fosse. J'attends de voir une silhouette se déplacer en ombre chinoise sur la paroi et je compte jusqu'à l'apparition de la suivante. Les gardes font leur ronde toutes les quatre-vingt-dix secondes, s'arrêtent vingt secondes et repartent.

— Il y a des hommes armés là-haut, chuchoté-je à mon père. En me voyant, ils vont essayer de me tuer. (Je cherche son regard.) Je devrais les laisser faire ?

Il me fixe quelques secondes.

— Va, me dit-il enfin. Et que Dieu te protège.

Je monte prudemment l'escalier et m'arrête juste avant que ma tête ne dépasse du haut des marches. Immobile, je suis les ombres des yeux. Quand l'une d'elles s'arrête, je monte la dernière marche, je vise et je tire.

La balle manque sa cible et va fracasser la fenêtre derrière le garde. Je tire de nouveau et plonge tandis que les balles frappent le sol en tintant autour de moi. Heureusement que le plafond de verre est blindé, ou tout s'écroulerait et je ferais une chute mortelle.

Un garde en moins. Après une grande inspiration, je pose juste une main au-dessus de ma tête sur le plafond vitré, guettant ma cible à travers le verre. Le canon incliné vers le haut, je tire sur le garde qui arrive en courant. Je l'ai touché au bras. Coup de chance, c'est le bras droit, et son arme glisse sur le sol.

En tremblant de tous mes membres, je me projette en avant pour m'emparer de son pistolet avant qu'il ne puisse le reprendre. Une balle frôle ma tête en sifflant, si près que l'air soulève une mèche de mes cheveux. Les yeux écarquillés, je passe le bras droit par-dessus mon épaule gauche et je tire trois fois derrière moi. Par je ne sais quel miracle, une des balles a atteint son but. La douleur dans mon épaule m'arrache quelques larmes. Je viens de faire sauter mes points de suture.

Un autre garde se tient en face de moi. Je me couche à plat ventre et le vise de mes deux pistolets, les bras en appui par terre, le regard braqué sur le petit point noir du canon qui me vise.

Là, il se passe une chose étrange. D'un coup de menton, il me fait signe de passer.

Ça doit être un Divergent.

— La voie est libre ! crié-je.

Le garde s'engouffre dans la salle du paysage des peurs et déjà, il a disparu.

Je me relève lentement, le bras droit plaqué sur ma poitrine. Je n'ai plus qu'une chose en tête : ma mission. Je cours sur un chemin sur lequel je ne pourrai plus m'arrêter, ni penser à quoi que ce soit d'autre, avant d'être arrivée au bout.

Je tends l'un de mes pistolets à Caleb et je glisse l'autre dans ma ceinture.

— Marcus et toi, vous devriez rester là avec lui, dis-je en désignant Peter du menton.

J'espère qu'il ne va pas comprendre ce que j'essaie de faire : le mettre à l'abri dans la mesure du possible, même si je sais qu'il serait prêt à donner sa vie pour qu'on réussisse. Si je monte dans cette tour, il est peu probable que j'en revienne. Le mieux que je puisse espérer est d'avoir le temps de détruire la simulation avant de me faire tuer. Quand ai-je décidé de me lancer dans une mission suicide ? Pourquoi n'ai-je pas eu plus de mal que cela à m'y résoudre ?

— Je ne peux pas rester ici pendant que tu vas risquer ta vie là-haut, proteste Caleb.

— J'ai pourtant besoin que tu le fasses.

Peter s'affale sur les genoux, le visage luisant de sueur. L'espace d'une seconde, j'ai presque de la peine pour lui, avant de me rappeler Edward, et le frottement rêche du bandeau sur mes paupières closes quand mes agresseurs m'ont aveuglée ; et la haine l'emporte sur la compassion. Caleb finit par céder d'un hochement de tête.

Suivie par mon père, je m'approche de l'un des gardes à terre et je lui prends son arme, en détournant le regard de la blessure qui l'a tué.

Mon cœur s'accélère. Je ne sais pas depuis combien de temps je n'ai pas mangé ni dormi, ni pleuré ni crié, ni même fait une pause. Je me force à aller jusqu'à l'ascenseur à droite de la pièce. Direction le septième étage.

La porte de la cabine se referme sur nous et je compte les bips des étages, la tête appuyée contre la paroi de verre.

Je jette un coup d'œil à mon père.

— Merci, me dit-il. Pour Caleb. Beatrice, je...

On est arrivés. La porte s'ouvre. Deux soldats se tiennent en face de nous, les armes à la main, le visage sans expression. Je me plaque au sol tandis qu'ils commencent à tirer. J'entends des balles heurter du verre. Les gardes s'effondrent, l'un vivant et geignant, l'autre agonisant. Mon père, dans l'ascenseur, n'a pas encore abaissé son arme.

Je me relève tant bien que mal. D'autres gardes arrivent en courant du couloir de gauche. D'après le bruit synchrone de leurs pas, ils sont également contrôlés par la simulation. Je pourrais m'enfuir dans le couloir de droite, mais s'ils viennent de la gauche, c'est que les ordinateurs se trouvent par là. Je me couche par terre entre les soldats blessés et je reste aussi immobile que possible. Mon père bondit de l'ascenseur et fonce à droite en entraînant derrière lui les nouveaux assaillants. Je plaque une main sur ma bouche pour ne pas crier. Il a pris un cul-de-sac.

J'essaie d'enfouir ma tête entre deux corps inertes pour ne pas voir, mais je ne peux pas m'empêcher de regarder par-dessus leur dos. Mon père ouvre le feu sur ses poursuivants, mais il n'est pas assez rapide. L'un d'eux l'atteint à l'estomac et il pousse un gémissement si bruyant que sa plainte résonne presque dans ma poitrine.

Il s'adosse au mur en pressant une main contre son ventre et tire une deuxième fois. Et une troisième. Sous l'effet du sérum, les gardes continuent à courir même après avoir été touchés, jusqu'à ce que leur cœur s'arrête. Mais ils n'ont pas le temps de rattraper mon père. Le sang coule entre ses doigts et son visage devient livide. Un nouveau coup de feu et le dernier garde tombe.

— Papa...

Je pensais pousser un cri mais je n'ai émis qu'un souffle rauque.

Il se laisse glisser jusqu'au sol. Nos yeux se croisent comme si la distance qui nous sépare n'existait pas.

Il ouvre la bouche comme pour parler, mais son menton tombe sur sa poitrine et tout son corps se relâche.

Mes yeux me piquent et je n'ai pas la force de me relever. L'odeur de la sueur et du sang me donne la nausée. Je voudrais poser ma tête par terre et simplement attendre que tout s'arrête. Je voudrais dormir et ne jamais me réveiller.

Mais ce que j'ai dit tout à l'heure à mon père reste vrai : à chaque seconde, un Altruiste meurt.

Je n'ai plus qu'une raison de vivre : détruire la simulation.

Je prends appui sur les mains pour me relever et je cours jusqu'au bout du couloir, où je tourne à droite. Il n'y a qu'une seule porte devant moi. Je l'ouvre.

Le mur en face de moi est entièrement recouvert d'écrans carrés, d'une trentaine de centimètres de côté. Il y en a des dizaines, chacun montrant un coin différent de la ville. La Clôture. La Ruche. Les rues du secteur Altruiste qui grouillent de soldats Audacieux. Le rez-de-chaussée de la tour, où Caleb Marcus et Peter attendent mon retour. C'est un mur kaléido-scope... d'endroits que je connais tous.

L'un des écrans n'affiche pas une image mais une ligne de texte codé, qui défile trop vite pour que je puisse le lire. C'est la simulation, le code déjà programmé, une liste compliquée d'ordres qui anticipent et règlent des milliers de cas de figure différents.

Devant l'écran, il y a un bureau et un siège. Et sur le siège, un soldat Audacieux...

— Tobias.

CHAPITRE TRENTE-HUIT

TOBIAS TOURNE LA TÊTE et ses yeux sombres se posent sur moi. Il se lève. Il me vise avec son pistolet.

— Lâche ton arme, m'ordonne-t-il.

— Tobias, tu es dans une simulation.

— Lâche ton arme, répète-t-il. Ou je tire.

Je sais qu'il ne me reconnaît plus. Et Jeanine a précisé que la simulation faisait de ses amis des ennemis. S'il doit tirer, il le fera.

Je pose mon pistolet à mes pieds.

— Lâche ton arme ! crie-t-il.

— Je l'ai fait.

Une petite voix dans ma tête me martèle qu'il ne m'entend pas, qu'il ne me voit pas, qu'il ne me connaît pas. Un sentiment de révolte me saisit. Je ne vais pas rester là sans rien faire et le laisser me tuer.

Je me jette sur lui pour lui saisir le poignet. Je sens ses muscles se contracter au moment où il appuie sur la détente et j'esquive juste à temps. La balle frappe le mur derrière moi.

Le souffle coupé, je lui donne un coup de pied dans les côtes et lui tords le poignet de toutes mes forces. Il lâche son pistolet.

Je ne peux pas gagner contre Tobias. C'est perdu d'avance. Mais je dois détruire l'ordinateur. Je plonge pour ramasser l'arme, mais il m'attrape et me repousse brutalement sur le côté.

Un court instant, je fixe ses yeux sombres, ambigus, avant qu'il ne me décoche un uppercut au menton. Ma tête est projetée en arrière et je recule, les bras relevés en bouclier devant mon visage. Je ne dois pas tomber ; je ne dois pas tomber ou il me frappera à coups de pied et ce sera pire, bien pire. En ignorant la douleur, j'éloigne l'arme d'un coup de talon et lui donne un coup de pied dans le ventre.

Il m'attrape la jambe et me fait tomber. J'atterris sur l'épaule droite. Le choc est tel que ma vision périphérique s'obscurcit. Il prend son élan pour recommencer et je me redresse sur les genoux en tendant le bras pour essayer d'atteindre le pistolet. Je ne sais pas ce que j'en ferai. Je ne peux pas lui tirer dessus, je ne peux pas. Le Tobias que je connais est toujours là, quelque part.

Il me saisit par les cheveux et tire d'un coup sec sur le côté. Je lui prends le poignet, mais il est trop fort pour moi et mon front claque contre le mur.

Il est toujours là, quelque part.

— Tobias, l'appelé-je.

A-t-il desserré sa prise ? En me tordant, je me retourne et lui balance un coup de pied qui l'atteint à la jambe. Dès qu'il me lâche les cheveux, je plonge sur l'arme et mes doigts se referment sur le métal froid. Je roule sur le dos et je le vise.

— Tobias. Je sais que tu es là.

Mais s'il l'était, il ne se jetterait pas sur moi comme ça, comme s'il voulait vraiment me tuer.

Je me relève, la tête dans un étau.

— Tobias, s'il te plaît.

Je l'implore, maintenant. Je suis pitoyable. Les larmes me brûlent les joues.

— S'il te plaît, réveille-toi.

Il avance avec des mouvements rapides, puissants, dangereux. Le pistolet tremble dans ma main.

— Réveille-toi s'il te plaît, Tobias !

Malgré son expression menaçante, ses yeux restent pensifs, et je me rappelle soudain comment les coins de sa bouche se soulevaient quand il souriait.

Je ne peux pas le tuer. Je ne sais pas si je l'aime, et je ne sais pas si c'est la raison. Mais je sais comment il agirait dans la situation inverse. Je sais que rien ne justifie que je le tue.

Je l'ai déjà fait ; dans mon paysage des peurs, l'arme à la main, avec une voix qui me criait de tirer sur les gens que j'aimais. Cette fois-là, j'ai décidé que je préférais mourir. Mais je ne vois pas comment ça pourrait m'aider aujourd'hui. En revanche, je sais, sans l'ombre d'un doute, quel est le bon choix.

Mon père dit – disait – qu'il y a du pouvoir dans le fait de se sacrifier.

Je retourne le pistolet dans ma main et je le pose dans celle de Tobias.

Il appuie le canon sur mon front. Mes larmes se sont arrêtées et l'air est froid sur ma joue. Je tends la main pour toucher sa poitrine et sentir battre son cœur. Au moins, son cœur lui appartient toujours.

J'entends le déclic de la balle dans la chambre du pistolet.

Le laisser me tuer n'est peut-être pas plus difficile que ça l'était dans le paysage des peurs, et dans mes rêves. Juste une explosion, et le noir, et je me retrouverai dans un autre monde. J'attends, sans bouger.

Pourrai-je être pardonnée pour tout ce que j'ai fait avant d'arriver ici ?

Je ne sais pas. Je ne sais pas.

Je voudrais tellement.

CHAPITRE TRENTE-NEUF

LE COUP DE FEU NE VIENT PAS. Il me fixe toujours avec la même férocité, mais sans bouger. Qu'attend-il pour m'abattre ? Je sens son cœur battre contre ma main, et le mien s'allège, tout à coup. Il est Divergent. Il peut combattre la simulation. Celle-ci et n'importe quelle autre.

— Tobias. C'est moi.

J'avance d'un pas et je le prends dans mes bras. Tout son corps est contracté. Son cœur s'accélère. Puis, le bruit sourd du pistolet qui tombe par terre. Il me saisit par les épaules – trop fort ; ses doigts s'enfoncent dans ma chair pile à l'endroit de ma blessure. Je pousse un cri tandis qu'il me tire vers lui. Il a peut-être décidé de me tuer autrement.

— Tris.

Cette fois, c'est bien lui. Sa bouche heurte la mienne

Il m'enveloppe dans ses bras et me soulève en me serrant contre lui, les mains agrippées à mon dos. Son visage et sa nuque sont trempés de sueur, son corps tremble et la douleur me brûle l'épaule au fer rouge, mais ça m'est égal. Ça m'est égal.

Il me repose par terre et me dévore des yeux, ses doigts glissant sur mon front, mes sourcils, mes joues, ma bouche.

Il laisse échapper un bruit qui tient du sanglot, du soupir et du gémissement et il m'embrasse de nouveau. Ses yeux brillent de larmes. Je n'aurais jamais cru voir Tobias pleurer. Et ça me fait mal.

Je m'appuie contre lui et je pleure dans son tee-shirt. Tout s'abat **sur** moi en bloc, l'étau qui m'enserre la tête, la brûlure de mon épaule... mon corps me paraît soudain deux fois plus lourd. Je m'affale contre lui et il me retient.

— Comment tu as fait ? demandé-je.

— Je ne sais pas. J'ai entendu ta voix

+ + +

Au bout de quelques secondes, je me rappelle pourquoi je suis là. Je m'écarte, j'essuie mes larmes et je me tourne vers les écrans. J'en repère un qui surplombe la fontaine à eau. Je me souviens à quel point j'ai trouvé Tobias paranoïaque le jour où je pestais contre les Audacieux à cet endroit-là. Il n'arrêtait pas de regarder le mur au-dessus de la fontaine. Je comprends pourquoi, maintenant.

On reste un moment sans rien dire, et je sais qu'il se fait la même réflexion que moi : comment quelque chose d'aussi petit que des ordinateurs peut-il contrôler autant de personnes ?

— C'est *moi* qui conduisais la simulation ? questionne-t-il.

— Je crois plutôt que tu la surveillais. Elle est déjà élaborée. J'ignore comment, mais Jeanine a trouvé un moyen pour qu'elle fonctionne toute seule.

Il secoue la tête.

— C'est... c'est incroyable. Horrible, épouvantable, mais. incroyable.

Je distingue du mouvement sur un des écrans et je reconnais Caleb, Marcus et Peter au rez-de-chaussée de la tour, encerclés par des soldats armés et vêtus de noir.

— Tobias ! Vite !

Il se précipite sur l'écran et tape dessus plusieurs fois avec son doigt. Je ne vois pas ce qu'il fait. Je ne vois que mon frère. Il tient le pistolet que je lui ai donné comme s'il allait s'en servir. Je me mords la lèvre. *Ne tire pas...* Tobias appuie encore deux ou trois fois sur l'écran, tapant sur des lettres qui n'ont pas de sens pour moi. *Ne tire pas.*

Un éclair traverse l'écran – une étincelle jaillie d'un pistolet – et je retiens mon souffle. Caleb, Marcus et Peter se couchent à terre, la tête enfouie sous leurs bras. Puis tout le monde autour d'eux se met à bouger, et je n'arrive pas à distinguer s'ils sont vivants. Les soldats s'avancent et une nuée noire entoure mon frère.

— Tobias ! m'écrié-je.

Il appuie de nouveau sur l'écran et les soldats sur l'image s'immobilisent.

Leurs bras retombent le long de leurs corps.

Puis les Audacieux se remettent en mouvement. Ils se tournent de tous côtés, lâchent leurs armes, la bouche grande ouverte comme s'ils criaient. Ils se bousculent, certains tombent à genoux en se prenant la tête entre les mains et se balancent d'avant en arrière.

La tension qui m'oppressait se dénoue d'un seul coup et je m'assois en poussant un énorme soupir.

Tobias s'accroupit devant l'ordinateur et le débranche.

— Il faut que je récupère les données, m'annonce-t-il, ou il leur suffira de rallumer.

J'observe la scène d'hystérie sur le moniteur. La même scène doit être en train de se dérouler dans les rues. J'inspecte les autres écrans un à un, cherchant ceux qui montrent le secteur Altruiste. Il n'y en a qu'un – au bout du mur, tout en bas. Sur celui-là, je vois les Audacieux se tirer dessus, se pousser, crier – le chaos. Des hommes et des femmes vêtus de noir s'effondrent à genoux. Les gens courent dans tous les sens.

— Je l'ai, annonce Tobias en brandissant le disque dur de l'ordinateur.

C'est un boîtier en métal de la taille de sa paume. Il me le tend et je le range dans la poche arrière de mon pantalon.

— Il faut qu'on parte, dis-je en me levant.

Je lui montre l'écran en bas à droite.

— Oui, tu as raison, acquiesce-t-il. Viens.

Il passe un bras autour de mes épaules et on regagne l'ascenseur. Aussitôt, je repense à mon père et je ne peux pas m'empêcher de chercher son corps des yeux.

Il est là, allongé parmi les cadavres de plusieurs gardes. Je pousse un cri étranglé et je me détourne. Un goût de bile me soulève le cœur et je vomis contre le mur.

Un instant, j'ai l'impression que tout en moi vole en éclats. Je m'accroupis près d'un corps, en respirant par la bouche pour ne pas sentir l'odeur du sang. Je réprime un sanglot. Encore cinq secondes. Cinq secondes de faiblesse et je vais me relever. *Une, deux. Trois. Quatre.*

Cinq.

+ + +

Je ne me rends pas vraiment compte d'où je suis. Il y a un ascenseur, une salle aux murs vitrés et un courant d'air froid. Il y a une foule de soldats Audacieux en noir qui crient. Je cherche en vain le visage de Caleb, jusqu'à ce qu'on sorte de la tour de verre dans le soleil.

Au moment où je franchis les portes, il se précipite vers moi et je m'effondre sur lui. Il me serre fort.

— Papa ? me souffle-t-il

Pour toute réponse, je ne peux que secouer la tête.

— Bon, articule-t-il d'une voix étranglée. C'est ce qu'il aurait voulu... ne pas mourir pour rien.

Derrière Caleb, je vois Tobias s'arrêter net. Son corps se raidit quand son regard se pose sur Marcus. Dans l'urgence de détruire la simulation, j'ai oublié de le prévenir.

Marcus le rejoint et le serre contre lui. Tobias reste pétrifié, les bras ballants. Il lève les yeux vers le ciel et je vois sa pomme d'Adam monter et descendre.

— Fils, soupire Marcus.

Tobias fait une grimace.

— Hé, m'écrié-je en m'écartant de Caleb.

Je sens de nouveau la ceinture qui me brûle le poignet dans le paysage des peurs de Tobias et je me glisse entre eux en repoussant Marcus.

— Hé, répété-je. Reculez !

Je sens le souffle précipité de Tobias contre mon cou.

— N'approchez pas, sifflé-je à Marcus.

— Qu'est ce que tu fais, Beatrice ?

— Tris, me souffle Tobias.

Marcus me jette un regard scandalisé qui me paraît faux – les yeux trop écarquillés, la bouche trop grande ouverte.

Si je pouvais effacer cet air de son visage, je le ferais tout de suite.

— Les articles des Érudits ne mentaient pas tous, dis-je en fixant Marcus.

— De quoi parles-tu ? me demande-t-il d un ton sourd. Je ne sais pas ce qu'on t'a raconté, Beatrice, mais...

— Si je ne vous ai pas tiré dessus, le coupé-je, c'est uniquement parce que ce serait à Tobias de le faire. Ne l'approchez pas ou je pourrais changer d'avis.

Les mains de Tobias se referment autour de mes bras puis me serrent fort. Marcus maintient les yeux rivés sur moi un instant et je ne peux pas m'empêcher de les voir comme des trous noirs, tels qu'ils étaient dans le paysage des peurs de Tobias. Enfin il se détourne.

— Il faut qu'on y aille, nous rappelle Tobias d'une voix hachée. Le train devrait arriver d'une seconde à l'autre.

On marche jusqu'à la voie ferrée. Tobias regarde droit devant lui, la mâchoire serrée.

J'éprouve un pincement de remords. Peut-être aurais-je dû le laisser régler ses comptes avec son père.

— Désolée, marmonné-je.

— Tu n'as aucune raison de t'excuser, répond-il en me prenant la main.

Ses doigts tremblent encore.

— Si on prend le train dans l'autre sens, pour sortir de la ville au lieu d'y retourner, dis-je, on arrive au siège des Fraternels. C'est là que sont allés se réfugier les autres.

— Et les Sincères ? questionne mon frère. Que pensez-vous qu'ils vont faire ?

Je ne sais pas comment les Sincères vont réagir à l'attaque

Ils ne choisiraient pas le camp des Érudits – un acte aussi sournois n'est pas dans leur nature. Mais ils ne vont pas forcément se battre contre eux non plus.

On attend quelques minutes au bord de la voie ferrée avant que le train arrive. Tobias finit par me soutenir parce que je ne tiens plus sur mes jambes. Je pose la tête sur son épaule en prenant de grandes inspirations pour respirer son odeur. J'ai associé cette odeur avec le sentiment de sécurité, et tant que je me concentre dessus, je me sens à l'abri.

Non, en fait, je ne me sentirai pas vraiment à l'abri tant que Peter et Marcus seront avec nous. J'essaie de ne pas les regarder, mais je perçois leur présence comme un voile qui recouvrirait mon visage. La cruauté du destin a voulu que je voyage avec des gens que je hais alors que j'ai laissés ceux que j'aime morts derrière moi.

Morts, ou alors vivants dans la peau d'assassins. Où sont Christina et Tori, maintenant ? Errant dans les rues, écrasées par la culpabilité ? Ou visant au bout de leurs pistolets ceux qui les ont forcées à faire ça ? À moins qu'elles ne soient mortes, elles aussi ? Si seulement je le savais !

En même temps, j'espère ne jamais le découvrir. Si elle est toujours en vie, Christina va trouver le corps de Will. Et je sais que si elle me revoit, ses yeux entraînés de Sincère sauront que c'est moi qui l'ai tué. Cette culpabilité est si lourde à porter qu'il faut que je l'oublie. Je me force à l'oublier. Le train arrive et Tobias me lâche pour que je puisse sauter. Je cours sur quelques pas le long de la voie et je me jette dans le wagon. Je retombe sur le bras gauche, me traîne en rampant vers l'intérieur et m'adosse à la paroi. Caleb s'assoit en face de moi. Tobias, lui, se met à côté de moi, formant un rempart qui me sépare de Marcus et Peter, mes ennemis. Et les siens.

Le train prend un virage et je contemple la ville derrière nous. Elle va rapetisser toujours plus, jusqu'à ce qu'on découvre où s'arrêtent les rails, dans les champs et les bois que j'étais trop jeune pour apprécier la dernière fois que je les ai vus. La gentillesse des Fraternels va nous aider à panser nos plaies, même si on ne peut pas rester longtemps. Bientôt, les Érudits et les leaders Audacieux corrompus se lanceront à notre recherche et il faudra repartir.

Tobias m'attire contre lui. Les genoux repliés, la tête baissée, on forme une bulle rien qu'à nous, où nos souffles se mêlent, et qui fait disparaître ceux qui nous dérangent.

— Mes parents, murmuré-je. Ils sont morts aujourd'hui.

J'ai beau l'avoir formulé, j'ai beau savoir que c'est vrai, ça ne me paraît pas réel.

— Ils sont morts pour me sauver, ajouté-je.

Ça semble important.

— Ils t'aimaient, me répond Tobias. Pour eux, il n'y avait pas de meilleure manière de te le montrer.

Je hoche la tête en suivant des yeux la ligne de sa mâchoire.

— Tu as failli mourir aujourd'hui, reprend-il. J'ai failli te tuer. Pourquoi tu ne m'as pas tiré dessus, Tris ?

— Je n'ai pas pu. Ça aurait été comme me tirer dessus moi-même.

Il a l'air choqué, et se penche vers moi de telle sorte que sa bouche frôle la mienne quand il parle.

— J'ai un truc à te dire, me chuchote-t-il.

Je fais courir les doigts sur les tendons de sa main et je le regarde.

— Je suis peut-être bien amoureux de toi. (Il a un petit

sourire.) Mais bon, j'attends d'être sûr pour te l'annoncer...

— Ça me paraît raisonnable, approuvé-je en souriant à mon tour. Il te faudrait un papier pour lister les pour et les contre, un truc comme ça.

Je sens le rire secouer sa cage thoracique. Son nez glisse le long de ma mâchoire, ses lèvres se pressent derrière mon oreille.

— Peut-être bien que je suis déjà sûr et que je veux juste éviter de te faire peur.

J'ai un petit rire.

— C'est que tu me connais mal.

— Très bien. Alors, je t'aime.

Je l'embrasse tandis que le train entre en zone incertaine, dépourvue d'éclairage. Je l'embrasse tout mon soûl, longtemps, plus longtemps que je ne devrais avec mon frère à trois mètres de moi.

Je sors de ma poche le disque dur qui contient les données de la simulation. Je le tourne et le retourne entre mes mains en faisant jouer les derniers reflets du soleil sur le métal. Les yeux de Marcus suivent mes gestes avec avidité. Et je me demande si ce programme est vraiment en sécurité.

Je serre le disque dur contre ma poitrine, je pose la tête sur l'épaule de Tobias et j'essaie de dormir.

+ + +

Les factions des Altruistes et des Audacieux sont brisées, leurs membres disséminés. Nous voilà comme des sans-faction. Je ne sais pas à quoi va ressembler notre nouvelle vie. Ça fait l'effet d'être coupé de quelque chose, comme une feuille détachée de l'arbre qui la nourrit. Nous sommes des êtres marqués par la perte, qui ont laissé derrière eux tout ce qu'ils avaient. Je n'ai plus de foyer, plus de chemin tracé, plus de certitude. Je ne suis plus Tris la dévouée, ni Tris la courageuse.

À partir de maintenant, il va sans doute falloir que je devienne plus que cela.

L'AUTEURE

VERONICA ROTH a 22 ans lorsqu'elle publie *Divergente*. C'est son premier roman, qu'elle a écrit pendant ses études à Northwestern University. Alors étudiante en Écriture créative, elle préférait souvent se plonger dans les aventures de Tris plutôt que de faire ses devoirs... Elle est aujourd'hui écrivain et vit dans les environs de Chicago. Sa série *Divergente* fait partie de la liste des best-sellers du *New-York Times*.

DÉCOUVREZ UN EXTRAIT DE

DIVƎRGENTE 2

CHAPITRE UN

JE M'ÉVEILLE avec son nom à la bouche.

Will.

Les yeux fermés, je le revois qui s'affale sur le trottoir. Mort. Et c'est moi qui l'ai tué.

Tobias s'accroupit devant moi, une main sur mon épaule gauche. Le wagon tressaute sur les rails. Marcus, Peter et Caleb sont debout devant la portière ouverte. Je gonfle mes poumons et je bloque ma respiration dans l'espoir de soulager un peu le poids qui m'oppresse.

Il y a encore une heure, rien de ce qui est arrivé ne me semblait réel. Maintenant, si.

J'expire, et le poids est toujours là.

— Allez, viens, Tris, me dit Tobias, ses yeux fouillant les miens. On doit sauter.

Il fait trop sombre pour voir où on est, mais si c'est le moment de descendre, on ne doit pas être loin de la Clôture Tobias m'aide à me lever et me guide jusqu'à la portière.

Les autres sautent : d'abord Peter, puis Marcus et enfin

Caleb. Je prends la main de Tobias. Debout dans l'encadrement, je sens la pression du vent qui me repousse vers l'intérieur, vers la sécurité.

Pourtant, on se jette dans le noir et on atterrit lourdement sur la terre ferme. Le choc réveille la douleur de ma blessure à l'épaule. Je me mords la lèvre pour retenir un cri et cherche mon frère des yeux.

Il est là, assis dans l'herbe, en train de se frotter le genou.

— Ça va ?

Il me fait oui de la tête. Je l'entends renifler comme s'il ravalait des larmes et je détourne le regard.

On a sauté près de la Clôture, à quelques mètres du portail que franchissent les camions de ravitaillement des Fraternels sur le chemin de la ville et qui, fermé, nous bloque à l'intérieur. La Clôture se dresse au-dessus de nous, trop haute et pas assez rigide pour être escaladée, trop massive pour être abattue.

— Il y a des gardes Audacieux ici, normalement, dit Marcus. Où sont-ils passés ?

— Ils ont dû être soumis à la simulation, répond Tobias. Maintenant... qui sait où ils sont et ce qu'ils font.

On a arrêté la simulation – le poids du disque dur dans ma poche arrière est là pour en témoigner –, mais on ne s'est pas attardés pour découvrir les conséquences. Qu'est-il arrivé à nos amis, à nos camarades, à nos chefs, à nos factions ? Impossible de le savoir.

Tobias s'approche d'un petit boîtier métallique fixé à droite du portail et l'ouvre, révélant un pavé numérique.

— Espérons que les Érudits n'ont pas eu l'idée de changer la combinaison, dit-il en tapant une série de chiffres.

Il s'arrête au bout du huitième et la serrure s'ouvre.

— Comment connaissais-tu le code ? lui demande Caleb.

Sa voix est tellement chargée d'émotion que je me demande comment il ne s'étouffe pas.

— Mon travail consistait à surveiller le système de sécurité dans la salle de contrôle des Audacieux, explique Tobias. On ne change les codes que deux fois par an.

— Un vrai coup de chance, fait Caleb en lui glissant un regard soupçonneux.

— La chance n'a rien à voir là-dedans. J'ai choisi ce travail pour être sûr de pouvoir sortir.

Je frissonne. Il explique cela comme si on était prisonniers. Je n'avais jamais considéré les choses sous cet angle et, rétrospectivement, je me trouve naïve.

On marche en groupe compact. Peter presse son bras ensanglanté contre sa poitrine – le bras sur lequel j'ai tiré. Marcus le soutient d'une main sur l'épaule. Caleb n'arrête pas de s'essuyer les joues. Mais j'ai beau avoir deviné qu'il pleure, je ne sais pas comment le consoler, ni pourquoi je ne pleure pas moi-même.

Alors je prends la tête. Tobias marche à côté de moi et bien qu'il ne me touche pas, sa présence me calme.

+ + +

Les premiers signes du secteur des Fraternels nous apparaissent sous la forme de petits points de lumière qui se changent bientôt en carrés, puis en fenêtres illuminées. Un amas de bâtisses en bois et en verre se dresse devant nous.

Avant de les atteindre, on traverse un verger. Mes pieds s'enfoncent dans la terre et les branches s'entremêlent pour former comme une tonnelle au-dessus de ma tête. Des fruits sombres pendent dans le feuillage, prêts à tomber. L'odeur douceâtre des pommes blettes se mêle à celle de l'humus dans mes narines.

À l'approche des bâtiments, Marcus s'écarte de Peter pour passer devant.

— Je connais le chemin, explique-t-il.

Dépassant la première bâtisse, il se dirige vers la deuxième sur la gauche. À l'exception des serres, tout ici est construit dans le même bois sombre, brut et rugueux. Des rires fusent par une fenêtre ouverte. Le contraste entre cette légèreté et l'immobilité de pierre que je sens en moi me serre la gorge.

Marcus entre dans le deuxième bâtiment. L'absence totale de mesures de sécurité me choquerait si l'on ne se trouvait pas chez les Fraternels. Leur confiance confine souvent à la bêtise.

Le seul bruit audible dans le couloir est le crissement de nos chaussures. Caleb a cessé de renifler.

Marcus s'arrête devant un bureau dont la porte est ouverte. La représentante des Fraternels, Johanna Reyes, est assise dans la pièce, le visage tourné vers la fenêtre. Je ne l'ai vue qu'une fois auparavant, mais son visage est de ceux qu'on n'oublie pas. Une large cicatrice court depuis son arcade droite jusqu'à sa bouche. Johanna est borgne et parle avec un zézaiement. Elle serait belle sans cette balafre.

— Oh, Dieu merci ! s'exclame-t-elle en voyant Marcus.

Elle vient vers lui les bras tendus. Mais au lieu de le serrer contre elle à la manière des Fraternels, elle se contente de lui toucher les épaules, comme si elle avait assimilé la réticence des Altruistes à l'égard des contacts physiques.

— Les autres membres de ton groupe sont là depuis plusieurs

heures, dit-elle. Ils n'étaient pas sûrs que tu t'en sois sorti.

Elle parle des Altruistes avec qui Marcus et mon père s'étaient réfugiés dans une cache. Je n'avais même pas songé à m'inquiéter pour eux.

Par-dessus l'épaule de Marcus, les yeux de Johanna se posent sur Tobias et Caleb, puis sur moi, et enfin sur Peter.

— Seigneur, lâche-t-elle quand son regard tombe sur la manche ensanglantée de Peter. Je vais appeler un médecin. Je peux vous autoriser à rester cette nuit, mais demain, notre communauté devra prendre une décision collective.

Après un coup d'œil sur Tobias et moi, elle poursuit :

— La présence d'Audacieux dans notre enceinte risque de ne pas susciter l'enthousiasme. Bien sûr, vous êtes tenus de me remettre toute arme que vous pourriez avoir sur vous.

Je me demande tout à coup comment elle sait que je suis une Audacieuse. Je porte encore la chemise grise de mon père.

À cet instant, l'odeur de mon père, mélange de savon et de sueur, s'élève du tissu et m'emplit les narines. Je serre les poings si fort que mes ongles s'enfoncent dans mes paumes. *Pas ici. Tu ne vas pas craquer ici.*

Tobias lui donne son pistolet. Je glisse une main derrière mon dos pour prendre le mien, caché sous ma chemise, mais il l'intercepte avant d'entrelacer nos doigts pour masquer son geste.

Je sais qu'il est plus judicieux de garder l'une de nos armes. Mais ça m'aurait soulagée de m'en défaire.

Johanna nous tend la main, à moi puis à Tobias. À la manière des Audacieux. La façon qu'elle a de s'adapter aux coutumes des autres factions m'impressionne. J'oublie toujours à quel point les Fraternels sont soucieux des autres.

— Je suis Johanna Reyes, se présente-t-elle.

— Voici Tob... commence Marcus.

— Je m'appelle Quatre, l'interrompt Tobias. Et voici Tris, Caleb et Peter.

Il y a encore quelques jours, j'étais la seule parmi les Audacieux à connaître son vrai prénom ; un petit bout de lui dont il m'avait fait cadeau. Je sais pourquoi il préfère cacher ce nom au reste du monde ; il le relie à Marcus.

— Bienvenue dans l'enceinte des Fraternels, nous dit Johanna.

À SUIVRE...

VERONICA ROTH

DIVƎRGENTE

2

LA SUITE
DU ROMAN ADAPTÉ
AU CINÉMA !

NATHAN

ENVIE DE DÉCOUVRIR
DES EXTRAITS D'AUTRES ROMANS?
ENVIE DE PARTAGER
VOS AVIS SUR VOS LECTURES PRÉFÉRÉES?
ENVIE DE GAGNER DES ROMANS EN EXCLUSIVITÉ?
REJOIGNEZ-NOUS SUR

www.lireenlive.com

ET SUIVEZ EN DIRECT L'ACTUALITÉ
DES ROMANS NATHAN

MIXTE
Papier issu de
sources responsables
FSC® C022030

N° éditeur · 10210211 – Dépôt légal : mars 2014 – N° d'impression : 2011603.
Achevé d'imprimer en août 2014 par CPI Bussière (18200 Saint-Amand-Montrond)